АЛЕКСАНДР
ЕТОЕВ

Циркумполярный
роман

АЗБУКА

Санкт-Петербург

УДК 821.161.1
ББК 84(2Рос-Рус)6-44
Е 88

Серийное оформление и оформление обложки
Вадима Пожидаева

ISBN 978-5-389-15113-0

Из тени выйди,
людям покажись,
чтобы смогли
при свете разглядеть
два нужных слова:
маленькое — «жизнь»,
и бесконечное, как море, —
«смерть»...

Глава 1

Ленин получился весёлый, с хитрыми мордовскими скулами, цепким татарским взглядом, лысиной, огромной как мир, который он повернул кверху дышлом, ангельскими крыльями плеч, ещё летящих, ещё тёплых после полёта, и тяжёлый той лёгкой тяжестью, той древесной, приятной пальцам, напоминающей ладони ту пору, когда маленький босоногий мальчик баюкал у себя на руках деревянного крестьянского бога, вырезанного отцом из ясеня.

Он любил любой материал, лишь бы было из чего делать, и любовь была горячей, языческой, какой любят неразумные дикари камень, дерево, огонь в очаге за их внутреннюю, скрытую силу, прячущуюся под видимостью покоя и готовую в любую минуту выплеснуться наружу из шелухи.

И фигуру, портрет, скульптуру он мог выполнить из чего угодно, его слушались и камень, и дерево, и стекло, и лёд, и металл, даже те упрямые материалы, что считались непластичными от природы.

Он чувствовал структуру их плоти, плавные переливы мышц, неоднородность и пусто́ты внутри, вкрапления чужеродных образований, центры боли, очаги слабости, места неповиновения инструменту.

Но всему он предпочитал дерево. Исковерканное яростными ветрами тельце северной убогой берёзки, которая в приполярной тундре кажется беглянкой и сиротой, даже то под его рукой превращалось в Царевну Лебедь. Что уж говорить про породы, самим Богом учреждённые для художества.

Начальство предпочитало камень.

Степан Рза усмехнулся криво и загладил увесистой пятернёй заплутавшую в бороде улыбку.

— Месяц сроку? — переспросил он.

Тимофей Васильевич Дымобыков отразился бритой щекой в кривоватом пространстве зеркала. Щёку от виска до скулы украшал грязножёлтый шрам, полученный в боях под Чонгаром, когда они с Окой Городовиковым рубмя рубили белую сволочь, проперчивая солончаки Приазовья горькой кровью врангелевских полков.

— Месяц сроку, — подтвердил Дымобыков. — Чтоб к августу был готов. А его, — Тимофей Васильевич показал на деревянного Ленина, — передашь моему замполиту, товарищу то есть Телячелову. Мы его в ленинском уголке устроим. Хотя нет... — задумался Дымобыков. — Нет, давай Ильича ко мне. Комиссар, он человек необлупленный, мыслит прямо как ледокол «Ермак». Короче, мало ль чего подумает. Ленин всё-таки великая личность, ну а тут, прости господи, деревяшка.

— Мы же с ним из одной губернии, земляки мы, — сообщил Рза.

— Я не понял, то есть с кем земляки? — Дымобыков поболтал головой, помогая подслеповатой мысли приобрести необходимое направление. — С Лениным? С Владимиром Ильичом? Ну, Степан Дмитриевич, ты даёшь... — Дымобыков махнул рукой. — Я вон тоже в Казани Советы делал. Мы с Окой Городовиковым там такую навели лакировку, что по улицам даже ночью можно было без нагана гулять. Целый пароход потопили — с пристани из пушки прямой наводкой — волжского товарищества «Заря». Жалко было пароходную технику, ведь могла и революции послужить, так мы ж с Окой тогда горячие были, загрузили в трюмы контриков, как селёдку, палубные люки задраили, оттащили пароходик от берега на дистанцию прямого огня и потом по нему — херась!.. А про Ильича ты помалкивай. Мы все ему, знаешь ли, земляки, все живём по его заветам. Это я как комдив тебе говорю, как полномочный представитель военной власти на вверенном мне участке тыла. Ну и как человек тоже.

— Товарищ Дымобыков, а материал?

— В смысле, из чего будет статуя? — улыбнулся Дымобыков Степану, давая улыбкой уразуметь, что в художестве знает толк. — Каррарский мрамор, Степан Дмитриевич, тебя устроит? Как, товарищ Рза, насчёт каррарского мрамора? А? Командир девятой циркумполярной дивизии НКВД, Герой Советского Союза и Социалистического Труда, кавалер орденов Ленина, Красного Знамени, Красной Звезды, ордена Суворова второй степени, ордена Отечественной войны, это не считая медалей, награждённый лично из рук товарища Фрунзе почётной революционной шашкой, это как раз за Крым, и ещё одной шашкой, парадной, за боевые заслуги перед страной, начальник лагеря особого назначения генерал-лейтенант Тимофей Васильевич Дымобыков в каррарском мраморе — какова картина?

Дымобыков хмыкнул и подмигнул Степану. Тот почтительно посмотрел на китель и на плотную фигуру героя, облачённую в военную форму. Чуть сощурился от радуги лент в тесных рамках наградных планок.

— По масштабам и исполнение, — подольстил Степан комдивизии. И продолжил деловым тоном: — Да, а место, где мне работать? В Доме ненца с мрамором не получится, это ж крошка, лишний шум, пыль. Там меня товарищ Казорин и без того через силу терпит. Ну и вас гонять в Салехард всякий раз неудобно будет. Может, выделите какой сарайчик? Три на пять, мне большего не понадобится.

— Погоди, Степан Дмитриевич, дай подумать. — Дымобыков изобразил задумчивость. — В трудовую зону тебе нельзя по определению. В блок охраны? Не могу, не положено. В посёлке — старший командирский состав, они тебя там затюкают из-за жён. Так-так-так, ага, ну, пожалуй. Старый карцер на Собачьей площадке, бывший второй ШИЗО. Там, вообще-то, холодновато, но не смертельно. Сейчас лето, работать можно, а с ночёвкой — с ночёвкой хуже. С харчами тоже, но пайку я тебе сделаю. А ночевать — переночуешь у Хохотуева. Это наш гражданский завхоз, дядька тёртый, из чулымских разбойников, не законник, но в лагере его уважают.

— «На Карельском фронте группа разведчиков под командованием капитана Шарапова устроила засаду в тылу противника и внезапно атаковала появившуюся на дороге колонну немцев. В результате боя истреблено до роты гитлеровцев. Захвачены трофеи и пленные», — сообщила очередную сводку военных действий тарелка репродуктора на стене.

Голос Совинформбюро был простуженный, будто бы стоял не июнь, а какой-нибудь колючий февраль.

Дымобыков посмотрел на часы, именные, с краснозвёздной эмблемой на весёлом, новеньком циферблате. Это значило: разговор окончен. Но прежде чем отпустить Степана, Тимофей Васильевич Дымобыков вдруг по-детски насупил брови.

— Ты, послушай, что ли, побрился бы, — прогудел он осипшим голосом, каким только что передали радиосводку. — А то какая-то богема, честное слово. Я не в смысле гигиены или чего. Это ж раньше что ни художник, то и борода до пупа. А сейчас война, обстановка сложная, хотя после Сталинграда немец уже пошёлковей. И потом, у нас здесь не санаторий. Заключённые — народишко нервный. Все мазурики, правда, сейчас в штрафбатах, кровью отмывают грехи, но и среди пятьдесят восьмой тоже бывают овощи-фрукты, не приведи господь. Не глянется ему твоя борода, он тебя втихаря заточкой. Не со зла, а из идейных соображений — чтобы, значит, пейзаж не портил. Не подумай, это я тебе не в смысле приказа. Хочешь с бородой — носи бороду. Только без бороды спокойней.

Рза смущённо пригладил волосы, мягким комом обволакивающие скулы и копною лезущие на грудь.

— Если дело только за этим, тогда конечно, — смиренно ответил он.

— Лейтенант, проводи товарища, — крикнул Тимофей Васильевич в дверь. Затем снова обратился к Степану: — Пропуск сдашь вахтенному на выходе, а когда переедешь к нам, выпишу тебе постоянный. Это всё под мою ответственность, личную. Смотри, лагерь у нас особенный, требования к дисциплине жёсткие, опять же военная обстановка требует повышенной бдительности. Впрочем, ладно, что тебе говорить, ты всё это и без меня знаешь.

Степан Рза был уже у порога, когда низкий голос комдива остановил его:

— Говоришь, Казорин тебя через силу терпит? А ты скажи товарищу Казорину, что искусство в нынешних военных условиях приравнивается к винтовке и пулемёту. Это не я сказал, это товарищ Сталин сказал. И ещё скажи, что броня нынче вещь прозрачная. Нет, про это не говори, про это я ему сам скажу.

Тихое полярное солнце работало по режиму лета. Конвоируемое сонными облаками, оно то ныряло в вату, выжигая облако изнутри, то послушно текло над тундрой, оставляя в тысячах водоёмов свои лёгкие, праздничные следы. Погода для здешних мест стояла почти тропическая, температура в иные дни зашкаливала за двадцать, и Степан радовался теплу, радовался пространству жизни, дарованному ему под старость, он учился у тундры щедрости, выраженной в скудости красок, как когда-то учился у Аргентины быть спокойным среди буйства палитры. Он всегда чему-то учился — у воды, у дерева, у вещей, — и сейчас, идя по лежнёвке, утопающей в светлом мху, он учился у этих мест отречению от избытка и пестроты.

Ледниковая спрессованная перина, чуть прикрытая болотистой почвой, не дарила пустой надежды на беспечное и праздное будущее. Это было правильно и понятно: труд есть труд, но и земля есть земля; как ты ни уродуй природу, как ни отравляй её кровь, как ни задымляй её лёгкие ядовитым газом цивилизации, всё это откликнется послезавтра. Труд необходим для того, чтобы дать человеку выпрямиться. То же самое и искусство.

Холм с наезженной широкой тропой возвышался над круглой чашей, на дне которой расположился лагерь. Клинья леса — сосна и лиственница — приближались к лагерю с юго-запада, но по верному древесному чувству деревья медлили на подходе к зоне и, бросив несколько кривоватых сосенок на откуп людской корысти, отступали по дуге к северу.

Слева за пространствами лесотундры туловищем убитой птицы одиноко лежал Урал. Снежные высокие пики холодно смотрели на мир, равнодушные, как металл винтовки, целящей в приговорённого человека.

Степан Рза шёл, не оглядываясь, по пружинящему «тротуару» лежнёвки, то и дело сходя на мох и сбивая с зарослей княженики узелки несозревших ягод. С озерца, мелькнувшего за кустами, снялась стайка озёрных птиц. Покружившись над блестящей поверхностью, гуси шумно опустились на воду. Человек — опасное существо, особенно в военное время, но у этого, идущего по тропе, нет в глазах голодного блеска, отличающего путника от охотника.

Путь Степану предстоял долгий. Почти двадцать километров до Лабытнанги, ну а там уж до Салехарда рукой подать. Расстояние его не пугало. Если пройденные за жизнь километры выстроить в единую линию, то эта длинная дорога-одноколейка давно вывела бы упрямого ходока к той желанной стране Утопии, где кончаются печали земные. Только вот дороги Степана завершались всякий раз бездорожьем, но и это его, в общем, устраивало, потому что в стране Утопии он чувствовал бы себя чужим.

Двадцать километров до Лабытнанги, и если бы не летнее половодье, он бы к ночи был уже возле пристани, на долблёнке переплыл Обь и, глядишь, часам к трём утра ночевал бы у себя в мастерской. Но в июне тундра водолюбива, каждая протока и ручеёк набухают, как вены у роженицы, а Степану с его хворями и болячками путешествие по студёным водам не сулило прибавления жизни.

— Хей! — услышал он сзади окрик.

Обернувшись, он сперва испугался, потому что на него полным ходом неслась бешеная собачья упряжка. С высунутыми алыми языками, брызжа пенящейся серой слюной, стая ровно, не сбиваясь с пути, молчаливо приближалась к Степану. Это были не полярные лайки, а овчарки, самые настоящие, запряжённые веером, по-остяцки, и тянущие на поводу нарты. Ни такого странного применения явно лагерным, караульным псам, ни тем более таких странных нарт Степану видеть покуда не доводилось. На высоких, по полметра, копы́льях обложенная поплавками на бечеве покоилась, вернее, летела тупорылая железная птица. Застеклённый колпак кабины и клёпаный сверкающий фюзеляж выдавали в этом птенчике на полозьях его лётное, боевое происхождение. Для полного подобия «ястребка» не хватало только винта и крыльев. И по росту он уступал настоящему. Укороченный, обрубленный корпус завершался банальным ящиком с каким-то крытым брезентом скарбом.

Расстояние между собаками и Степаном сокращалось с неумолимой скоростью. Степан резко отступил в сторону, хотя толку от такого манёвра не было, наверное, никакого. Он всматривался в лицо каюра, маячившее за туманным стеклом, но, кроме резкой черты усов, не различал в пятне лица ничего.

— Наррах! — послышался из авианарт приказ собакам отвернуть влево.

Овчарки подчинились приказу, и тут же громкий голос водителя заставил их остановить бег. Нарты встали, застеклённый колпак откинулся, и на Степана уставилось незнакомое молодое веснушчатое лицо.

— Командир гужбата НКВД старшина Ведерников, — представился Степану возница, усатый юноша, почти мальчик, открывая дверцу кабины и спрыгивая на пружинящий мох. — Я вас знаю. Вы ведь тот самый Рза? Знаменитый скульптор?

— Тот самый, — повторил Степан за ним следом. — Знаменитый скульптор. Вас товарищ Дымобыков послал?

— Да... нет... — Юное лицо старшины сделалось каким-то фанерным, а рыжие веснушки на нём превратились в ржавые оспины. — То есть нет... да...

15

Старшина сглотнул, посмотрел назад, на расползающиеся жерди лежнёвки, утонувшие в синеватом мху, и на всхолмлённое пространство тундры, отделявшее старшину Ведерникова от той точки на карте родины, где он нёс боевую службу.

Тявкнула собака в упряжке, другие дёрнулись, но с места не стронулись, ловя носами запахи тундры и не спуская с чужака глаз.

Наконец командир гужбата погасил своё внезапное беспокойство.

— Залезайте, — сказал он твёрдо, и оспины на его лице расплавились под теплом улыбки. — До Хасляра я вас подкину, дальше — сами, дальше недалеко. Вы ведь в Салехард, правильно?

Он отщёлкнул запор на дверце, показав на место сзади себя.

Не дожидаясь повторного приглашения, Степан втиснулся, куда ему было велено, и устроился на сиденье сзади, спина в спину со старшиной Ведерниковым.

Место не баловало уютом — что-то пёрло из-под кожи сиденья, и приходилось почасту ёрзать, отыскивая удобное положение. Если бы не мшистый покров, а какая-нибудь раздолбанная грунтовка и не этот вездеход на полозьях, а охочий до бездорожья «газик», Степан точно плюнул бы на оказию и потопал по привычке пешком.

Боец гужбата поначалу молчал, лишь то и дело поворачивал голову и мирным глазом косился на пассажира — похоже, всё решался заговорить, но не хотелось показаться навязчивым; он даже на собак не покрикивал, и те гнали без команды и понуканий, должно быть выучив на память маршрут.

Отсек кабины, где устроился пассажир, был отделён от грузового охвостья перегородкой из того же металла, что и отсек, где сидел возница. Изнутри он был обшит мягкой кожей — оленьей, судя по фактуре и выделке. Но в отличие от командирского места, защищённого непродуваемым колпаком, пассажирская часть кабины была открыта пространству тундры.

Степан пытался удержать взглядом две убегающие мокрые колеи, но глаз всё время отвлекался на что-нибудь: на красногроздую подушку цветов, нелепо смятую безжалостными полозьями, на мшистый камень изумрудной раскраски, на лисью поросль ярко-рыжих лишайников, на трепет ветки под стартующим турухтаном. Ветер, вором залетавший в кабину, нёс удушливый аромат багульника, забивающий все запахи разнотравья. Тёмной птицей проносился след облака. На планете хозяйничала война, здесь в июньской циркумполярной тундре благодушничала доверчивая природа.

Нарты резко качнуло вбок. Рза рукой схватился за железяку, выступавшую над барьером борта, но та свободно повернулась по кругу, и пассажира саданула о стенку. Впрочем, мягко, кости не пострадали.

Степан разглядывал предательскую вертушку, пытаясь вникнуть в её тайное назначение. Наконец до него дошло. Поворотная платформа для пулемёта. Паз, скоба, гнездо для крепления. Ставишь сверху на неё пулемёт, и получается буённовская тачанка. На полозьях, на собачьем ходу — приспособленная к условиям Севера. А самолётная кабина, так та вообще делает из нарт бронепоезд.

— Не ушиблись? — спросил вожатый, обретя наконец-то повод оборвать затянувшееся молчание. — Камень был, собаки его объехали.

Пассажир посмотрел на камень, серым боком выступающий из травы и стремительно съедаемый расстоянием.

— Я, когда Урал проезжали, чуть из поезда в окошко не выпал, загляделся на товарища Сталина. Такая глыба, даже глазам не верится. Это ж сколько пришлось трудиться!

— Девять месяцев, исключая зиму, — улыбнувшись, ответил Рза. — Это сама работа. И два года выбирал место.

Старшина Ведерников аж присвистнул. Собаки дёрнули, но окрик каюра мигом выровнял их сбившийся бег. Он вдруг снизил голос до шёпота:

— А товарищ Сталин, ну то есть лично, сам он видел свой портрет на горе?

— Сам? Не знаю. Возможно, по фотографиям. В газетах давали фото.

— Да, конечно... — Каюр замялся. — Я вот... можно задать вопрос?

— Задавайте, — разрешил пассажир.

— Вот вам премию дали, Сталинскую...

— Дали премию, второй степени.

— Ну, не важно, главное, она — Сталинская. — Старшина уже не смотрел вперёд. Криво вывернувшись плечом к Степану, он тянул к нему наморщенный лоб. — Это ж деньги, положение, правильно?

— Да, наверное, — ответил Степан.

— Как «наверное»? — не понял вожатый. — Я вот выиграл перед войной гармонь. В лотерею Осоавиахима. Я ж полгода ходил счастливый.

А тут премия, и не просто — Сталинская! Я бы «эмку» себе купил, в Ялту съездил... ей-богу, такая слава...

— В Ялте немцы, в Ялту теперь не съездишь. И на «эмке» по тундре не покатаешься.

— Я не в смысле конкретно в Ялту, я — вообще. И при чём здесь тундра? Вы вот, всеми уважаемый человек, почему вы тут, а не там?

Старшина гужбата Ведерников показал рукой за Урал, за нехоженые топкие километры, отделявшие его и попутчика от рубинового сердца державы.

— Ну вообще-то, родина везде родина, — увернулся от ответа Степан. — И служить ей можно не только в центре. — Он невольно повторил жест Ведерникова. И сейчас же, чтобы переменить тему, спросил первое, что пришло на ум: — В вашем гужевом батальоне все на таких птицах летают?

Старшина от вопроса дёрнулся и повернулся к пассажиру спиной. В неестественно ссутулившейся фигуре появились деревянность и отстранённость.

«Отчего его так сковало? — не мог сообразить Рза. Вопрос вроде вполне невинный, не покушавшийся ни на какие табу. — Или у него это нервное?»

Деревянность с позы Ведерникова, похоже, перекинулась и на речь. Она стала бессвязной, путаной, не притёртые друг к другу слова рассыпались, как карточная постройка.

— Первое дело... второе... третье... — бормотал он трафаретные фразы, словно выстриженные острыми ножницами из суровых страниц приказов. — Совершенствовать боевую выучку, укреплять дисциплину, организованность... Неустанно... упорно... резать... окружать, сжимать и уничтожать... Шире раздувать пламя... взрывать... срывать... поджигать... Не давать отступающему врагу... не давать... давать... не давать...

Рза припомнил, откуда фразы.

— «В этом залог победы», — попробовал поставить он точку.

Заблудившийся в словах старшина отогнал от лица стрекозку, залетевшую под колпак кабины.

— Современная война, — сказал он несколько подувядшим голосом, не набравшим ещё жизненной силы, — это война моторов. — И добавил голосом вполне жизненным: — Поэтому приходится соответствовать.

Степан понял, что услышал ответ на свой заданный случайно вопрос, вызвавший столь непредвиденную реакцию, непонятно было другое — шутит старшина или нет. Если шутит, то довольно опасно: самолёт на собачьей тяге как-то не очень вписывался в политическую линию государства, озвученную самим верховным за полгода до начала войны.

— А собачки-то у вас резвые, — без улыбки ответил Рза, щурясь глазом через плечо водителя на приземистые собачьи спины. — Знают дело, работают без подсказки. Ваша школа? — спросил он у старшины.

— А то чья же? — гордо кивнул Ведерников. — У нас лучшие собачники на Полярном круге. Как у дедушки Дурова, только получше. Знаете такого артиста? Он, когда я в госпитале лежал, приезжал к нам с собачьим цирком. Один номер был, ну умора! Моська исполняла роль Гитлера — помните, как в басне Крылова? — прыгала и тявкала на слона. Слон, конечно, не настоящий, сшитый. С серпом-молотом и красной звездой. Ну, короче, как бы СССР, на который эта шавка кидается. Там безногий был, сержант из Архангельска, так он вдарил по собаке костылём. Очень уж было похоже на фашистскую гадину.

— Да, смешно, — согласился Рза. — Я на Дурове в Воронеже был. Не на этом, а на первом из Дуровых. Но давно, ещё при царе Горохе. Тогда тоже чуть от смеха не захлебнулся.

— Это при котором царе Горохе? При Николае Кровавом? Так какой же при нём был смех, при нём только в крови захлёбывались. Общеизвестный факт. — Старшина Ведерников усмехнулся.

— Нет, ещё при его папаше. Тот, который не Кровавый, а Миротворец. Мне тогда было примерно как сейчас вам.

Старшина подпрыгнул и обернулся.

— Вам, товарищ старшина, сейчас сколько? — Рза сощурился, прикидывая его возраст. — Двадцать, верно? Вот и мне было двадцать.

Старшина смотрел на Степана, как на вышедшего из леса мамонта.

— А ещё я жил в Париже и Аргентине.

Взгляд Ведерникова сделался отстранённым. Он отчаянно решал в голове нерешаемую логическую задачу: как же вдруг могло такое случиться, что человеку, проживавшему за границей, дали премию, и не какую-нибудь, а Сталинскую. Куда органы смотрели, чёрт побери!

Тут он вспомнил своих бывших начальников, оказавшихся вражескими пособниками, и с опаской покосился на Рзу.

— И в Италии, — прибавил попутчик.

«Ведь Италия союзник Германии. — Взгляд Ведерникова совсем потух, а в мозгу телеграфной лентой побежали слова инструкции: „Беженцы, слепцы, гадалки, добродушные с виду старушки, даже подростки — нередко используются гитлеровцами для того, чтобы разведать наши военные секреты, выяснить расположение наших частей, направления, по которым продвигаются резервы. Одним из методов, наиболее излюбленных немцами, является засылка лазутчиков под видом раненых, бежавших из плена, пострадавших от оккупантов, вырвавшихся из окружения и т. п.“».

Это многоликое «и т. п.» чёрной дробью пронзило пылающий мозг Ведерникова. Судорога свела лицо. Он схватил коротковатый хорей и, откинув колпак кабины, погрозил им неповинным собакам. Острый ветер скособочил фуражку и наполнил капюшон куртки. По пятнистой маскировочной бязи пробежала маленькая волна.

«Что же вы, товарищ полковник! — чуть не крикнул он за топкие километры подсуропившему ему Телячелову. — А ещё замполит дивизии, такая вы паскудина после этого! Подсунули мне какого-нибудь шпиона, маскирующегося под выдающегося художника, и сами же меня и сдадите, ежели какая хреновина. А то „подбрось хорошего человека, лауреата главной премии по искусству. Поговори, ума наберёшься, может, что полезное вдруг расскажет. И спрашивай, не сиди поленом, интересно же ведь — сталинский лауреат". А он, может, такой же сталинский, как я лётчик-герой Покрышкин».

— Итальянцы — народ хороший, — услыхал он с сиденья сзади. — Это был девятьсот десятый... вру, девятый, одна тысяча девятьсот девятый. Я для Дома итальянских рабочих тогда делал скульптуру «Братство». Получил заказ, а денег на мрамор не было, обещали расплатиться по выполнении. Я тогда в Карраре работал, пользовался мрамором в долг и был должен в местных каменоломнях, кажется, всем и каждому. А тут заказ, возможность подзаработать. Я и взял под честное слово у рабочих лучшего материала. Потом заказчики со мной расплатились, я вернулся отдавать долг, даю деньги, а у меня не берут. Говорят, ну отдашь ты деньги и снова будешь побираться, как нищий? В общем, накупил я вина, еды всякой, сговорился с трактирщиком и устроил каменотёсам праздник. Они люди простые, честные, понимают, когда от сердца, замечательный народ итальянцы.

— Раз они такие хорошие, зачем пошли на поводу у фашистов? — В голосе старшины Ведерникова стало меньше жести и больше плавности. Он и с виду поотмяк и расслабился, когда понял, что слова про Италию не относятся к сегодняшнему моменту. — Мне, вообще-то, двадцать два будет осенью. — Он вернулся к разговору о возрасте. — Я, вообще-то, на фронт просился, а меня по спецпризыву — в НКВД. Я же курсы миномётчиков кончил, но ни разу по врагам не стрелял. Нет, обидно, вот война скоро кончится, а я ещё ни одного фрица не укокошил.

Степан кивал, поёживаясь от ветра, рывками бьющего через откинутый верх. Солнце спряталось за длинными облаками, что текли из-за Урала на юг, и на тундру упала тень, не густая, но какая-то липкая. Она тихо обволокла природу, и как-то сразу всё умолкло, насторожилось — словно сердце земли напомнило: на планете идёт война.

— Я в Италии в рубахе ходил, белой, длинной, нашей, мордовской. И вечером, когда шёл с работы, женщины кричали: «Христос! Христос!» — подбегали и ручку мне целовали. Вот какая она, Италия.

«Йе-хе-хе-е», — встревожились кряквы, поднимаясь над заросшей протокой. Глухо тявкнула собака в упряжке — не из первых, а из ближних, из молодых. Старшина Ведерников сразу сгорбился, бросил руку на ремень с кобурой, после высунулся из кабины наружу, шаря взглядом по болотистому пространству.

— Мать такую, снова этот туземец!

Он ругнулся и сплюнул вниз.

Степан Дмитриевич повернул голову.

Невдалеке, метрах в ста от них, на невысоком лысоватом пригорке виднелась человеческая фигура. Человечек был в туземной одежде — в старой малице на голое тело, подпоясанной солдатским ремнём, и заношенных ровдужных штанах, налезающих на драные пимы. Рядом пасся светло-рыжий олешек.

— Все работают, а они кочуют, — недовольно проворчал старшина. — Чёрт их знает, что у них на уме, он сегодня палит по «юнкерсам», завтра вдарит тебе в спину из-за угла.

Степан Дмитриевич привстал с сиденья и по пояс высунулся из нарт. Он прищурился, из спутанной бороды добрым чёртиком вынырнула улыбка.

— Вы знакомы? — удивился Ведерников.

Он пытался проследить взгляд подозрительных глаз попутчика: не несёт ли он секретного знака или некой зашифрованной весточки для бродячего туземного оборванца.

— Так, немного, это Ванюта. В Доме ненца виделись пару раз, даже начал делать с него эскизы, чтобы позже перенести в дерево.

Старшина, услыхав про дерево, простодушно пожал плечами.

— Осторожнее с ихним братом, — посоветовал он Степану. — Они, только когда спят, смирные. Прошлым годом с американского парохода поснимали пулемёты и пушку и угнали на нартах в тундру. Они даже самолёт в тундре спрятали.

— Так вот прямо и самолёт? — недоверчиво хмыкнул Рза.

— Точно так, — подтвердил Ведерников. — Нам на политзанятиях говорили. Сбили немца из трофейного «ремингтона», он упал, а они его в тундре сны́кали. Знаешь... ой, извините, знаете, как они называют русских? Нет? Хабе́ями — хорошо словцо? Обязательно какое-нибудь ругательство. И оленей от государства прячут. Гонят их подальше на севера́, у них так принято, комары их там не кусают. А то что война, что голод, что солдат на фронте надо кормить и их там не комары кусают, их там пули и снаряды немецкие рвут на части — им на это плевать! И от призыва

25

уклоняются поголовно. В Салехарде, Надыме, Яр-Сале, Аксырке — считай, везде из русских только инвалиды остались. Спецпереселенцы не в счёт. Все мужчины сейчас на фронте. Только этот по тундре шастает и неизвестно ещё, с какой вредительской целью.

— Что это вы, дорогой старшина, так настроены против местного населения? Они что, у вас патефон украли?

— Не украли, — сказал старшина Ведерников. — Просто думаю, а если бы вдруг фашист сбросил завтра в тундре десант? На чью сторону встали бы эти тузики?

И олень, и низкорослый туземец давно съелись убегающим расстоянием, а критический ум Ведерникова продолжал свои угрюмые построения.

У Хасляра Степан сошёл, пожелав старшине удачи.

Глава 2

Был хлопо́к, мгновенный и звонкий, какой бывает, когда лопается собака. Знаете такую картину: тонконогий бездомный пес, ещё не съеденный оголодавшими ртами, выбегает на дорогу с обочины, а тут какая-нибудь шальная полуторка? Хлопок без визга, собака не успевает не то чтоб вскрикнуть — хвостом вильнуть. То ли это собачье самоубийство, то ли ноги доходягу не носят — кто их знает, этих сучек и кобельков, обитающих по норам да по оврагам.

Степан сунул лицо в окошко. За стеклом гулял белёсый туман, а над зданием окружкома партии играли с флагом небесные бесенята. Что там хлопнуло, и где, и зачем, — может, банка взорвалась на рыбзаводе, а может, дети балуются с утра, — непонятно, да и нужно ли это знание?

В мастерской командовал полумрак. Рза зевнул и огладил веки. Вся скульптура — и начатая, и конченная — ожидала благословения мастера. Он по очереди благословил каждую, не забыл даже корявую приживалку — деревяшку, подобранную вчера. Из таких вот безымянных коряжек, как из Золушки, вырастают ангелы.

Мастерскую от лежанки и до станка заполняли его работы. Все места, где он жил подолгу

27

(жить подолгу — понятие относительное, иногда это месяц, два, иногда — от полугода и более), заполнялись его трудами. Это было законом жизни их создателя и их покровителя. Пробираясь между ними ночами — осторожно, чтобы не сбить им сон, — он со свечкой приближался к скульптуре, улыбался и шагал дальше.

Лики ангелов и лица людей, ещё сонные после плена ночи, потихоньку приходили в себя. Рза уверенно протиснулся к табурету и от спички запалил примус. Бросил в банку пару кубиков клея и немного постоял у огня.

В Доме ненца, где он временно проживал, было холодно, несмотря на лето. Дров по случаю военной поры поселенцу выдавать не положено, да и были бы дрова — всё равно комендант не разрешил бы топить. Рза согрелся, подышал на ладони и направился к заждавшемуся станку.

Вещь, которой он сейчас занимался, была вещью безымянной пока. Рза не знал, как назвать работу, потому что имя — это закон. Назовёшь её «Тишиной», и имя будет управлять замыслом, руки будут подчиняться закону, установленному существом имени. Точно так же, как и имя у человека тайно связано с миром сил — тех, что имени этому покровительствуют.

То, что Рза называл станком, было толстым металлическим стержнем, на который он насаживал материал. Кусок дерева, надетый на стержень, шишковатый, в волдырях и наростах, был по цвету желтоватый, как мёд. Он уже познал руку мастера — часть поверхности была сточена в глубину, и из сумраком наполненных впадин в мир смотрели два тихих глаза.

Мастер Рза взошёл на приступку, как на кафедру собора священник, взял с подставки насадку с приводом и ногой надавил педаль. Все, кто видел, как он работает, — а особенно коллеги по творчеству, — за глаза посмеивались над мастером, называли его метод машинным. Действительно, поменять резец, молчаливое орудие резчика, на болтливую, неумолкающую фрезу — в этом было что-то от святотатства. Сам Степан измены не признавал, он гордился своей придумкой. Расстояние от замысла до свершения сокращалось с месяцев до часов. Мысль не кисла от долгого ожидания, пока идея обретёт форму.

Он коснулся металлом дерева. Разлетелись желтоватые брызги, словно слёзы или жидкий огонь. Мастер Рза работал сосредоточенно, сосредоточенно гудела фреза, умный лоб в глубоких морщинах сосредоточенно нависал над деревом.

Видно, это и считается счастьем — вот так, без окриков, плети и принуждения уйти в священную рабочую тишину, не оскверняемую мелкими разговорами и прочей бестолочью людских шумов.

Длилось счастье не более получаса.

— Ну и хламу тут у вас, товарищ... э-э-э... Рза. — На пороге стоял Казорин, замначальника Дома ненца, появившийся в мастерской без стука. Он всегда приходил без стука, сообразно социальному статусу. — Ступить некуда от ваших... э-э-э... кикимор.

— Это не кикиморы, товарищ Казорин, это будущие стахановцы, герои фронта и тыла. — Степан Дмитриевич остановил фрезу. — Вы же знаете, что это мой хлеб, мы же с вами всё уже обсуждали.

29

Гость поморщился, он увидел примус:

— Та-а-ак, и что мы имеем на этот раз? В помещении открытый огонь. — Он печально посмотрел на художника. — Вы хоть сами понимаете, что творите? Прямо хуже диверсанта, ей-богу. Вон, инструкция на стенке повешена, её, по-вашему, для кого вешали? Для людей или для мебели, может быть?

— Это я столярный клей в банке разогреваю.

— Если б я вас не ценил, Степан Дмитриевич, за конкретные заслуги перед культурой, я б давно уже поставил вопрос о выселении вас из данного помещения.

— Я съезжаю, — ответил Рза, отчищая фрезу от крошки.

— Как съезжаете? — не понял Казорин.

— Так съезжаю, перебираюсь западнее.

Рза вложил насадку с фрезой в узкий паз на стойке для инструментов.

Это «западнее» смутило Казорина. Как оплёванный, выпячивая губу, он спросил:

— Западнее чего?

— Западнее Оби, на Скважинку. Промысел номер восемь имени ОГПУ знаете?

На лице товарища замначдома балом правили цвета побежалости — цвет соломенный сменился на золотой, тут же сделавшись пурпурным, как кровь на знамени. Тёмно-красный сдал права фиолетовому, посинел, поскучнел, стал розовым. Индикатор температуры сердца не справлялся с эмоциональным цунами.

Степан Дмитриевич, не глядя на замначдома, пальцем сглаживал на дереве заусенец.

— Не советую селиться при лагере.

Замначдома пришёл в себя.

— А что так? — поинтересовался скульптор.

Равнодушно — любым советчикам он никогда особо не доверял. Он-то знал, что в тени у смерти наилучшая от неё защита. Она ж думает, раз ты к ней всех ближе, значит можно с тобою и обождать, ты и так никуда не денешься. И сперва она берёт дальних — а таких всегда пруд пруди. Он и в Сибирь-то из России приехал, чтоб подальше уйти от лиха, именуемого сердцем страны. Во всяком случае, одна из причин была такая, пусть и не главная.

— А то так, что вы ведь не осуждённый. И потом... — Он зыркнул по сторонам, задержался тяжёлым взглядом на лице Василия Мангазейского, над которым работал скульптор по заказу антирелигиозного кабинета, равнодушно пробежался глазами по фигурам чертей и ангелов, уважительно глянул на Кагановича, сделанного из плотной массы металлических опилок и стружки, спёкшихся под действием кислоты (личное изобретение мастера), вздохнул и спросил с укором: — Всё это добро куда?

— Вам оставлю, а что, откажетесь? — Степан Дмитриевич весело рассмеялся. — Это всё народное достояние, всё, что есть, делалось для людей, даже заказные работы. — Он тяжёлым указательным пальцем выделил приземистую фигуру с напряжённым, очень умным лицом, обращённым щекой к земле. — Видите, каков молодец! Как он слушает ухом землю. Четверы штаны просидел, прежде чем добился характера. Это горный инженер Бондин, мы с ним вместе пол-Урала облазили.

— А на Скважинку, я так понимаю, вы по вашим художественным делам? Тимофей Васильевич вас позвали?

— Не по личным же, — улыбнулся Рза. — Хотя нет, извиняюсь, вру: и по личным, конечно, тоже. У меня ведь тот самый случай, когда личное и рабочее суть одно. Тимофей Васильевич привет вам передавал.

— Да? Спасибо. — Замначдома задумался. — А у нас-то хоть бывать будете? Навещать своё народное достояние?

— Непременно. Да я ж не сразу. Не сегодня ведь съезжаю, не радуйтесь. Наругаемся ещё с вами вволю. А отчего это, товарищ Казорин, вы так болеете за мою судьбу? Вот и в Скважинку меня съезжать отговариваете. Что-то с вами таинственное творится. Не награду ли правительственную ждёте?

— Ну, вообще-то...

В дверь поскреблись.

Так обычно давал о себе известие Еремей Евгеньевич Ливенштольц, старший методист Дома ненца.

— Степан Дмитриевич, Илья Николаевич, — объявил он, сунувшись в дверь, — я по поводу сегодняшнего собрания. Кумача хватает только на четверть зала. Предлагаю сделать агитационные вставки на тему вклада района в дело обороны страны. Ну и ваши работы, товарищ Рза, разместим в зале, как договаривались. Да, ещё накладочка с этим ансамблем ненцев. Говорят, что праздник у них местный какой-то, ну и вроде сегодня не могут быть.

— Как это так не могут! В Доме ненца и без ненцев! Абсурд! Под конвоем, как угодно, но чтобы были!

Весть о том, что Рза съезжает на Скважинку, распространилась, как пламя в сухой траве.

Первым подошёл Ливенштольц.

— Мы-то как же? — спросил Еремей Евгеньевич, крутя на лацкане рабочего пиджака значок передовика тыла. — Ваши лекции, ваша помощь, ваше общее положительное влияние. Вы предмет нашей гордости, Степан Дмитриевич! Наша местная достопримечательность, эталон! Вы — Герой Социалистического Труда, лауреат самой главной творческой премии в государстве. Люди радуются, что рядом — вы. И вдруг, нате всем, — меняете нас... — Ливенштольц запнулся, поводил глазами по сторонам и шёпотом завершил: — На лагерь.

Дело происходило в зале, где художник обустраивал экспозицию из отобранных специально работ. Он обхаживал «Воина-победителя», устраняя невидимые для зрителя недостатки его фактуры. Рза проделывал это штихелем — ковырнёт остриём фигуру и мгновенно отдёрнет руку. Словно опасаясь реакции своего непредсказуемого творения.

На тираду старшего методиста Рза ответил равнодушным кивком. Слово «лагерь» он отметил усмешкой; или эта его усмешка относилась к поведению Ливенштольца — к его запинке и смущённому шёпоту?

Рза убрал инструмент в карман:

— Еремей Евгеньевич, дорогой, видите, «Воин-победитель»? — Рза чуть тронул каменную гранату, сросшуюся с каменной пятернёй. — Его я делал с реального человека, который, кстати, даже не воевал, вернее так, он не доехал до фронта по причинам, от него не зависящим. Но я знаю, попади он на передовую, он не стал бы отсиживаться в траншее, а вот так, с гранатой и автоматом, шёл бы на врага победителем. Это я к тому, что характер проявляется не только в бою. Побеждать можно где угодно. Даже, как вы сказали, в лагере. Это я к вопросу об эталоне. — Степан Дмитриевич взял его за рукав. — Помогите лучше вашей местной достопримечательности справиться вон с тем деревянным юношей, который у колонны лежит. Скульптура называется «Сон», давайте её общими силами ближе к стенке перекантуем. Только осторожней — тяжёлая.

Громко шкрябающий по полу деревяшкой и поэтому слышный издалека, к скульптору прихромал Калягин. В Доме ненца он совмещал две должности — лектора на общекультурные темы и смотрителя антирелигиозного кабинета. Ногу он отморозил сдуру на раскопках мангазейского городища где-то перед самой войной, прикомандированный к археологической экспедиции Ленинградского института археологии. Сам он археологом не был, но, вкусив полевой романтики и наслушавшись рассказов специалистов, увлёкся этим муторным делом и делил теперь свою деятельность между небом (лекторство и смотрительство) и землёй, вернее её изнанкой, — бессистемными любительскими раскопками. Последним увлечением Калягина был поиск следов сихиртя, таинственного народа тундры, предпочёвшего земляные норы жизни под открытыми небесами.

Рза как раз укреплял кумач на стене за «Воином-победителем». Оглянувшись на посапывающего Калягина — тот дырявил его глазами, —

мастер сплюнул на ладонь гво́здики, чтобы удобнее было говорить.

— Что вы на меня как на мертвеца смотрите? — шутливым тоном вопросил он.

— Ну... вы ж того, — заспотыкался на словах археолог. — То есть в Скважинку, как я понимаю. Я, вообще-то, вот о чём хочу вас спросить... — Калягин перекосился набок и сквозь брючину почесал свою деревяшку. — Спросить, попросить... не знаю.

— Я догадываюсь, — ответил Рза. — Вы про этих, тех, что «по пуп мохнатые...» Как там дальше? «Линные, на темени рот имеющие». Про сихиртя, правильно я вас понял? Не отыщется ли на Скважинке вход в их тёмное царство? Не отыщется, уверяю вас, Виктор Львович. Там же лагерь, какие там, к чёрту, «линные», извините за грубое выражение.

Осторожно, чтобы не попортить материю, Рза вогнал киянкой в стену гвоздочек. Археолог скрёб деревяшкой пол.

— Там рудник и старые шахты, — говорил он с ртутью в глазах. — Там святилище, ненцы верят, там, на Скважинке, сообщаются две земли — наша и их предков, сихиртя. Мне, как археологу, очень было бы интересно...

— Виктор Львович... — Рза вогнал ещё один гвоздь.

— Да, конечно, лагерь, я понимаю. Только вдруг вы что-то узнаете. Или сами что увидите невзначай.

— «Невзначай» в таких местах не бывает. И не пустят меня в эти ваши старые шахты. Если только не поменяю профессию.

АЛЕКСАНДР ЕТОЕВ

— Тьфу на вас, Степан Дмитриевич, — «не поменяю». С этими вещами не шутят. Да, а как там поживает святой Василий? Я ему уже и место доброе в кабинете выделил. Как раз под надписью «Религия — опиум для народа». Для наглядного, так сказать, примера.

— Будет, будет вам мангазейский праведник. Я свои долги помню.

Шумя носом, задержался возле художника командир кинорубки Костя Свежатин.

— Обещали «Георгия Саакадзе», а привезли «Сокровище погибшего корабля», — пожаловался скульптору Константин Игоревич. — Сюда «Сокровище» пятый... нет, шестой уже раз привозят. А новое, пока досюда доедет, по дороге до дыр засмотрят и списывают потом как ненужный хлам, вроде того. Центр округа, центр округа! Считается только центр, а получается — какие-то выселки. Небось, в каком-нибудь занюханном Горно-Князевске уже дважды «Саакадзе» крутили...

— Ладно, Костя, Константин Игоревич, — успокоил Рза кинорубщика. — Лично я твоё «Сокровище» не смотрел, один зритель у тебя, считай, есть. А что, хорошая картина, смотреть стоит?

— Интересная, ну да, про ЭПРОН. Баталов водолаза играет. Нет, ну правда, Степан Дмитриевич, обидно! Здесь и так с кино безобразие, ещё и новые картины в последнюю очередь. Вон товарищ Казорин меня шпыняет, а я, спрашивается, — что я могу?

Костя робко, будто бы чего-то стесняясь, заглянул Степану Дмитриевичу в глаза. Тень его

36

фуражки со звёздочкой, самовольно навинченной на околыш, — командир кинорубки всё-таки, штурманской боевой части самого важнейшего из искусств, — не скрывала удивлённого блеска его нацеленных на Степана Дмитриевича зрачков.

— Вы ещё вот ухо́дите... — Костя, Константин Игоревич, сморщил свой веснушчатый нос, и сейчас же всё его командирство будто ветошью с лица счистили. Он стал похож на довоенного школьника, не нюхавшего ни смерти близких, ни голода, ни паровозного дыма, ни вымороженных насквозь вагонов, в которых везли на север спасшихся от блокады людей. — Зачем? — Он передёрнул плечами. — Мне вот тоже иногда не сидится, хочется поездить по свету, мир увидеть не в кино, а по-настоящему. Но к убийцам-то переселяться зачем?

— Каким убийцам? — переспросил Рза. Он уставился на Костин бушлат, на сбежавшую из петли пуговицу, усмехнулся, поскрёб затылок. — Ах, ну да, ты про лагерь. Ну, вообще-то, я туда не к убийцам. Меня тамошнее начальство к себе потребовало. Работу дали, оказали доверие. А убийцы?.. Ну что убийцы... Те же люди, только калеченные. С людьми всегда можно найти общий язык. И потом, не тех надо бояться убийц, что тюремным клеймом мечены, а тех, которые ходят рядом и неизвестно, когда от них ждать удара.

Рза опять усмехнулся, горше, чем перед этим. Костя, командир кинорубки, вразнобой размахивая руками, громко и взволнованно рассуждал:

— Бухаринцы, троцкисты, вредители, вся эта фашистская сволочь, ну, я понимаю, охрана, кому-то надо ведь убийц охранять, но смотреть на их звериные рожи... Я бы точно ни минуты не выдержал, перестрелял бы всех их, к чёртовой матери.

— Всякой сволочи по её делам, — изрёк философически Рза.

— Я фашистов знаю по Ленинграду. — Костя яростно крутил головой. — Видел, как сигнальщики ночью наводят фашистских лётчиков. Зелёная цепочка над крышей, это он, гад, сигналит, наводит, куда бомбить. Я б его, в лагере он, не в лагере, а живым бы не оставил, убил. — Костино лицо было белым. — Я поэтому понять не могу, ну зачем, зачем вы туда, где всё время эти гады перед глазами?

Рза задумчиво посмотрел на Костю:

— Некоторые художники, Костя, ходили специально смотреть на казнь, чтобы полнее ощутить жизнь. Искусство не всегда праздник, дорогой мой Константин Игоревич. Наш социалистический реализм требует серьёзного изучения всех сторон действительности, даже самых тяжёлых. Тем более что идёт война.

— Не понять мне. — Костя вдохнул и выдохнул. — Ладно, пойду к себе, надо подготовить «Сокровище», не то Казорин все мозги выест.

Люди втекали в зал, люди вытекали из зала, но лишь некоторые подходили к Степану Дмитриевичу. В Доме ненца скульптора знали все, и такая нарочитая отстранённость была, в общем-то, по-человечески объяснима — никто толком не знал причину его нежданного переселения в лагерь.

Скоро появился Казорин, замначальника Дома ненца, с ведёрком краски и белохвостой кисточкой, заботливо укутанной в ветошь. Он загадочно подмигнул художнику и направил свой шаг к портрету верховного главнокомандующего над сценой. Поднявшись, ни слова не говоря, он застыл в почтительном одиночестве, потом расслабился, щёлкнул пальцами, и из-за правой кулисы сцены вышел человек со стремянкой. Через минуту белохвостая кисть, уже ставшая золотой, как солнце, облекала текучим золотом траченную временем раму.

Верховный одобрительно щурился, и Илья Николаевич, разрумянившись, отвечал ему таким же прищуром. Эту ответственную работу Казорин не доверил бы никому, совесть коммуниста не позволяла.

За спиной Казорина зашумели. Еремей Евгеньевич Ливенштольц, старший методист Дома ненца, яростно работал руками, как безумная ветряная мельница. Блестя лысиной, посеребревшей от пота, грудью он выдавливал ненцев, нерешительно топтавшихся на пороге в размышлении, входить или обождать.

Казорин обернулся на шум и сейчас же ощутил под рукой не ребристый узор на раме, а натянутый до предела холст. Руку с кистью как огнём обожгло. Он, не веря, что случилось непоправимое, ошалело посмотрел на портрет, на предательский мазок на мундире, лёгший точно между гербовой пуговицей и квадратом накладного кармана. Помощник, придерживающий стремянку, торопливо отвёл глаза. Взгляд верховного стал холоден и задумчив.

Еремей Евгеньевич Ливенштольц, совладав с неуправляемой массой представителей туземного населения, уже бодренько вышагивал к сцене, на ходу вытирая лысину и гармонически пришаркивая подошвами.

Ненцы робко выстроились по стенке, переминались, улыбались по-детски и украдкой поглядывали на дверь. В Доме ненца, в этом праздничном зале, декорированном по всем канонам, они выглядели убого и некрасиво. В малицах, заношенных вдрызг, кое-кто в засаленных пиджаках, в пимах с лезущими клочьями меха, эта робкая туземная братия в полтора десятка мужчин и юношей представляла собой картину, несовместную с обстановкой зала. Где таких набрал Ливенштольц, на каких таких задворках империи, было дьяволу одному известно, не считая самого Ливенштольца. Впрочем, в хмурые военные времена, когда всё — на нужды фронта и обороны, иных ненцев трудно было где-либо отыскать, разве только на картинке в журнале.

Методист уже взбирался на сцену, уже топал прямиком к лесенке, где с трагически застывшим лицом, как скульптурная фигура на постаменте, обливалось холодным потом его тихо матерящееся начальство. Слава богу, лица не видно, замначдома возвышался спиной, прикрывая широким корпусом иезуитское пятно на портрете.

Ливенштольц посвистел ноздрёй, дал понять, что задание выполнено. Обращаться к начальству голосом, когда тот священнодействует перед богом, а тем более к начальнической спине — такого он себе позволить не мог, такое было ни в какие ворота.

Казорин матюгнулся по-тихому: «Еремея мне только здесь не хватало. Он, конечно, не побежит с доносом, но трепануться по простоте может. Вот ведь свинство, и, главное, ничего не сделаешь. Краска только золотая, для рамы. Всё, пропал ты, дорогой товарищ Казорин, не награда тебе теперь, а приговор военного трибунала...»

— Иди, иди, — сказал он, не оборачиваясь. — Не до тебя, не видишь, я делом занят?

— Так ведь ненцы, вы же сами приказывали, — пожал плечами неунывающий Ливенштольц.

— Ненцы, ненцы... Подождут твои ненцы. Не до ненцев, то есть... не отвлекай.

— Еремей Евгеньевич, дорогой! Можно вас сюда не минуту?

Ровный голос Степана Дмитриевича перелетел суматоху зала и вошёл методисту в уши.

Ливенштольц, обрадовавшись оказии, поспешил на своевременный зов.

Рза согнулся возле белой стены над скульптурой под названием «Сон».

Юноша с усталым лицом, полуприкрытым воротником шинели, спал тревожно, как спят солдаты в минуты редкого затишья между боями. Одной рукой он обхватил возвышение, шероховатый бугор земли, на который положил голову, другой цеплялся за торчащее корневище, представляя его в сонном тумане то ли автоматным цевьём, то ли материнской рукой, протянувшейся к нему сквозь войну.

Ливенштольц приглушил шаги, настолько было живо изображение.

Рза к губам приложил палец:

— Тсс! Тихонечко, возьмитесь вот здесь.

Он рукой помахал кому-то, и в момент у фигуры спящего образовалось сразу несколько человек из работников, нашедшихся в зале.

Рза расставил помощников возле воина, каждому определив его место.

АЛЕКСАНДР ЕТОЕВ

— Осторожно, только не повредите, я его полгода в себе вынашивал. Поднимаем! — скомандовал Степан Дмитриевич. — В коридор и... А, Еремей Евгеньевич? Методический кабинет откройте. Нужно эту мою работу ненадолго расположить у вас. Пару недоделок поправить, а то ко мне больно уж далеко.

Старший методист со товарищи осторожненько приподняли спящего, и он тихо поплыл из зала под негромкое посапывание бодрствующих.

Степан Дмитриевич сопроводил их до коридора, затем вернулся и, подмигнув туземцам, отправился спасать замначдома. Он шепнул Казорину, чтоб тот слез, и Казорин ему нехотя подчинился. Рза сменил Казорина на стремянке, из ниоткуда, словно заправский фокусник, вынул горстку тюбиков с краской, выдавил по капле из каждого на рабочий кусок фанеры, дунул, плюнул, повозил пальцем, и буквально через пару минут антисоветское пятно на портрете испарилось, будто его и не было.

Казорин ничего не сказал, он дождался, когда мастер закончит, вновь взобрался на оставленный пьедестал и продолжил как ни в чём не бывало подзолачивать злосчастную раму.

Возвратился с задания Ливенштольц. Казорин уже справился с подзолоткой и хмуро зыркал по лицам ненцев, по-прежнему переминавшихся у стены, по их немыслимо плачевным нарядам, в которых разве что на паперти побираться.

— Ну? — устало спросил он у методиста. — И кого ты мне тут привёл? У нас что, торжественное собрание или карнавал нищих? Еремей Евгеньевич, я не знаю, но мне кажется, в последнее время что-то с тобой не то. Такое у меня подозрение, что ты не хочешь политически мыслить.

— Что нашлось, Илья Николаевич, что нашлось... — Ливенштольц почесал ладони и добавил с наигранной хитрецой: — Да вы не переживайте, до выступления время есть. Всё будет сделано в лучшем виде. В нашем этнографическом кабинете их национальной одеждой семь сундуков набито. Всех оденем, как на всесоюзную выставку. Каждый будет передовиком производства.

— Да уж, — хохотнул замначдома. После камня, брошенного в него судьбой, и чудесного вмешательства скульптора сердце у Казорина пело птицей, выпущенной на волю из клетки. — Только ты их, того, почисти, перед тем как наряжать в праздничное. Не то со вшами замучаешься, сражавшись.

Глава 3

— Бу́дя, Киря! — Старший сержант Жабыко лёгкими тычками плеча пытался оттереть от оле́нихи ненасытного старшину Кирюхина. — Хорош сосать, всё уже ссосал, обсосёшься! Полвымени охоботил в одно рыло.

Жаркий лоб старшины Кирюхина в чёрных параллелях морщин нависал над выпученными глазами и лоснился от трудового пота. Глаза его говорили «хер вам!», губы нагловато причмокивали.

Вымя важенки было пепельно-розовое, она стояла, уже не дёргаясь, но скособоченный старшина Ведерников, не надеясь на её человеколюбие, удерживал олениху за ноги, чтобы та не саданула кого копытом.

Важенка была экспроприирована у ненцев. Телёнка, экспроприированного у матери, разделали в пищеблоке ещё с утра, следующей на очереди была мамаша. Но перед тем как её забить, ребята из дежурного отделения договорились с поваром Харитоном насчёт того, чтобы приговорённую подоить. Не пропадать же зазря продукту, ценному жирами и витаминами. Правда, Харитоша предупредил, чтобы не очень-то налегали на молоко, не то можно с непривычки и обдристаться. Но ведь русского служивого человека только помани надарма, так он обдрищется, а высосет всё до капли.

— Хватит жрать! — не выдержал теперь и Ведерников. — Давай сменяйся, а то отпущу копыто.

Наконец Кирюхин отник от вымени.

— Козье слаще, — сказал он, утёрши губы. — Мы в посёлке первача запивали козьим. Чтобы, значит, смягчить убойное действие самогона на организм. А смешней всего заедать горохом. Бьёт в голову и в сраку одновременно.

— Ишь знаток. — Ведерников усмехнулся. — Ты давай становись к хвосту. Пока начальство твой кулацкий организм на гауптвахту не посадило.

Следующий на очереди, Жабыко, стал примериваться губами к соску. Делал это он обстоятельно, как и положено потомку казаков, завоёвывавших для России Сибирь. Сначала рукавом гимнастёрки убрал с соска следы кирюхинских губ, — может, тот ковырялся в заднице, а после с пальца языком слизывал. С них, с деревни, станется, с говноедов. Потом больно куснул сосок, чтобы, значит, соображала, падла, кто здесь волк, а кто здесь овечка, сказал «не бздэ» и пошёл работать, выжимая из обвисшего вымени драгоценное его содержимое. Кадык Жабыко ходил как поршень над тесным воротом сержантовой гимнастёрки, густые струйки белой молочной жидкости медленно стекали под воротник, но старшего сержанта Жабыко это не раздражало.

Зато это раздражало Телячелова. Вместо важной работы мыслью он был вынужден глазеть сквозь стекло на творящееся внизу безобразие.

Телячелов сначала обрадовался, решив, что эти неженатые проституты занимаются под окнами скотоложеством. Какой богатый материал на всю троицу положил бы он сегодня к себе в копилку!.. Ведерников, Кирюхин, Жабыко. С Жабыко ладно, с Жабыко вопроса нету. А вот этим двум жлобастым старшинам очень бы желательно было влипнуть. Старшине Ведерникову в особенности, на Ведерникова у товарища замполита был отдельный, стратегический вид.

Потом радость вылилась в раздражение. Одно дело половое сношение с бессловесным рогатым зверем, за такое в условиях военного времени, да ещё если ты при этом работник органов и несёшь ответственность за вверенный тебе участок в системе лагеря, не важно что старшина, — за такое можно расстаться не то что с лычками, с волей можно за такое расстаться. Десять лет за вызывающе циничное непотребство. Или прямо пинком в штрафбат с последующим награждением звездой на братской могиле. Нет, действительно, люди на фронте гибнут, а он, паскуда, корову дрючит. Ну — олениху, разница небольшая, в сорте рогов.

За молоко же, пусть неучтённое, можно, большее, на гарнизонную гауптвахту.

Телячелов на листе бумаги нарисовал очередного урода, он всегда рисовал уродов, если думал или был раздражён. Их число перевалило за дюжину, один урод был уродливее другого, и чем больше их слезало с карандаша, тем явственнее в каждом уроде проступали окарикатуренные черты непосредственного телячеловского начальства. Ибо в голове у Телячелова шевелилась страшноватая мысль: что за связь между товарищем командиром и этим пришлым, пусть и знаменитым художником?

«Знаменитостью» замполита было не удивить. Здесь, в спецлагере, таких знаменитостей больше, чем в червячнице червяков. Академиков одних две шараги. Вон, Котельников в чертёжке мотает срок, изобретатель русского парашюта. А артистов, тех вообще каждый третий. Даже негр на хозучёте имеется, Бен-Салиб, сыгравший «красного дьяволёнка» Тома, уж его-то весь СССР знает.

«Знаменитый» — понятие преходящее. Между прочим, бывали случаи, что и сталинских лауреатов лишали лавров. Было-было, об этом писала «Правда». Ведь, прикрывшись великим именем, легче лёгкого заморочить голову кому угодно, а тем более нашему комдивизии. Он же любит быть в сиянии славы. У него ж на языке через слово: «Завенягин», «Аполлонов», «Городовиков»... «Мы, Тимофей Васильевич Дымобыков, — государь всея циркумполярной Руси».

Телячелов хитро́ ухмыльнулся, он вспомнил, как о запрошлый год его величество комдив Дымобыков запрягал туземное население в плуг и те как миленькие пахали тундру. Это после того, как ненцы сорвали случную кампанию 1942 года. Воспитывал. «Правильная случка оленей — залог успехов советского оленеводства». И рога у оленей заставил в красный цвет красить. Чтобы видеть, где олени колхозные, а где кулацкие. Прав, конечно, но больно это не по-советски. Феодальщина, какой-то царизм. Повод задуматься, если точно.

Телячелов не верил художникам. Вообще не верил людям искусства. Он считал их бесхребетными прихлебателями, готовыми на любую пакость. И в том, что их прикармливает верховный, видел лишь умелый расчёт, говорящий о политической мудрости руководителя Советского государства. Это как курéй на дворе, перед тем как их отправить на кухню: зёрен кинул, цыпа-цыпа, а тем и счастье.

Рза был сложен, но в этой сложности явно пряталась какая-то хитрость. Замполит это кожей чуял. Потому-то он и ёрзал на стуле, когда обкатывал в уме свою мысль.

Телячелов взялся за подстаканник, остывшим чаем прополоскал рот. Такая была у него привычка — чаем полоскать рот.

Дымобыков, его начальник, был не столько сложен, сколько грубо прямолинеен. Телячелов, по заданию НКВД прослушавший почти месяц курс истории древнерусской литературы в Саратове, куда эвакуировали Ленинградский университет, если б вспомнил, мог сравнить его с Китоврасом, не ходившим путём кривым, но — только прямым. И как перед сказочным Китоврасом рушили жилые постройки, ибо не ходил он в обход, так и генерал-лейтенант любое дело, за которое принимался, брал нахрапом, ударом в лоб, и никогда не заходя с тыла.

С точки зрения практической это качество было ценным и плоды приносило. Вот такие и ходили в героях, пока не попадали под колесо. Следуя же логике политической, прямолинейность всем им и подсуропливала, скармливая вчерашних героев колёсам стального локомотива.

Слизнув с нёба приклеившуюся чаинку, Телячелов прошёлся в уме по этапам героического пути его начальника, Т. В. Дымобыкова. Задержался на коротком отрезке от Поюгзапа, год тысяча девятьсот двадцатый, до неудачного похода на Тегеран, где Дымобыков, тогда комкор, командовал пулемётной частью. Везли персармию пароходами через Каспий. Кто был командиром флотилии? Известно кто, английский шпион Раскольников. Хороший факт, возьмём его на заметку. Жаль, приходится одному кумекать. Нет бы дать сигнал товарищам из режимного, пустить Т. В. в оперативную разработку, так не получится, тебя же самого и схарчат. Даже папочку завести на него опасно, чтобы складывать в неё материал. Дымобыков ведь как яйцо: три минуты варится и уже вкрутую. И эта его барская присказка: «Я сам себе ОГПУ и НКВД в одной фляге». Тоже мне, царь и бог самозваный! Что ж, придётся рыть туннель в одиночку, а породу, ту, где ценные элементы, пока складывать на полочку в голове.

Ну и скульптор. Здесь разговор отдельный.

— Званцев! — крикнул он в овал коммутатора. — Старшину Ведерникова ко мне. Кирюхина с Жабыко в медчасть, пусть проверят их на предмет брюха, жрут заразу всякую где ни попадя. Как в конвое? Какое, к чертям, в конвое! Вон они, бесстыдники, у хозблока развлекаются с кобылой рогатой.

— Ты вот тут написал в отчёте, что туземец вроде бы ему сделал ответный знак. Подмигнул или головой покачал. — Телячелов отвёл взгляд от бумаги и сурово посмотрел на Ведерникова. — Так вроде бы или точно?

Старшина переминался на месте.

— Точно не могу знать, товарищ полковник. Они не то чтобы перемаргивались, светло было, и, возможно, ненец просто прищурился.

— Ты хоть сам понимаешь, что говоришь? Это ж ненец, ненцы всегда прищуренные. В общем, «вроде бы» мы вычёркиваем. Перепишешь заново это место.

Замполит снова уткнулся в лист, изувеченный каракулями Ведерникова, и, сопя, стал продираться сквозь дебри.

— Не отчёт, а чёрт знает что, — сказал он, оторвавшись от чтения. — Ты вообще какую школу кончал? Церковно-приходскую, наверное? «Париж» пишется через «ж», как «жопа», а у тебя? Стыдно, старшина, стыдно. С такой грамотностью не в гужбате служить, с такой грамотностью качать говно из отхожей ямы в ассенизационной бригаде.

Старшина молчал. Телячелов поскрипывал стулом.

— Хотя местами информация ценная. «Христос», забавно. И бабы ему ручку, говоришь, целовали? А известно ли тебе, старшина, что имеется секретная информация, что попутчик твой, возможно, совсем не тот, за кого себя выдаёт?

— Никак нет. То есть мысли были, особенно когда он интересовался, много ли самолётно-нартовой техники у нас в батальоне...

— Стоп! — Телячелов перестал скрипеть. — Так какого же рожна ты об этом не написал?

— Никак нет, товарищ полковник, тут у меня написано.

— Где написано? Почему я этого не читал!

— Разрешите показать, товарищ полковник.

— Где?

— Вот тут.

Ведерников подошёл к столу и ткнул пальцем в крошево из криво лежащих букв. Замполит сощурился, пытаясь понять написанное. Громко хмыкнул и хмуро посмотрел на Ведерникова.

— Золотарь, — сказал Телячелов старшине. — Безнадёжно. Ну так вот, товарищ старший золотарь, слушайте. Вам доверили секретную военную технику, ведь доверили?

Ведерников заморгал, как школьник, оглушённый несправедливым словом, и не от кого-нибудь, от учителя, человека, которому он обязан был безоговорочно доверять, в конкретном случае — от замполита дивизии.

— Вы же сами просили его подбросить, вы ж сказали, что сталинский лауреат...

Лоб Ведерникова покрылся испариной. От обиды старшина чуть не плакал.

— Я? Сказал? Не помню, может быть, и сказал. Но документально это где-нибудь засвидетельствовано?

Телячелов с насупленными бровями буравил старшину взглядом.

— Но, товарищ полковник...

— Пока товарищ, а вот снимут с тебя погоны, будешь вместе с предателями и шпионами за одной проволокой сидеть.

Телячелов кивнул за окно, за строения военного городка, за которыми, невидимые отсюда, прописа́лись лагерные бараки. В этот час лагерь был пуст, его насельники замаливали трудом свои тяжкие грехи перед родиной.

— В общем так, *пока*, товарищ Ведерников, политграмоте ты обучаться отказываешься...

Старшина хотел ему возразить, но Телячелов замахал руками.

АЛЕКСАНДР ЕТОЕВ

— Слушать и молчать, я приказываю. — Он одёрнул свой полковничий китель. — Политграмоте ты обучаться отказываешься, на занятиях только просиживаешь штаны, подпускаешь неизвестно кого к секретной гужевой технике... — Он помедлил, будто бы собираясь с мыслями, и продолжил, будто бы выбрав нужную: — Главная моя задача, как политического руководителя, воспитывать в бойцах ненависть к врагу. Враг хитёр, враг изворотлив, враг пытается всеми силами нанести нам поражение как на фронте, то есть лицом к лицу, так и изнутри, то есть с тыла. Тебе известно, какую цель преследовал этот скульптор, пока будем называть его так, нанеся визит в расположение нашей дивизии?

— Никак нет, — ответил Ведерников по-уставному. Потом робенько спросил: — А какую?

— Я не знаю, — сказал Телячелов честно. — Зато я знаю, какая важная государственная задача поставлена перед нами партией и правительством. Это ж Скважинка, стратегическое сырьё, а не какая-нибудь примитивная разработка торфа. За счёт нас и нашей работы куётся мощное орудие для победы в войне с фашистами. Враг готов идти на любую подлость, лишь бы вынюхать хоть что-нибудь из наших секретов. И тут приходит этот художник... скульптор... и собирается здесь временно поселиться.

— Но ведь, наверное, товарищ генерал-лейтенант...

— А что товарищ генерал-лейтенант? Он человек, как любой из нас, и ничто человеческое ему не чуждо. Ты вот, например, уши свои развесил, бабы, видишь ли, ах-ах, ручки твоему попутчику целовали, а он тем временем секретное средство транспорта в уме фотографировал, может быть.

Старшина Ведерников не выдержал и сказал:

— Я, когда Урал проезжали, видел памятник товарищу Сталину, высеченный в скале. Очень сильное впечатление.

— Товарищ Сталин — это сила всегда. Потому такое и впечатление. Только памятник — это одно, а скульптор — совсем другое, они сделаны из разного материала, скульптор и памятник. Ты вот думаешь, почему он столько лет провёл за границей? Что ли, здесь ему не жилось, на родной земле? И потом вдруг вернулся, в гору полез, выбился даже в лауреаты. Лауреаты, между прочим, в Москве, в столице, а он сюда, в Сибирь, ближе к нам. Загадка. Очень подозрительная загадка. Но разгадать её мы обязаны. Поэтому поручаю тебе, старшина Ведерников, когда он переедет сюда, вести за ним наблюдение, тем более что вы люди уже знакомые, ты ему секретную технику умудрился продемонстрировать *по неведению*.

Окончание фразы Телячелов намеренно подчеркнул.

— Это как это — вести наблюдение? — удивлённо спросил Ведерников. — Я же службу должен нести, согласно штатному расписанию и уставу.

— Не «это как это», а «так точно», я тебе не олень с рогами. — Телячелов восстал над столом. — Иначе «по неведению» отменяется. Будешь с ним встречаться, общаться, разговоры, как дела, то да сё. Глядишь, что-нибудь со временем и откроется. Ну и будешь мне докладывать обо всём. Всё, ступай. — Телячелов дал отбой. — Никому о нашем разговоре ни слова.

Глава 4

И был свет, мягкий, медленный, какой бывает только в этих широтах, свет, не омрачённый тенью паучьих знаков на крыльях немецких бомбардировщиков, не замутнённый гарью выжженных дотла деревень.

Свет ложился на мякоть тундры, он ласкал её зелёную плоть, влажную, набухшую соками новой жизни, он давал ей жизнь, прорастая в травах и завязях ещё не созревших ягод, он рождал чистейшие из чистейших запахов — даже запах багульника не казался здесь тяжёлым и ядовитым, отражался в лужах, в миллионе речек и водоёмов, в крыльях вездесущих стрекоз, носящихся за вездесущими мошками, впитывался в песок, в суглинок, играл радугой в волокнах пушицы, прыгал по лепесткам дриад, прятался в белом мху, перебирал багрово-синие травки, безымянные и наделённые именами.

От каменных уральских отрогов, сползающих на заболоченные пространства матери приполярных вод великой реки Оби, до окраинных факторий Ямала и карских моржовых лежбищ — светлый свет был повсюду, и тьма не объяла его.

Тьма, отползающая на запад с переломленным под Сталинградом хребтом, всё ещё шевелилась клочьями, щерилась гнилыми зубами, тщилась огневыми ударами вернуть себе навоёванное добро.

Ломаная линия светораздела протянулась бесконечной чертой от Баренцева моря до Чёрного, прошла по лесам Карелии, устремилась по Свири к Ленинграду, не дошла, повернула к Новгороду, от Новгорода к Великим Лукам, далее на юго-восток, оставляя по вражью сторону сотни городов русских, под Курском, изогнувшись дугой, выпрямлялась к юго-востоку, оставила в стороне Белгород, сделала поворот близ Харькова, пошла по Северному Донцу, вылезла на берег Азова, двинулась к Таманскому полуострову и остановилась, упёршись в море.

22 июня, в день летнего солнцестояния, большой зал Дома ненца звенел от света. Тысячи ватт энергии текли сюда с местных электростанций, чтобы осветить электричеством этот день народного торжества, совпавший с праздником торжества природы.

Первый секретарь окружкома товарищ Гулин в звенящей торжественной тишине зачитывал победную сводку. Голос его был гулок из-за аховой акустики зала, и это прибавляло торжественности.

«Зимняя кампания 1942–1943 года явилась поворотным пунктом во всём ходе войны. Она наглядно показала изменение соотношения сил на советско-германском фронте. Немцы, несмотря на строжайший приказ Гитлера во что бы то ни стало удержать захваченные позиции, оказались не в силах предотвратить зимнее наступление Красной армии.

Красная армия опрокинула и разбила вражеские войска, уничтожила две отборные фашистские армии под Сталинградом, разбила и пленила румынскую, итальянскую, венгерскую армии и мощным ударом отбросила немцев от Волги и Терека на 600–700 километров на запад. Путь, который немцы прошли летом 1942 года на восток и по которому наши войска гнали их на запад, усеян сотнями тысяч трупов немецких солдат и офицеров, тысячами разбитых танков, самолётов и орудий.

Стало быть, второй год войны принёс гитлеровцам новые огромные потери и не дал никакого выигрыша в территории.

Более того, за этот год наши войска прорвали вражескую блокаду Ленинграда и выбили врага из важных в военном отношении районов — Курска, Ржева, Вязьмы, Гжатска, Великих Лук, Демянска...

Германия и её союзники потеряли за два года войны убитыми и пленными 6 400 000 солдат и офицеров, 56 500 орудий всех калибров, 42 400 танков, 43 000 самолётов...

В ходе войны немцы потеряли большую часть своих кадровых дивизий и испытанного командно-офицерского состава, а также военной техники, которая многие годы готовилась и накапливалась немецко-фашистскими захватчиками для завоевания мирового господства. Эти потери немецких войск основательно ослабили гитлеровскую военную машину и гитлеровское государство».

Первый секретарь сделал паузу и закончил на торжественной ноте, максимально усилив голос: «ТАКИМ ОБРАЗОМ, В ХОДЕ ДВУХЛЕТНИХ

БОЁВ НА СОВЕТСКО-ГЕРМАНСКОМ ФРОНТЕ ПОЛНОСТЬЮ ПРОВАЛИЛИСЬ АВАНТЮРИСТИЧЕСКИЕ ПЛАНЫ ГЕРМАНСКИХ ИМПЕРИАЛИСТОВ, РАССЧИТАННЫЕ НА ПОРАБОЩЕНИЕ НАРОДОВ СОВЕТСКОГО СОЮЗА».

Зал ответил аплодисментами.

Потом выступали последовательно председатели окрисполкома и горсовета, председатель горисполкома, председатели райисполкомов Ямальского, Надымского и Тазовского районов, доставленные гидросамолётами в Салехард, член президиума Приуральского РИКа, руководитель окрземпродотдела, главный редактор газеты «Нарьяна нгэрм», председатель Мало-Ямальского кочевого Совета, кто-то из начальства помельче, за этим ещё помельче и на самом мелком из мелких с торжественными речами покончили.

Далее пошли награждения.

Рза сидел в третьем ряду с краю, справа от него тянулся лицом к президиуму Еремей Евгеньевич Ливенштольц, разгорячённый праздничной атмосферой и весёлым спиртовым духом, витающим над головами собравшихся (сам Ливенштольц не пил). Насчёт спирта дал отмашку Казорин, в такой день не грех и поблагодушествовать. Даже ненцам, присутствовавшим на празднике, включая детвору и подростков, отпущено было с базы по сто граммов казённого первача. Последнее было данью благому жесту Степана Дмитриевича, уберёгшего замначдома от неминуемого поражения и позора.

Рза был трезв, выпивал он редко, только если требовал организм. Выданный паёк алкоголя он отдал инвалиду Трошину, тому было и полезнее, и нужнее. Трошин помогал ему с деревом, приносил в мастерскую плáвник, который шёл на небольшую скульптуру, вставки, ну и на запретное отопление.

Слушал Рза внимательно и серьёзно, даже те казённые фразы, без которых не могло обойтись ни одно торжественное собрание. К войне он относился двояко. Принимая войну как данность, он считал её изъяном природы — человеческой, никакой другой.

Когда гремела Первая мировая — Рза работал тогда в Москве в польском челюстном лазарете, делал снимки в рентгенолаборатории и каучуковые носы для раненых, — он частенько задумывался над смыслом тех событий, что охватили мир.

Какая-то она была ни о чём, та Первая мировая война. Братство славян... Николай Второй, зачитывающий с балкона дворца манифест о вступлении России в войну... Патриотическая демонстрация на Дворцовой площади... Хоругви... «Боже царя храни...» Поезда, отбывающие с Николаевского вокзала под музыку полковых оркестров...

Рза с тоской рассматривал фотографии, печатавшиеся тогда в газетах, — окопы, артиллерийское орудие на тракторной тяге, вязнущее в дорожной грязи, ложная пушка — ствол дерева на подпорках с единственным колесом от телеги и солдатом, приставленным её охранять, полевые лазареты со скучающими рядами раненых, унтер-офицер, фальшиво отплясывающий кавказский танец с шашкой в одной руке, кинжалом в другой и с бутылкой шампанского на стриженой голове, — смертная вселенская скука, вот что навевало всё это.

Если нынешняя война была взаправду патриотической и народной, то есть войной с врагом, посягнувшим на дом, на родину, то та была нечто выдуманное, расплывчатое, навязанное извне, с летающей в пыли недотыкомкой. Нечто серое, будто мышь в шинели.

То, что нет никакой романтики во всех этих регулярных бойнях, которые устраивают народы своим инакоговорящим соседям, — в этом Рза убедился просто. Году в пятнадцатом, зимой, в январе, в лазарет привезли солдатика, совсем юного, вчерашнего гимназиста. Солдатику оторвало нос, и юноша этим сильно мучился. Но не как другие, не потому, что лишится благоволения барышень, он мучился по другой причине. Юноша мечтал стать героем, открыто, лицом к лицу биться за славянское братство с предательницей кайзеровской Германией, а без носа — какое «лицом к лицу», без носа и героев-то не бывает. Рза сделал ему нос, нос понравился — каучуковый, но с виду как натуральный. Наш герой расправил плечи, заулыбался, вновь стал чувствовать себя героем и патриотом. Но раз вышел наш герой на прогулку, под Крещенье, когда самый мороз. На морозе лицо его раскраснелось, только нос остался белым, как кочерыжка. И когда он углядел это в зеркале, сорвал нос, выкинул его вон и гонялся по лазарету за муляжистом, грозясь убить его, дьяволово отродье. Но в результате убил себя. Пустил себе пулю в рот, не вынеся душевных переживаний.

Работа войны простая — удобрять землю кровью и перегноем из мёртвых тел. Иное дело человек на войне. Долг требует отречения от морали. «Если ты убил одного немца, убей другого — нет для нас ничего веселее немецких трупов», — взывал к защитникам родины военный журналист Эренбург, роман которого про Хулио Хуренито Рза читал в Париже в двадцать пятом году в знаменитом кафе «Ротонда». Кстати, сам Эренбург тогда же ему эту книжку и подарил, даже написал на титуле какую-то весёлую глупость, что-то про любовь к жизни и особенно к хорошеньким парижанкам.

Понятно, злом отвечать на зло в условиях военного времени, тем более что мы априори сторона правая, считается в порядке вещей. Сами немцы принуждают нас к этому, наставляя своих солдат: «Для твоей личной славы ты должен убить ровно сто русских... Уничтожь в себе жалость и сострадание, убивай всякого русского, не останавливайся, если перед тобой старик или женщина, девушка или мальчик...»

Эренбург с его «весёлыми трупами» просто ангел по сравнению с такими зверовидными наставлениями.

Между тем на сцене под портретом верховного продолжалось праздничное камлание. На трибунке, обшитой красным, сыпал цифрами председатель окружного потребсоюза товарищ Цорь.

— ...Сдали в фонд главного командования облигаций на сумму пятьсот десять тысяч рублей и триста двенадцать тысяч сто двадцать четыре рубля наличными... восемнадцать тысяч тонн рыбы, консервов рыбных двенадцать тысяч восемьсот одиннадцать тонн.., в фонд Красной армии оленьего мяса двадцать четыре тысячи тонн ровно... меха в фонд обороны на сумму полтора миллиона двести тысяч рублей...

Выпав мыслью из настоящего, скульптор думал о смерти и человеке.

Смерть совершенно необходимое и важное условие жизни человека, полагал Рза. Смерть подводит итог всякой человеческой деятельности. Если бы жизнь человеческая была бесконечной, размышлял Рза, то человек откладывал бы всё важное на потом, как это бывает в молодости. Когда же природа положила перед тобой предел, за которым пустота или вечность, мудрый человек старается делать в первую очередь поступки важные.

Война в этом смысле, как это ни парадоксально звучит, мобилизует человеческие возможности. Непопулярному в мирной жизни «memento mori» возвращается в военное время его истинное значение.

Пружина смерти в часовом механизме любой войны, особенно такой жестокой, как нынешняя, заведена туго, стрелка быстро делает обороты на циферблате человеческой жизни. Каждый должен помнить об этом.

И не смерти надо бояться, смерти бояться глупо. А того, что при жизни не доделал людям хорошего.

Справа мягко толкнули в бок:

— Степан Дмитриевич, готовьтесь. Ваш черёд пить из чаши славы.

Это предупредительный Ливенштольц дал сигнал о запланированном заранее панегирике в честь сталинского лауреата.

Илья Николаевич Казорин, уже обласканный вниманием родины медалью «За трудовую доблесть» и перешедший в новое качество — начальника Дома ненца (вместо убывшего товарища

Бунимовича), одёрнул парадный френч. Блеснула в электрическом свете рубиновая эмаль звезды. Вторя ей, засияла рядом младшая сестрёнка награды, медаль «За трудовое отличие», вручённая годом раньше.

Улыбнувшись, он продуманным жестом перенёс внимание зала с трибуны на боковой проход. Там за стойками с протянутой между ними красной лохматящейся верёвкой возвышалось серое изваяние воина с гранатой в руке. Его фигура на кумачовом фоне появлялась словно бы из огня, одна рука срослась с автоматом, рука с гранатой резко отведена в сторону, ещё секунда — и смертельный снаряд уйдёт вперёд по траектории взгляда, которым воин просверливает пространство между собой и невидимыми врагами.

— Товарищи, — произнёс Казорин, тщательно проговаривая слова, — посмотрите на этого воина, внимательно посмотрите. Он из камня, но это не просто камень. Это символ нашей стойкости, нашей неколебимой силы. Искусство в военное время... советское искусство и его мастера работают на дело победы, вдохновляют нас всех, каждого на боевые и трудовые подвиги. Все мы знаем знаменитый плакат «Родина-мать зовёт», все мы помним пронзительный взгляд этой русской женщины, матери, призывающей своих сыновей встать на её защиту. Это и есть искусство — поднимать людей на борьбу, говорить им самое важное, то, о чём мудро и справедливо сказал нам товарищ Сталин в начале войны с фашистами: «Наше дело правое, враг будет разбит, победа будет за нами». — Илья Николаевич чуть помедлил, чтобы зал, включая президиум, проникся мудростью слов верховного, потом плавно простёр руку над головами, выбирая из всех единственную. — Товарищи, всем нам выпала честь приветствовать в этот знаменательный день художника, большого художника, лауреата премии имени товарища Сталина, главной премии государства за выдающиеся творческие заслуги, товарища Рзу Степана Дмитриевича, автора этой скульптуры, — Казорин снова указал на «Воина-победителя», — и многих других художественных работ, воспитывающих в советских людях чувство родины и дающих уверенность в нашей скорой победе. Степан Дмитриевич, встаньте. Товарищи, поаплодируем товарищу скульптору.

Президиум, а за ним и зал приветствовал лауреата аплодисментами.

— Товарищи. — В руках у Казорина возникла сложенная в квадрат газета. Он её развернул торжественно и не менее торжественно зачитал: — «Прошу перечислить в фонд обороны СССР присуждённую мне Сталинскую премию второй степени, чтобы она пошла на приобретение танка „За Ленинград" и тем самым послужила малой крупицей в деле разгрома немецко-фашистских захватчиков». — Казорин оглядел зал. — Поаплодируем товарищу лауреату за его вклад в общее дело победы.

Зал захлопал. Рза чуть опустил голову, чтобы переждать шум, и вдруг услышал в промежутке между хлопками чей-то смутно знакомый голос.

— Откупился, — сказали сзади.

Скульптор скосил глаза, пытаясь обнаружить сказавшего, но ослеп от коллективного взгляда устремлённых на него глаз.

Когда овации стихли, лицо Казорина стало строгим.

— Теперь позвольте вам зачитать ответное письмо товарища Сталина.

Все в едином порыве встали, и зал наполнился восторженной тишиной. Лишь чуть слышно поскрипывали в безмолвии чьи-то неизвестные сапоги.

— «Примите мой привет и благодарность Красной армии, товарищ Рза, за Вашу заботу о бронетанковых силах Красной армии. Ваше желание будет исполнено. Иосиф Сталин».

Молчание, и снова аплодисменты, на этот раз продолжительнее, чем были.

Отзвучал последний хлопок. Все уселись, и вместе с другими скульптор. Казорин одёрнул френч и с достоинством вернулся в президиум.

Рзу медалью не наградили, скульптор был человек заезжий и поэтому не учтённый ПУРом, хотя временно и был прикреплён к нынешнему порту приписки. Да он, собственно говоря, и не жаждал оказаться в ареопаге избранных. Такого сорта почёта ему перепадало изрядно, только проку было не много — медалью сердце не отогреешь.

Председательствующий объявил перекур, и люди потянулись из зала.

На площади перед Домом ненца солнце подрастопило грязь, особенно на проезжей части, где в доверху наполненных мутью глубоких рытвинах от колёс отражалась молчаливая колокольня церкви Петра и Павла. В храме, давно не действующем, проживали рабколоновцы-трудармейцы, так на языке времени назывались спецпереселенцы из-за Урала, немцы по большей части, которых после августовского указа первого военного лета родина направила укреплять промышленность советской Сибири. В празднике они не участвовали и двухлетие священной войны отме-

чали трудовыми победами в бригадах Ямалрыб-
треста и в цехах рыбоперерабатывающих заводов.
Паперть, её выщербленные ступени, оккупирова-
ло местное пацаньё, главная демографическая
составляющая Салехарда военных лет — понятно, наряду с инвалидами и бабьим населением
города.

Из чёрного провала радиоточки, установлен-
ной на здании Дома ненца, голос в голос пели
Бунчиков и Нечаев:

> Помните, Гансы и Фрицы,
> Скоро настанет тот час,
> Мы вам начешем вшивый затылок,
> Будете помнить вы нас...

На площади им вяло подрёвывала утопшая
в колее машина.

Безотцовщина посвистывала по-птичьи и размеренно раскачивала плечами в такт попыткам
казённой «эмки» выбраться из непроезжей грязи.

— Дай шапшальчику, — кричали отчаянные,
намекая, что за порцию табаку готовы вытащить
машину на волю.

А напротив, у Дома ненца, вышедший пораз-
мяться люд тоже наблюдал с интересом за му-
чительными рывками автомобиля производства
завода Молотова.

Машина была судейская, председателя окружного суда, который в это самое время угощался
в кулуарах собрания ленд-лизовским «Джеком
Дэниэлсом» и знать не знал о происходящем.

Водитель, культяпый Майзель, пыхтел за ру-
левым колесом. Двигатель ярился и глох, Майзель снова оживлял карбюратор, и тот впрыски-
вал горючую смесь в перетруженные цилиндры
двигателя. Отвечая на мальчишеское кривлянье,

Майзель тряс пацанве культёй и пощёлкивал редеющими зубами. Не гоняй он мелюзгу от машины, не давай почём зря поджопников, Майзель мог бы рассчитывать на подмогу. Детворе, при её-то численности, при её-то бесшабашном нечистоплюйстве, облепить машину со всех сторон, упереться, поднажать — и пошла бы. А после: «Дядя, покатай на подножке». — «Заслужили, залазь, братва». И покатал бы, не сидел бы на заднице.

Он угрюмо смотрел вперёд, завидуя лошадиной силе, впряжённой в почтовую волокушу и размеренно чавкающей копытами по площади на другом конце. При его пятидесяти лошадках, нервно ржущих в недрах фордовского мотора, видеть это было хуже средневековой пытки. Он скосил глаза на людей, толкущихся у здания Дома ненца.

«Вот засранство! — думал он про себя. — Высыпали, мать их ети! Вовремя, ничего не скажешь! Точно кто-нибудь стуканёт Михалычу, что я в грязи в его отсутствие колупаюсь, хер тогда моя весёлая тёща отоварится по литере „Б“».

Майзель посмотрел на сапог, сверкающий, как лезвие бритвы. Не хотелось вылезать в грязь и уродовать такую красу. Он ещё раз нажал на газ. «Эмка» дёрнулась, но с места не сдвинулась.

— Подсобить? — услышал он сбоку. И увидел, повернувшись, туземца.

«Тьфу ты, пропасть», — ругнулся Майзель, озирая его бедное одеяние.

На туземце была драная малица и такие же заношенные штаны в тёмных пятнах промыслового жира. Но лицо было улыбчивое и чистое.

«Не боится железных нарт, значит, не такой он и дикий».

— Ну, давай, берись за крыло. — Майзель снова оживил двигатель.

«Эмка» пукнула белёсыми газами и немного проползла по дороге. Пятьдесят лошадиных сил голосили, меняя тон от надежды до глухого отчаяния.

«Жми, туземец, — поддерживал Майзель парня. — Не Поддубный, но всё ж рабсила!»

— Дружно взяли, — добавился новый голос. Если честно, Майзель не ожидал. То есть кто-нибудь из людей попроще, работяга или пусть даже служащий, мог бы плюнуть на любимые прохаря́ и спорта ради сунуться на подмогу. Или, скажем, человек сильно выпивши. Или... Больше мыслей не приходило. Сам бы Майзель не полез в эту жижу, разве только по приказу начальства. А тут известнейший советский лауреат, про которого во всех газетах писали, добровольно приходит тебе на помощь.

— Товарищ скульптор... — Майзель сконфузился. — Мы уж сами, чего вам пачкаться.

— Вы уж сами, если такими темпами, пробуравитесь до центра Земли. Ты, Ванюта, помогай сзади, вы, товарищ...

— Майзель, — подсказал Майзель.

— Вам, товарищ Майзель, тоже выйти бы не мешало. Пудов пять с возу сбросим за счёт массы вашей фигуры.

— Всего-то полтора-два кило, — попробовал пошутить водитель, показывая свою культю. Она была у него интересная — со специальным крюковидным держалом, чтобы им удерживать руль и прочую технику и механику. Сам сконструировал, изготовил, приспособил для общественных нужд. Ну и личных — как же без этого-то.

Он в который раз врубил двигатель, включил первую передачу и утвердил на педали газа плоскую железную чушку, временную замену ноги. Потом нехотя высунул из кабины навакшенный до идеала сапог, тут же напустив зайчиков за прореженную храмовую ограду. Встал подошвой на рубчатую подножку, а другую ногу утопил в грязь чуть ли не на треть голенища.

— Ног не жалко, сапогов жалко, — как бы в шутку оправдался водитель.

Жаль и вправду было больше сапог, над которыми по случаю праздника он трудился чуть не целое утро — как же тут не соответствовать положению, раз тебе не говновозку доверили, а служебное средство передвижения председателя окружного суда.

— Мысль серьёзная, — ответил ему Степан. — Только сапоги не обидятся. Кирза — девушка не капризная, любую грязь употребит в свою пользу.

Майзель вскинул брови, не понимая.

— Это я о качестве материала. Мы с Иваном Васильевичем Плотниковым, чьему детищу вы доверили сейчас свои ноги, эту тему обсуждали неоднократно. — Рза упёрся руками в заднюю стенку кузова. — Давайте трогайте, а то мы, как в опере, поём, поём, а телега и ныне там. Ванюта, приготовься, поехали. Раз, два, навалились дружно!

«Эмка» дёрнулась на волю из плена. Ей в такт сопели три человечьих носа, каждый на индивидуальный манер.

Курящий люд у Дома ненца следил с сочувствием — вытянут, не вытянут машину судьи́ из грязи? Никто на помощь не приходил. Кому хотелось вымазаться в грязи? Не было таких дураков.

Чуть ли не полуторатонное изделье Америки, умело подлаженное горьковскими циклопами под колеи и рвы отеческой земли, должно быть, сохранило в родовой памяти упрямство и независимость диких лошадок прерий, потому как на толчки и покрикиванья водителя и добровольных его помощников отвечало лишь издевательским ржанием двигателя, с места же практически не сдвигалось. Колёса пробуксовывали в грязи. Майзель, Рза и туземец с лоснящимися от пота лицами пытались переупрямить «эмку», но та сопротивлялась упорно.

— Был бы «виллис», забот бы не было, — сопя, сокрушался Майзель. — Ильченко на прокурорской машине чуть ли не по тундре гоняет. А моя, как свинья, на любой дороге грязи найдёт. Но-о! Поехала!

Ему было уже плевать на то, что думают досужие зрители, глазеющие на дармовой спектакль, разыгрывающийся на лобном месте. И на тёщу было сейчас плевать с её продуктами по литере «Б», хотя в нынешние трудные времена любая банка того же свиного лярда, отоваренная в продмаге рядом с окрисполкомом, существенно поднимала уровень интереса к жизни, ну и чувство собственного достоинства, конечно же.

То, что он без ведома руководства жёг бензин, гоняя казённый транспорт по личной надобности, а конкретно доставляя купленный по случаю швейный аппарат «Адлер» для ремонта обуви на дому из тёщиной халупы на свою временную жилплощадь, было беззаконным самоуправством, и, стукани на него завистники, дело могло бы кончиться великой печалью. Но ведь Михалыч мужик не вредный, понимает, что жизнь не пряник, и на такие мелкие преступления, как привезти-отвезти по случаю (тем более без всякой корысти), глядит обычно сквозь пальцы.

Поскорей бы только вытащить эту дуру...

И туземец чего по глупости у машины не поломал бы...

Такие думы думал водитель «эмки», кляня место, на котором устроен город, куда северным военным приливом вынесла его, инвалида, злая, неуправляемая судьба.

Молчаливый туземец думал иное: «Вот машина не олень, а тоже имеет душу, тоже ест, спит, болеет, любит, когда ухаживают за ней, говорят ей маленькие хорошие слова, у неё голова, глаза, уши, как у всякой живой души, она думает, смотрит на всё глазами, слушает, как ей говорят маленькие хорошие слова, злится, когда говорят большие плохие слова, или вот упрямится, как сейчас, хитрит, такое у любого бывает, дерева, камня, воды, оленя, человека, собаки, рыбы речной и воздушной, морского и подземного зверя, даже у тараканов бывает, которых возят с собою русские, но вот олень, он идёт, куда ведёт его родная тропа, и человек идёт за ним следом, потому что человек и олень только называются другими словами, олень — „ты“, человек — „хибя“, потому что мудро говорят тадибеи: если мы есть, то и олени должны быть, а если их нет, то неизвестно, существуем ли мы сами; и ещё говорят: не человек приручил оленя, а олени приручили людей, и это очень простая мысль, ведь если я ем мясо оленя, пью его кровь, ношу одежду из его шкуры, езжу на нём, его жиром освещаю своё жилище, то, значит, я без оленя не существую, значит, я и олень одно, раз кровь оленя переходит в мою; мы только внешне выглядим по-другому...»

Он так думал, молчаливо и ровно, потому что пространство тундры приучает её жителей к тишине. Тишина в свою очередь приучает к внутреннему покою и течению мысли в направлении обретения смысла. Тишина эта рождается пустотой, целостной пустотой Севера, не заполненной кричащими красками и искушающими зрение предметами. Глаз здесь не разменивается на лишнее, взгляд несуетен, зрение неторопливо. Но сам ненец с комариной фамилией (Ненянг значит по-ненецки «комар») о причинах своих мыслей не думал, как олень не думает о кончине, когда стоит в очереди на бойню.

Он закончил своё молчание и стал попыхивать губами, словно курил.

Рза тем временем думал так: «Странно всё-таки человек устроен, он и хочет помочь другому, а не поможет, и вовсе не потому, что ленив или ищет выгоду; одежду он испортить боится, предстать в чужих глазах дураком; взять меня, будь я одет в новое, разве сунулся бы я помогать? Неизвестно, может, и сунулся бы, у меня-то есть где переодеться, а другие, явившиеся на праздник, они специально наряжались, готовились, чтобы выглядеть сегодня не как всегда, им и совестно, с одной стороны, наблюдать за мучающимся шофёром, а с другой, они понимают, что много совестнее им будет потом, когда при полном электричестве в зале на них посмотрят, словно на дикарей».

Рза взглянул на свои штаны, забрызганные приобской грязью и из серых ставшие теперь в дрипушку, на утопленные в грязь сапоги и вспомнил Василия Мангазейского, над чьим деревянным образом он трудился для антирелигиозного кабинета, — то место из его жития, где выпер из грязи гроб с останками будущего святого, принявшего «жестокія мученія отъ немилостиваго игемона корыстолюбиваго Савлука-Пушкина».

Чёртов гроб на колёсах, который они толкали, был причиной такого воспоминания. Картинка получалась забавная, моралистическая, как басня Крылова, — вроде и в товарищах есть согласье, а толку с этого без Божьей помощи никакого. Не потянуть им против слепой природы, хоть действительно проси у Бога подмоги.

Только он так подумал, как в уши ударил визг, это пацаньё с паперти сорвалось щенячьей стаей и, шлёпая по тёплой распутице, окружило железного бегемота. Раз-два, и с весёлыми матюгами мальчишки навалились на «эмку», тричетыре, и та как миленькая выползла из вязкой трясины. Почуяв волю, «эмка» резво покатила вперёд, ловкий Майзель на ходу запрыгнул в кабину, Рза с Ванютой и несколько горластых помощников не успели удержать равновесие и гуртом повалились в грязь.

Они стояли, вымазанные в грязи, Майзель, конфузясь и причитая, бодро топал от машины назад, чтобы хоть сочувственными словами искупить вину за случившееся. Его строптивая судейская кобылица покорно рокотала неподалёку.

— Хороши! — улыбнулся Рза, растирая по лицу грязь. — Ты сейчас ну вылитый Чингачгук в боевой раскраске. Пойдём-ка, брат, ко мне в мастерскую. Не такими же чучелами нам перед людьми красоваться.

Ванюта помотал головой.

— В Полуе вымоюсь, — сказал он художнику.

— Тоже дело, — ответил Рза.

Свидетели гасили окурки и цепочкой исчезали за дверью. Ни один из них даже не рассмеялся, наблюдая произошедший конфуз. Внутри-то они, может, и хохотали — не каждый день на Полярном круге видишь сталинских лауреатов, прилюдно купающихся в грязи. Но внешне сохраняли спокойствие.

А радио бравым голосом под звуки фронтового оркестра сопровождало их возвращение в зал бахом «Артиллерийской колыбельной»:

С колыбельной песней на губах —
бах!
От тебя я отгоняю страх —
трах!
Положив под голову ладо-о-онь,
Спи, не реагируй на огонь:
— ОГОНЬ!!!

Глава 5

Из зала в помещение библиотеки, где Рза устроился за столиком возле шкафа, звуки хоть и долетали, но приглушённо. Он уже переоделся в толстовку и широкие солдатские галифе из тех запасов, преходящих и малочисленных, что отыскались в каморке при мастерской. Погладив бороду, он вспомнил разговор с комдивизии, улыбнулся и покачал головой.

«Ну что, попрощаемся, бородёнка? „А то какая-то богема, честное слово" (это он процитировал Дымобыкова). Без тебя, говорят, спокойнее?»

«Бородёнка» предусмотрительно промолчала, и Рза снова уткнулся в выписки, разложенные перед ним на столе. Образ Василия Мангазейского, деревянное его воплощение, которого ждал Калягин для местного антирелигиозного кабинета, сопротивлялось резцу художника. Он не видел его лица, от него ускользала суть этого святого из Мангазеи. Молельная ипостась святого, Божественная его ипостась — с этим ему было понятно, здесь он мог держаться канона, но человеческая его природа, то, что связывает человека с землёй, все эти хитрости и уловки, которыми наше бедное естество, будь ты хоть святейшим среди святых, пытается оправдать свою слабость, — вот тут возникали трудности. Как неизвестны были долгие годы ни имя новоявленного святого, ни история его мученической кончины, так и Рза не мог проникнуть сквозь слой этого мудрёного палимпсеста, за житием он не видел жизни.

Святой Василий, первомученик Мангазейский. Лечил от скупости — если кто обещал, а после забывал обещание, к тому навязчиво являлся в видениях: «Рука твоя бысть от всякия болезни исцелена, а ты мене и обещание свое забыл, и от меня бежишь». Но: «Куда ты ни пойдешь, все будет тебе беда». От кручины, когда мысль о петле вытесняет все остальные: «Нападе на него злая кручина во осеннее время, и от той кручины хотел на себя руки возложить». Воду пить велел из могильной ямы, ибо «будет здоровье, у кого рот болит».

И это юноша, мальчик ещё почти, «в лицо кругловат, власы чермные, возрастом низмян, в плечах плосок». Хотя иным являлся в виде грозном и страшном: «Стоит человек, аки черной священник, оболчен в ризах священнических черных, и свеща перед ним светится воску черного, и огонь у свещи черный же».

— «Куда ты ни пойдешь, все будет тебе беда», — повторил Рза уже вслух.

Как-то плавно мысль переключилась на голос, услышанный за спиной в зале. «Откупился».

Что ж, можно считать и так. Откупился. Он знал историю Ермака и помнил о царёвом подарке — железных панцирях, посланных царём Ермаку и прочим атаманам казацким, — его же, Ермака, и сгубившем. «Ермак же, егда виде своих воинов от поганых побиеных и ни от кого ж виде помощи имети животу своему, и побеже в струг свой и не може доити, понеже одеян бе железом, стругу ж отплывшу от брега, и не дошед утоп».

«Откупился, — невесело подумал Степан. — Вернул подарочек государев. Не ведая, поступил мудро, по неписаному житейскому правилу: царёво отдать, иначе мёртвому быти. Но от смерти откупишься ли? Очень сомнительное утверждение».

Пока Рза размышлял, торжественное мероприятие в зале приближалось к своему естественному финалу, попросту говоря — к застолью. Не для всех, понятно, всех в голодное время за юбилейный стол не посадишь, — только для особо отмеченных вниманием окружного начальства, то есть, как писали газеты, «героев и передовиков производства, людей, тыловыми подвигами приближающих нашу будущую победу».

Рза прислушался к звукам зала. После перерыва сцена была отдана участникам концертной программы. Голос хореографа Веры Николаевны Горсткиной объявил очередной номер: выступление танцевального ансамбля жителей Эльбигортского юртобъединения с танцем «Охотник-стахановец колхоза „Красный песец“ Гавриил Салиндер сбивает выстрелом из ружья вражеский самолёт».

Рза представил, как на сцене под портретом вождя тычут пальцами в потолок туземцы, собранные с миру по нитке за сто граммов даровой водки и тарелку твёрдого овсяного киселя, умытые, одетые наспех во временно выданные наряды, как они вразнобой заводят свои долгие скрипучие сё, так, кажется, называется по-ненецки песня, топчутся невпопад или вяло ходят по сцене, наступая без должной выучки друг другу на пятки, а сверху им улыбается главный друг больших и малых народов СССР товарищ Иосиф Сталин.

«Вражеский самолёт»... Рза помнил тридцать девятый год, конец августа, стадион «Динамо», он тогда жил в Москве, военный дым в тот год хоть и долетал до столицы, но пах он ещё не гарью русских городов и полей, а дымом с полей Европы, на стадион его затащил знакомый, сам Рза не сильно увлекался футболом, дерево, камень, резец, космос, рождающийся из хаоса с помощью привычного инструмента, — вот предметы его сердечной страсти, болельщик был из него плохой, но он сидел на низкой скамейке, слушал, как тридцатитысячная толпа выдыхает из коллективных лёгких гулкое слово «Го-о-о-о-л!», когда Якушин, тряся в воздухе кулаками, счастливый, бежит от ворот противника, или кричит «Мазила!», если мяч не залетает в ворота, и был частью этих людей, переживал их простыми переживаниями, смеялся и пытался свистеть, подражая их наивным манерам; и вдруг — он хорошо запомнил это мгновение — толпа затихла, игра на поле затихла тоже, замер мяч у левой бутсы полузащитника, и в упавшей на людей тишине нарастал и давил на слух тяжёлый звук авиационных моторов выплывшего из-за восточной трибуны самолёта со свастикой на крыльях и на хвосте. Обдав людей мусорным ветром, немецкий «кондор» пропал из виду, за стадионом был Центральный аэродром, самолёт с германским министром благополучно заходил на посадку.

Об этом помнить было сейчас нельзя, такая память держалась сегодня в тайне, тут уж никакое лауреатство не помогло бы уберечь голову, упомяни он об этом где-либо.

Из зала высокой поступью пришла мелодия «Священной войны». Значит, торжество завершилось, война, объявшая Советский Союз, перевалила двухлетний возраст, и неизвестно, сколько их ещё будет, этих промежуточных юбилеев.

И снова явилось воспоминание из далёкого теперь уже прошлого. Опять Первая мировая. Москва вроде бы — да, Москва. Письмо Рильке, поэта, царство ему небесное, они знакомы были с ним по Парижу, виделись у Родена, встречались в Риме, адресовано письмо не ему, писано по-немецки, странным образом попало в Россию, и не откуда-нибудь, из Мюнхена, почти из сердца кайзеровской империи, и это в год, когда немецкие погромы в Москве были делом таким же будничным, как клоунады отрицателей-футуристов, и прочитано, кажется, Пастернаком в кругу тогдашней художнической богемы.

Рза помнил письмо на память, и как-то оно очень перекликалось с сегодняшним состоянием мира.

«Даже теперь, когда уже так много говорят о страшном превосходстве и о достигнутых повсюду успехах, кто мог бы сказать, что, в сущности, произойдёт с нами и многие ли из выживших в этом году сумеют остаться людьми? Мне это причиняет невыразимую боль, и я целыми неделями думаю о тех, кто успел умереть раньше, и завидую им, что они всё это видят уже не отсюда. Ведь где-нибудь в мировом пространстве должны быть такие места, откуда весь этот ужас представляется всего лишь явлением природы, одним из ритмических потрясений вселенной, неколебимой в своём бытии даже там, где мы гибнем. А погибая, мы, разумеется, переходим в высший круг бытия — там мы сможем наблюдать всю полноту катастрофы и внезапно поймём что-нибудь и о смерти; может быть, именно в этом смысл этой ужасной войны; может быть, это только эксперимент, проходящий перед глазами неизвестного нам наблюдателя, — если только мыслимо существование безошибочного глаза, зоркого, испытующего глаза исследователя, который изучает это так же, как изучают прочность горной породы, и устанавливает следующую, более высокую степень жизненной прочности в этом кипении смерти...»[1]

А «студебеккер» вёз боеприпасы,
Вела машину девушка-шофёр... —

вжав кулак в обвислую щёку, жевал унылую песенную жвачку художник-инвалид Хоменков, приблудившийся к Дому ненца по причине отсутствия местожительства и кормящийся оформительскими работами да подкраской облупившихся стен. Пел он песню единственно для себя, его не слушали, гул разговоров сливался с сизым табачным маревом, потому что уже где-то к пяти затянувшееся праздничное застолье перевалило официальную фазу и перешло в вольную.

Способствовало этому переходу отсутствие первых лиц партийного и советского руководства, начальства из служб и ведомств Комиссариата внутренних дел и аппарата госбезопасности, гражданской и военной прокуратуры, суда

---

[1] Перевод И. Рожанского.

окружного и городского, начальника городской милиции и прочих представителей власти, которым не положено по ранжиру панибратствовать за общим столом с руководителями низшего ранга и представителями трудовых коллективов, — они укатили праздновать в окрисполком, отсюда неподалёку.

Там, на улице Республики, бывшей Царской, стол, наверное, был богаче, — во-первых, ждали омское начальство из областного УНКГБ (начальник, полковник Быков, это выяснилось потом, послал вместо себя зама, подполковника Гаранина; ждали на праздник и Дымобыкова, шутили, впрочем, на ухо: «Дымобыкова без Быкова не бывает», но генерал не приехал тоже); во-вторых, и это было важнее, представители местного руководства, приглашённые за исполкомовский стол, завоевали себе право на праздник.

Но и за столом в Доме ненца люди не чувствовали себя обиженными, присутствующие здесь понимали, что начальство начальству рознь, приятно, конечно, сознавать, что первый секретарь окружкома закусывает тем же самым налимом и пьёт из тех же самых запасов, которыми потчуют и тебя, а начальник райотдела НКГБ встаёт под те же самые тосты, под которые вскакиваешь и ты, только стоит ли переживать из-за этого, тем более что товарищи из потребсоюза позаботились о хлебе насущном.

Зачем девчонка резко тормознула?
Снаряды от толчка разорвались.
И у руля навеки ты уснула —
Своей судьбе за это поклонись.

Хоменков допел до конца и опять потянулся к стопке, выпил, закусил балыком и мутным глазом оглядел стол:

— Лауреат, не вижу лауреата. Тебя вижу, — взгляд его встретился с узким лицом помреда газеты «Нарьяна нгэрм» товарищем Цехановским, — а этого... ну, как его... ненавижу. Тьфу... не вижу, ненавижу, какая разница!

— Не пей больше, — посоветовал ему сосед по столу. — Вино — это пойло к сумасшествию.

— Видел руку? — Инвалид тряхнул обшлагом и обнажил до локтя левую руку. Правой, от плечевой кости и ниже, у Хоменкова не было. — Я художник, я ею заборы крашу. И она у меня одна, не как у некоторых... как их... лауреатов. Держи мускул, щупай, не бойся. Я ею гирю трёхпудовую подымаю, я в мишень стреляю с неё без промаха. А он двумя свои скульптуры ваяет. Давай выпьем. За то, что у него две руки. За талант. За лауреата. Мерзавец... Знаю, всё про него знаю... Откупился, сбежал от славы... Теперь в зоне собирается отсидеться... Лауреат! Кто видел лауреата? Хочу выпить за великого человека.

— А и вправду, — подхватил Цехановский, — почему Степан Дмитриевич отсутствует? Товарищи, а где наш лауреат? Неудобно всё же без лауреата.

— Я найду. — Хоменков поднялся и, шатнувшись, поковылял к выходу. Но в дверях был едва не сбит запыхавшимся товарищем Ливенштольцем.

— Пропустите, — пропыхтел Ливенштольц, придержав художника за рукав и тем самым не допустив падения. И, сразу же о нём позабыв, с шумом устремился к начальству. — Беда, Илья Николаевич! Туземную одежду похитили!

— Какую ещё туземную? — Казорин недовольно поморщился. — Что значит «похитили»?

— Сами эти ироды и похитили, своё барахло оставили, а в той, что танцевали, ушли.

Окружающие с интересом прислушивались.

Еремей Евгеньевич был лилов — от пятнадцати граммов спирта (больше он позволить себе не мог), выпитого в самом начале за здоровье маршала Сталина, Верховного главнокомандующего страны, и переживаний за похищенное имущество, имеющее инвентарные номера и числящееся за ним лично.

— Это вызов? — спросил Казорин, глядя, как в глазах Ливенштольца плавают притухшие светляки. — Сейчас, когда ходят разговоры про мандаладу, это можно воспринимать как вызов? В такой тем более день.

— Я не знаю. — Ливенштольц растерялся. — Им одеваться не во что. Хотя в свете разговоров про мандаладу... Нет, всё это по недомыслию, несознательно. Ну, туземцы, ну что с них взять.

Вернулся от дверей Хоменков:

— Несознательно... хе-хе... несознательно. Вон, сознательные премии получают для того, чтобы потом с несознательными по тундре шастать. Я найду товарища лауреата. Мандалада, не мандалада, но я найду. В мастерскую к нему пойду, вытащу его на свет электрический. Отлынивать от праздника — это поза, недозволительная для творческого работника. Я заборы крашу, а он отлынивает. Если, понимаете, знаменитость, значит, понимаете, и отлынивать?

Хоменков навис над столом, точнее, над пригубленной стопкой, стоявшей перед начальником Дома ненца, тот её не успел допить, остановленный явлением Ливенштольца.

Зачем девчонка резко тормознула?
Снаряды от толчка разорвались... —

сопроводил он хватательное движение куплетом из популярной песни и выпил из пригубленного сосуда.

Казорин на него не обиделся, сам имея к товарищу лауреату претензии различного свойства, в частности, по поводу примуса и открытого огня в мастерской.

— Вы как-то не по-праздничному сейчас говорите. Какими-то иносказаниями и намёками.

— Я за правду искусства руку дьяволу продал, — возразил на замечание Хоменков, утирая рукавом рот, — потому я имею право.

«Дьяволу... — заволновался Казорин. — Это какому ж такому дьяволу? О чём он?»

Вопрос требовал разрешения, и начдома объявил в лоб:

— Дьявол, я понимаю, это оборот речи, вроде бога, аллаха или мифологической богоматери, то есть тех спекулятивных фигур, сущность которых Ленин определил как опиум для народа?

— Правильно понимаете, это оборот речи. Но такой оборот речи, от которого не поздоровится кое-кому.

Хоменков загадочно усмехнулся и нацелил взгляд на сосуд, за которым янтарным цветом поигрывал целебный напиток.

Казорин проследил его взгляд.

83

«Жалко, — подумал он, — что интересная сторона личности открывается лишь тогда, когда переполняется алкоголем».

Он наполнил до краёв стопку и налил себе в соседнюю на две трети.

— Руку на войне потеряли, — сказал он утверждающим голосом. — В справедливой войне с фашизмом. Дьявол — это фашизм, чтоб ему ни дна ни покрышки. Выпьемте, товарищи, за победу!

За столом выпили за победу.

Хоменков поставил стопку на место, развернулся и пошёл к выходу.

— Мандалада, — сказал он громко, не вписавшись в дверной проём.

— Тьфу на вас, — сказал Ливенштольц.

— Во-во, — в спину уходящему Хоменкову сказал сидевший через стул от Казорина замрук окрземпродотдела товарищ Гнедин. — И сетеснастный материал ему дай, и перевесы, и шатры с вентерями, а он оленей в тундру угнал и жрёт там свои сушёные мухоморы.

— А ху-ху ему не хо-хо? — добавил Хоменков от дверей. — Не хо-хо ему ху-ху, говноеду?

И оставил растревоженный зал.

Вполголоса заговорили про мандаладу.

Всякий что-то знал, но туманно.

Кто-то вспомнил, что где-то, вроде бы на одной из отдалённых факторий, видели лиственничную палку с вырезанной на ней тамгой — знаком мандалады, сиречь восстания. Вспомнили про гитлеровские подлодки, якобы повадившиеся охотиться в устьях рек едва ли не по всему Ямалу («и, может, даже заходящие в Обь»). А где фашисты, там и их прихвостни («почему бы и не из туземного населения?»). Вот тебе и похищенная одежда, вот тебе и праздничный спирт («на хрена, спрашивается, его им вообще давали?»).

— Помню, перед войной, — товарищ Гнедин, замрук, забарабанил пальцами по столешнице, — тогда ещё Севморпуть здесь всем управлял, так вот, развезли наши снабженцы по факториям и торговым пунктам партию умывальников, парусиновых туфель и большое количество экземпляров книги французского писателя-коммуниста Анатолия Франса «Остров пингвинов». Чем, спрашивается, плох был товар? Так они фыркают, зачем им умывальники, зачем им «Остров пингвинов», им платки с кистями вези, цветные ленты и крупный персидский бисер, им чашки подавай чайные, маленькие, с красивым рисунком, им клеёнка на стол нужна...

— Кле-ё-ё-ёнка, — протянул Цехановский. — Ну не заелись ли, товарищ Казорин? И музейную одежду украли. Завтра же доложу главреду, и на четвёртой полосе дадим фельетон. «Пляски плясками, а на чужое добро не зарься» — так примерно и назовём. Или так, поударнее: «Гоп со смыком по-самоедски».

Казорин покачал головой:

— Сегодня праздник, товарищи. Так что чёрт с ней, с этой одеждой, в музее её семь сундуков. Нет, в милицию заявим, конечно, дело это так не оставим...

«Ну дурак! — ругал он про себя Ливенштольца. — Ну при всех-то трубить зачем? Это в свете разговоров про мандалaду. Нет чтоб тихо, на ушко мне шепнуть, так он сразу: „Беда! Похитили!“ Вот теперь и вправду выйдет беда, если дело повернут на политику».

Ливенштольц как будто услышал это мысленное к нему обращение.

— Дети малые эти ненцы, — чуть сконфуженно произнёс он. — Вот уж точно, не ведают, что творят. И наверняка ведь без задней мысли, их одели в ихнее же, туземное, а что временно — об этом сказать забыли. *Я забыл, мой недочёт,* думал, догадаются, черти дикие.

— Я, кхе-кхе, ни в жизнь не забуду, было это в сороковом году, — сделал вставку в разговор Полублудин, управделами местного Интегралсоюза, — к нам однажды, я тогда в Яр-Сале работал, на двадцать третий юбилей революции приехали из Парейской тундры, из колхоза Третьей сталинской пятилетки, самоеды чуть ли не всем колхозом. Входит один такой в магазин, на нём пиджак ватный, сапоги на каблуках, яловые. Пиджак настежь, под ним дюжина, ей-богу не вру, рубах, сверху красная, под ней лиловая, дальше чёрная, следом какая-нибудь ещё в горошек, он напялил их одна на другую, у всех вороты тоже настежь, чтобы все, значит, видели, какой он такой особенный. Тогда в колхозах чуть не по два червонца получали за трудодень, то есть в месяц шестьсот рублей, это при средней-то по стране зарплате триста двадцать рублей с копейками. Тут не то что на пряники и конфеты, тут на много чего хватало...

— А потом он в том же пиджаке и рубахах шёл на промысел и рыбную ловлю, — досказал Еремей Евгеньевич. — И конфеты все раздал в тот же день первым встречным и поперечным. Я же говорю: дети малые.

Цехановский хмыкнул, ёрзая на казённом стуле:

— Ну да, и не ведают, что творят. — Он воздел палец к люстре. — Это, может, при Ермаке не ведали, когда казаки покоряли Сибирь. Теперь они ведают, ох как ведают. Искусился туземный житель, прежние воззрения изменились, был он честен, а стал хитёр, ему всё дай, а с самого и взять вроде нечего. Хотя, по мне, один чёрт сопьются. В этом они точно как дети. Видят водку и хлещут как оглашенные. Всё, что хочешь, за неё отдадут, лишь бы только упиться вусмерть.

— Ну, сейчас особо не разгуляешься, — возразил ему Еремей Евгеньевич. — Это, может, в Ташкенте, Алма-Ате, где работают рестораны с музыкой и артистки столичных театров пьют шампанское из хрустальных бокалов. У нас в Сибири с этим туго — война. Праздники не в счёт, тут понятно. — Он довольно оглядел стол, задержался весёлым глазом на продукции рыбоконсервного комбината, подмигнул товарищу Калмыкову, поспособствовавшему сему изобилию, и философски завершил мысль: — Да-а, устроил нам фашист жизнь. Только в праздники, выходит, и вспомнишь, как гуляли до проклятой этой войны.

— Шампанское... рестораны с музыкой... — поморщился начдома Казорин. — «Я б зашёл в ресторанчик, чекалдыкнул стаканчик...», а? Люди щучьей порсой питаются, а ты — рестораны! Нет, товарищи, пока врага не добьём, стыдно думать про какие-то рестораны. Предлагаю ещё раз налить и выпить за дорогого нашего товарища Сталина, уверенно ведущего нас к скорой победе.

Глава 6

Xмельной кураж играл в крови Хоменкова и требовал мгновенного выхода. Поэтому, когда культяпый художник добрёл до мастерской скульптора (дверь которой оказалась незапертой), он прокукарекал заливисто, прежде чем заглянуть внутрь. Его громкий петуший крик должен был, по разумению исполнителя, напомнить лауреату-откупщику сцену из Евангелия, читанного Хоменковым в детстве. Читанного не по собственной воле, а по прихоти хоменковской крёстной, выжившей из ума старухи, помершей незадолго перед войной. Впрочем, сам Хоменков, спроси его, в чём смысл этой сцены, то есть какая связь между событиями, изложенными в Евангелии, и неприязнью неудачливого художника к увенчанному славой лауреату, и если таковая имеется, то кто из них двоих Иисус, а кто Его ученик Пётр, в страхе отрёкшийся от Учителя, вряд ли объяснил бы свой жест. В общем, кукарекнул и кукарекнул, а как воспримет это лауреат, Хоменкова не волновало.

Он вошёл в мастерскую. В нос ударили рабочие запахи, терпкий — дерева, душноватый — красок, кислый — стылого столярного клея. Сквозь завешенные тканью окошки пробивалась заоконная муть.

— Эй! — сказал Хоменков от входа, хотя было и так понятно, что хозяина в мастерской нет.

Темнота ему ответила гулом, и у вошедшего поубавилось куража, потому что в ответном звуке ему почудились неясные голоса и прозвучавшая в них угроза.

Он чиркнул зажигалкой из гильзы от древнего немецкого маузера и сразу же пожалел об этом. Василий, первомученик Мангазейский, юноша, почти ещё мальчик, улыбался ему тихой улыбкой, от которой у оторопевшего Хоменкова испарился последний хмель. Ни о каком Василии Мангазейском Хоменков и слыхом не слыхивал, ни о нём, ни о городе Мангазее, златокипящей государевой вотчине, сгинувшей в пучине времён, художник-оформитель не знал. А если б даже и знал, на что ему, увечному маляру, это бесполезное знание? В церковь он не ходил, в Бога и в иконы не верил, а на прочитанное в детстве Евангелие смотрел глазами поэта Демьяна Бедного, то есть свысока и с издёвкой, хотя, будучи художником просвещённым, не отрицал влияния на искусство отдельных религиозных образов.

Пламя от фитилька зажигалки гуляло туда-сюда, и от этого гулящего света непроработанное лицо святого менялось, будто в волшебном зеркале. Улыбку, благостную и тихую, вдруг сдувало, как сквозняком, и в глубокой щели между губами начинали шевелиться слова.

«Что тревожишь меня, мазило заборное? — спрашивали губы святого. — Что тебе дело до меня? — И, не дожидаясь ответа, сразу же шептали угрозы: — Отдам твой уд огню на съедение, и, куда ни пойдёшь, всё будет тебе беда».

Хоменков облизал губы, захотелось выпить вина. Такое с ним уже было, правда, без церковного мракобесия: как-то ночью, проснувшись спьяну, он увидел перед собой Стаханова с отбойным молотком на плече. Зачинатель стахановского движения долго-долго смотрел на стену, на раздувшихся от крови клопов, тихим ходом уползающих под картину, на само несовершенное полотно (юношеский опыт художника), изображающее берег реки и стайку комсомолок-купальщиц, перевёл взгляд на её создателя, застывшего на голом матраце и хлопающего голыми веками, и, грохнув инструментом об пол, сказал Хоменкову сухо:

— Руку вернёшь потом.

— Т-т-товарищ... — хотел узнать не до конца ещё проснувшийся Хоменков, при чём здесь его рука и зачем ему её возвращать (с рукой он распрощался позднее), но Стаханов договорить не дал.

— Японский бог тебе товарищ, — оборвал его герой пятилетки, взгромоздился задом на молоток и, как ведьма, уплыл из комнаты.

Поэтому, услышав про уд и вспомнив судьбу руки, предсказанную ему в пьяном бреду, Хоменков обиделся не на шутку и закрыл рукой с зажигалкой то место на своём галифе, где ютился вышеупомянутый орган.

— Не возьмёшь! — прокричал он страшно и прибавил, чтобы было весомее: — Буратино, деревяшка безмозглая! Сожгу вот, и будет тебе беда самому.

Слова, запущенные в лицо святому, придали Хоменкову отваги, и он уже собрался сказать, что не верит никаким предсказаниям, а верит только чувствам и разуму, и что касается отнятой руки, то в этом виноват случай, ну отморозил он сдуру пальцы, ну опоздал, не обратился тогда за помощью, испугался, думал, ещё оттают, вот и оттяпали подчистую руку, чтобы гангрена не жрала дальше, — как вдруг почувствовал запах дыма и боль в том месте, которое закрывал рукой.

Он швырнул зажигалку под ноги и с тоской посмотрел на брюки, на расползающуюся кайму огня, потом стал бешено колотить ладонью по чёрно-рыжей, палёной ткани.

— Сволочь! — Хоменков чуть не плакал. — Последние штаны мои сжёг. У-у-у! — Он чуть отступил назад и замахнулся на подлое изваяние, полускрытое вернувшейся темнотой.

И почувствовал, как его кулак перехватили железной хваткой.

Холодом ударило в спину, мёртвым холодом, дыханием склепа.

Хоменков был человек пуганый, видел смерть и сам бывал у неё в упряжке, но сейчас, оказавшись на этом капище да ещё и с рукой — единственной! — пленённой неизвестно каким поганцем, струхнул, как схваченный на месте кражи карманник. Он готов был даже перекреститься, как учила его когда-то старуха-крёстная, но опять же — ведь не ногой креститься! Мысль про ногу призвала к действию. Хоменков, не поворачиваясь к противнику, прикинул мысленно, где у этого гада яйца, и что есть силы ударил по ним ногой.

Боль стремительной телеграммой-молнией пронеслась от ступни до темени и залила глаза чернотой. Он повис, как однорукий Лаокоон, с вывернутой в плече конечностью и другой конечностью, правой нижней, крепко стиснутыми, словно в железных кольцах.

— Врёшь, зараза! Большевики не сдаются! — прорычал Хоменков врагу и единственной свободной ногой нанёс удар, теперь уже наугад.

Снова боль, будто пятка с лёту напоролась на колонну из стали.

Невидимка, пленивший его руку и ногу, за всё время не проронил ни звука. Это Хоменкова бесило. Хоть бы матом обругал, что ли. Хоть бы охнул, свистнул, пёрнул, в конце концов. Да и хватка, которой держал художника подозрительно молчаливый враг, была какая-то не такая, не человечья. Равнодушная. Ледяная. *Мёртвая.*

Новый страх прошёлся иглой по коже.

«Это что же за манихейство он здесь у себя развёл? — Слово „манихейство“ попало на ум случайно, оно застряло в голове у художника на одной из антипопо́вских лекций и выплыло теперь из забвения, как выплывает из пучины морской латимерия, кистепёрая рыба. Значения слова художник уже не помнил, но была в нём некая жутковатая сила, от которой ворочались в животе кишки. — Получается, лауреат — колдун? Раз умеет оживить деревяшку. И это... этот... — Он как мог повернул голову и скосил глаза за плечо, но ничего, кроме мути, не разглядел. — Чушь, не может этого быть. Ну конечно, голова я дурная! Набил статуи шестерёнками и пружинами, вот они и работают заводными пугалами...»

Художника отпустило. Страх ушёл, и вернулась злость. Он рванулся раз, ещё раз, потом снова; сзади загрохотало, зашевелились шестерёнки с пружинами, и железное заводное пугало — или что там было на самом деле? — погребло заживо инвалида.

С полминуты он пребывал в смерти, вжатый в пол чудовищной тяжестью. После ожил, пошевелил пальцами и нащупал занемевшим мизинцем шершавое колёсико зажигалки. Слава богу, значит, рука свободна. Механическим движением кисти художник высек рукотворный огонь. Маленькое пламя качнулось, тени тихо расползлись по щелям. Сверху больно давила тяжесть, не опасно, а отстранённо, холодно. Хоменков поёрзал, порыпался, но давильня продолжала давить. Улыбка на безликом лице вновь ожившего мангазейского чудотворца была глумливой, как у чёрта болотного. Он смотрел на копошащегося художника и говорил нешевелящимися губами: «Сами видят, что дуруют, а отстать от дурна не хотят: омрачил дьявол, — что на них и пенять».

Этого обидного зрелища и этих беззвучных слов художник вынести ну никак не мог — какой художник такое вынесет! — и поэтому собрал свою волю, поднапрягся, крякнул, как Илья Муромец, и немедленно освободился от гнёта.

На полу с ним рядом лежал нарком путей сообщения СССР Лазарь Моисеевич Каганович — только не живой, а железный, выполненный из плотной массы металлических опилок и стружки, спёкшихся под действием кислоты (личное изобретение лауреата, чтоб ему ни дна ни покрышки!). Художник вытянулся, как был, то есть в положении «лежа», чтобы засвидетельствовать фигуре своё почтение, пусть она и сотворена руками.

Низкорослый и огромный одновременно, в короткой полушинели, в фуражке, с благодушной улыбкой, проглядывающей сквозь сталинские усы, Лазарь Моисеевич не лежал, Лазарь Моисеевич возлежал, величавый даже здесь, на полу, свергнутый по нелепой случайности с временного своего пьедестала.

Хоменков встал над наркомом и попытался его поднять. Куда там, с одной рукой попробуй совладать с такой глыбой!

Тогда он тихо стал отступать к двери — на нет, как говорится, и суда нет, никто ж не видел, что это он обрушил статую на пол.

Хоменков был уже у выхода, когда услышал с той стороны шаги, кто-то шёл по коридору сюда. Или мимо? Он погасил пламя. Дёрнулся зачем-то к окну, серому призрачному квадрату, перекрещенному тяжёлой рамой. Сшиб по пути пару мелких деревянных кикимор, ругнулся молча, не на себя, на них. И, ослеплённый, закрыл рукавом глаза.

Рза стоял на пороге, держа палец на выключателе. Свет от низкой неяркой лампочки, ютящейся под колпаком абажура, мягко растекался по мастерской.

Если разруха, которую он увидел, его и смутила, то виду Степан Дмитриевич не подал. Зато подал голос. Был он мирный, без намёка на злость.

— Ты бы... это... срамоту свою прикрыл, что ли.

— А? — не понял Хоменков поначалу.

Он-то ожидал бури, а вместо бури получил тишь. Но когда до него дошло, он покраснел до алых пятен на скулах и пятернёй заградил промежность.

— Где это тебя угораздило? Или бес в тебя влез какой?

— Это он. — Хоменков ткнул пальцем в деревянного первомученика Василия, для Хоменкова — его мучителя.

— Этот может. — Рза рассмеялся. — Этот и не такое может. Он медведей и коров помирил, чтобы мишки на бурёнок не зарились. Ну, идём, возьмёшь штаны у меня, в этих стыдно на люди показаться.

Он отправился к дальней стенке к небольшому деревянному коробу, красиво изукрашенному резьбой. По пути он поднял кикимор, поравнялся с порушенным Кагановичем и без усилий поставил его стоймя, будто был нарком не железный, а состоял из воздуха.

Хоменков, увидев такое дело, помрачнел и беззвучно выматерился.

«Вот ведь сука, видит, что я безрукий, так ещё и силой своей выделывается».

Он поплёлся за лауреатом молча и, пока тот копался в коробе не бог весть с какой поношенной одежонкой, взглядом гомозил по столу, что стоял тут же, припёртый к стенке.

Стол был щедро заставлен банками со всевозможными подручными мелочами, необходимыми в ремесле художника, — карандашами, перьями, иглами, штихелями разного назначения, кисточками с вылезшим волосом, которые впору б выкинуть, но мастер их почему-то держал. Ближе к краю белели листки бумаги, разложенные по столу, как пасьянс. Рядом со стеклянной чернильницей лежала тетрадка с выписками, почерк был аккуратный, но строчки читались трудно.

Хоменков прошёлся по ним глазами и сильно наморщил лоб, пытаясь вчитаться в смысл, ускользающий от него, как угорь.

«От древней моей старости ужо едва ходить могу, и веема у меня, нижайшаго, ноги стерло, ходить и стоять не могу, древен и худ, и мочию моею немощен, и портов на себе не могу носить, и в глубокой моей и в древней старости пребываю. Обещался я, нижайший раб ваш, штобы быть при манастыре Знамения Богородицы пребывати, и здоров был и мочию моею владел, и, прошед время, сего года Великаго поста, немок лежал в скорбе... С тово времени худ и трухав, и сам себе не рад, при старости моей зделалося надо мною, а за собою никакова расколу не имею, и впреть будушо время неотложно отсем прошу вашего архипастырскаго милостиваго расмотрения: из желез свободить, железа снять и благословить, и отпустить в дом к детям моим, штобы водилися со мною и покоили до смерти».

Хоменков чуть мозги не вывихнул, одолевая этакую премудрость. Дальше читать не смог, лишь выхватывал из писаных строчек отдельные случайные фразы: «а шкарбу от него осталось: шуба баранья немного, также и зипун серой, поношеный, да войлочишко ветхой», «в нераскаянном своем заблуждении», «вывесть ево простолюдинам вне града, на пустое место, и там вринуть в яму без всякого отпевания».

Всё это предварялось записью: «Гаврила Морока (26 марта 1760, „в болезни здох“) — Гаврила Селменских, прозвище Морока получил за разнообразные чудеса и таинственные видения».

«Бумагу хрен где с фонарём сыщешь, школьники на коре пишут, а этот на всякий хлам переводит ценный продукт», — уязвил Хоменков Рзу.

После косноязычной зауми шли столбцы, писанные нормально, без словесных вывертов и ухабов:

«Бунты, Пугачев, Разин. См. „Academia", 1935.

Ермак. См.

Восстание в Тарском уезде — 1628–1631. См. „Повесть о Т. и Т.".

Томск — восстание ссыльных, тогда же.

„Повесть о городах Таре и Тюмени", см.

Ненянг — восстание ненцев, 30–50, XIX. См. материалы...»

Записи переходили на следующую страницу, но заглядывать дальше в присутствии владельца тетрадки было непростительной наглостью, и взгляд Хоменкова переместился на листки с зарисовками.

Он сразу узнал лицо. И вспомнил сцену на площади. «Эмка», завязшая в колее, двое доброхотов-помощников, тужащихся вызволить её из неволи, сопливое пацаньё с паперти, слетевшее к машине, как птичья мелочь... На рисунках был тот самый туземец, с которым лауреат корячился, пока они толкали машину, а после выкупались в грязи.

Хоменков нанизал на нитку недавние разговоры о мандаладе, к ним пристроил слово «восстание» из настольной тетрадки Рзы, прибавил сюда наброски и утреннее происшествие с «эмкой».

Интересные получались бусы. Весёленькие, бусина к бусине. И музыка у них интересная, хоть стреляйся, хоть песню пой. Ту самую, где про звон кандальный.

Зачесалась отрезанная рука. Она всегда у него чесалась, когда в голову коротенькими толчками нагнеталась вместе с кровью тревога.

— На, держи, должны подойти. — Степан Дмитриевич сунул ему штаны из выцветшего рабочего полотна. — Мы с тобой примерно равного роста.

Хоменков взял их молча в руки. Штаны были протёртые на седалище, с нитками, лезущими из швов, но вполне ещё себе ничего, вполне годные для временной носки.

И ведь, главное, никуда не денешься, не пойдёшь же трясти мотнёй на потеху городским зубоскалам. То есть, значит, придётся взять. Хоть противно, но взять придётся.

— Я верну, — сказал Хоменков, изображая на лице благодарность.

Он положил подарок на табурет, стянул свои прожжённые галифе и, пока надевал новые, стоял к лауреату спиной, стыдливо опустив голову.

Что-то ему мешало. Что-то раздражало и отвлекало. Он едва не потерял равновесие, продевая в штанину ногу. Скоро он разгадал причину.

С рисунка, лежавшего на столе, с простодушной хитрецой на лице за ним наблюдал туземец.

«Мать твою», — сказал Хоменков, не вслух, понятно, а молча.

Наконец он справился со штанами, прихватил свои, испорченные, под мышку и покинул мастерскую Степана Дмитриевича.

Глава 7

Святой Василий, первомученик Мангазейский, вдруг пошёл, пошёл — так пошёл, словно выкрутил фитилёк фаворский, чтобы не слепить святостью и не мучить мастера нечеловеческой тайной облика своего. Он, как солнце в праздник солнцеворота, удалился с ночной орбиты и открылся миру и человеку. И почему-то, будто само собой, в дереве начало проступать лицо пятнадцатилетнего капитана из кинорубки, Кости Свежатина. Выклюнулись даже веснушки из пятнышек-щербинок на древесине. Поначалу мастер сопротивлялся, не грешно ли уподоблять живого, пусть и вырвавшегося из города мёртвых, в который немец превратил Ленинград, древнему юноше-страстотерпцу. Потом смирился, увлёкшись делом, и, сплевывая деревянную пыль, радовался, что работа сдвинулась.

Всё утро следующего, буднего, дня после дня вчерашнего, праздничного, Степан Дмитриевич посвятил работе, не отвлекаясь ни на встречи, ни на еду, ни на мысли о будущем переезде. К полудню он собрался проветриться, продышаться после трудов праведных.

Город был по-будничному спокоен, но горизонт облегали тучки, обещая перемену погоды.

Мягкий ветер шевелил флаги, водружённые накануне праздника на фасадах советских учреждений, звук пилы с лесопилки ДОКа соперничал с мотором бударки, буксирующей по речному пути какой-нибудь востроносый неводник. В порту на рейде попыхивал пароход.

Рза задворками спустился к Полую. Берег был испорчен оврагами, оплетёнными дряхлеющим ивняком, сарайчики, лепившиеся по кручам, едва держались за приречную землю. Со столба слетела ворона, вяло вякнула на одинокого пешехода и пропала за подгнившим забором.

Степан Дмитриевич сел на камушек и прищурился на амальгаму реки, что отблескивала солнцем и холодом. Ему нравилось спокойное одиночество, когда можно вот так, без зрителей, созерцать текучую воду, живущую по простым законам, не зависящим от своеволия человеческого. Бесхитростное стремление к устью, к слиянию с родительским домом, с Океаном, отцом всех вод, как метафора возвращения сына к забытому в суете Отцу, — для художника это было осью, вокруг которой вращалась его галактика, вращалась, внутренне ничуть не противореча законам жизни и военного времени.

Пригревало. Ветерок отгонял мошку́. Комары были тяжелее ветра, гудели голодно, но сильно не досаждали. Этим летом — почему, непонятно — летучий гнус был милосерден не по природе, может, люди оголодали и обескровели, всё до крохи отдавая на нужды фронта, может, с тундрой происходили метаморфозы сродни тем, что происходили в стране и в мире.

Сверху, с улицы, не видимой от реки, прикатился негромкий смех. Был он странный — механический и бесполый, будто у смеющегося внутри звякали обломки стекляруса.

В реку, недалеко от берега, бухнулся залётный гусёк. Без товарищей, один-одинёшенек, то ли ему сил не хватило дотянуть до безопасного озерца, то ли был тот гусёк подранен. Гусь лёг на воду и поплыл по течению, словно паузок или маленькая ладья.

— Глупая птица — гусь, — раздался сзади неокрепший басок.

«Вот и посидел в одиночестве», — подумал Рза, оборачиваясь на голос.

Бас принадлежал пареньку возрастом лет под десять, в руке он держал чирка — мелкого, не рыбищу, а рыбёшку, — посаженного на кукан из верёвки. Чир был ещё живой и вяло побрыкивался в неволе.

— Здравствуй, мил человек, — поприветствовал подростка художник. — Почему же гусь — птица глупая?

— Потому что живёт сто лет, а ума — как у Люськи, моей сеструхи. Она, вон, тащит с полки сковороду, а та ей на голову сверху — шарась! Люська плачет, на башке шишка, а того ведь, дура, не понимает, что не надо было тащить, сама виновата. Вот и гусь — летит на телеграфную проволоку, думает, она паутина, и крыло своё о проволоку ломает.

Рза кивнул мальчишке с самым серьёзным видом:

— Ну, допустим, всё дело в случае, и потом, скажу тебе по секрету, что у гуся линии умные, а больше птице ничего и не надо.

— Линии? — Паренёк задумался. — Мудрёно что-то — «линии умные». Не бывают линии умные.

— Ты когда-нибудь пробовал рисовать?

— Тыщу раз. — Мальчишка даже обиделся. — Я такие самолёты рисую, залюбуешься, какие красивые. Никто в классе лучше не нарисует.

— Вот-вот-вот, то же и у гуся. Нарисуй самолёт уродом, разве этот самолёт полетит? Он ведь потому и летает, что у него линии умные. Чтоб и глазу было красиво, и самолёту не мешало летать. Теперь понял? — Рза улыбнулся.

— Теперь понял, — сказал мальчишка. — А вон там, в кустах, дядька сидит, за тобой подглядывает, — подмигнул паренёк художнику и прибавил шёпотом: — Однорукий. — Свободной от кукана рукой он взял с берега плоский камень и запустил им в заросли ивняка, одолевавшие береговые кручи.

Заросли ответили шумом веток и раздражённым человеческим голосом.

— От ты... — Голос принадлежал Хоменкову.

Однорукий поднялся над ивняком, потирая ушиб на лбу. Камешек попал куда надо.

— Ты чего там в кустах высиживал? — спросил Степан Дмитриевич Хоменкова.

— Живот схватило, — сказал Хоменков сконфуженно, не убирая руку со лба. — Стало быть, перебрал вчера.

— Всё-то ты, дядя, врёшь, у тебя же штаны не спущены, — влез в разговор мальчишка.

— Иди отсюда, покуда не наваляли, — зло ответил Хоменков пареньку. — Нашёл забаву — камнем в человека кидаться. Беспризорщина, мать твою! Сейчас спущу с самого штаны да надеру ремнём задницу! Я, вообще-то... ну как сказать... — Хоменков теперь обращался к Рзе, но мялся, по-видимому не зная, чем оправдать своё сидение на берегу. Ведь не скажешь же вот так, прямо в лоб, что ты следил за уважаемым человеком.

По воде захлопали крылья. Гусь-подранок, снесённый речным потоком, с шумным плеском сопротивлялся реке. Он развернулся носом против течения, он ударял крыльями по воде, он тянул свою шею вверх, к близкому огромному небу, туда, где редким пунктиром на юго-западе прочертила слюду небесную стая его сородичей. Гуси растворились в пространстве, а он всё хлопал и хлопал крыльями, птица не желала мириться со своей несправедливой судьбой. Потом он ослаб и выдохся, и течение понесло его вниз, как несёт мелкие деревца и огромные стволы лиственниц с подмытых паводком берегов.

— Глупая птица — гусь, — почему-то повторил Рза немудрёную мальчишкину мудрость.

А отведя взгляд от реки, не увидел на берегу ни мальчишки, ни однорукого художника Хоменкова. Зато в мелкой лужице возле ног крутился на кукане чирок.

Рза удивился очень. Ведь таким добром, пусть и малым, в нынешние времена не бросаются. Не забывают рыбу на берегу. Совсем недавно в северных реках рыбы было что в небе звёзд. И голец, и чир, и муксун, даже нельма была не диво. Теперь, когда «всё для фронта», когда норма в здешних рыбхозах такая, что на частное пропитание остаётся одна голая чешуя, даже этот недомерок-чирок для мальчонки был великая ценность.

Рза нагнулся, взял рыбу в руки и, освободив её от кукана, осторожно отпустил в воду.

———

В тёмном кинозале стояло море. Чёрное прозрачное море, ещё не завоёванное фашистами. Луч света, наполненный танцующими пылинками, упирался в квадрат экрана, и там, в полумраке морского космоса, оживали шары медуз. Бывший вор-медвежатник, а ныне перековавшийся на беломорско-балтийской стройке водолаз Алексей Панов (исполняет артист Баталов), разрывается между прошлым и настоящим — привычной работой с сейфами и нынешней эproновской службой. Сокровище с затонувшего корабля — тысяча фунтов стерлингов из сейфа английского капитана — прельщает неокрепшее сердце, к тому же ослабленное любовью. Забрать из сейфа затопленное сокровище, махнуть с любимой девушкой за границу и зажить там легко и счастливо!.. Велик соблазн, но он — водолаз-ударник, его портрет украшает витрину прославленных людей города, его ценят, наконец — ему верят... «Ногти постричь надо», — говорит девушка Таня, глядя на его крепкие пальцы в сцене на морском берегу. «Ногти мне оборвать надо!» — отвечает ей Алексей Панов, ставя окончательный крест на постылом преступном прошлом.

Костя мучился в душной будке, впрочем, дело это было привычное, никуда не денешься, работа такая, и Костя на духоту не жаловался. Строчил проектор, бежала плёнка, обрывов, слава богу, сегодня не было, лампа горела жарко, вытяжка работала слабо.

«Сокровище погибшего корабля» Костя крутил уже много раз, смеялся в смешных местах — когда водолаз Панов рассказывал в кубрике про русалку или когда дядька с биноклем украл у вора на пляже майку, — переживал за простоватого парня, повёдшегося на уговоры преступников, жадно следил за девушками, играющими в водное поло в тихой Севастопольской бухте.

Чёрное море и Севастополь Костя Свежатин помнил. Ещё маленьким, тогда живы были родители, лет за пять, наверное, до войны, его возили туда однажды. Воспоминания были смутны, пляж, солнце, мамины солёные поцелуи, это они купались в волнах у берега, и мама подбрасывала его над кипящей пеной, ловила и целовала весело, чтобы он не пугался моря.

Сейчас не было ни моря, ни мамы, всё это убила война, но Костя усмирял слёзы, держал их крепко внутри себя и наружу выпускал редко, только наедине с собой. Он — мужчина, он, спасшийся от блокады, видел в жизни столько крови и мёртвых тел, что, если плакать по каждой смерти, глаза выест от едкой соли и они перестанут видеть.

Константин был готов для подвига. Подвиг — это убить фашиста. Фашист — не человек, это ходячий паучий знак, свастика, пятно на мишени. Товарищ Эренбург в своей книжке (она попала к Косте случайно, забытая кем-то в вагоне поезда, когда они переезжали через Урал) так и пишет: «Убей фашиста».

Однажды в городе, уже обезличенном, с домов поснимали номера и названия улиц, боялись шпионов, уже голодном и выстуженном первой страшной ленинградской зимой, в городе, в котором с осени из живности не осталось ни собак, ни кошек, ни голубей, только люди, если их можно было назвать людьми, потому что они больше походили на тени, чем на человека живого, в доме, где они жили с мамой, Костя с приятелями-мальчишками нашли на крыше спрятанную в дымоходе электролампу, которая подавали в воздух световые сигналы. Провода от неё спускались по стене вниз, в одно из окон на втором этаже. Мальчишки вычислили квартиру, и, когда явились взрослые во главе с участковым милиционером, оказалось, что за опечатанной дверью, на столе, куда вели провода, установлено замыкающее устройство, а рядом крошки от недавней еды. Эта сволочь, что подавала врагу сигналы, жрала себе спокойно и радовалась, что из едва цепляющихся за жизнь теней получается костяное крошево, перемешанное с камнями и известковой пылью.

Даже здесь, в городе на Полярном круге, Костя вздрагивал и стискивал кулаки, когда видел переселённых из-за Урала немцев. Да, он понимал, что эти немцы совсем не те, что летели в бомбовозах над Ленинградом и убивали осколками его маму, но ощущение их причастности к подлости, которую они устроили на земле, не оставляло его подолгу.

...Над Чёрным морем играет музыка, оркестр эпроновцев встречает поднятый из глубины скелет английского корабля. Водолаз Алексей Панов оглядывает товарищей, лицо его освещено усталой улыбкой. «Конец фильма». В зале включают свет.

Если бы Ванюта Ненянг встретил под водой железного человека, он сказал бы железному человеку: «Ты — ид ерв, ты — хозяин воды, ты питаешься рыбами, лодками, кораблями, ты ешь пищу из железной коробки, паяльной кислотою воняющей и невыносимой для людского желудка, можешь даже и человека съесть, как ест его хибяри нгаворта, и раков ешь, и птицу, и кита, и тюленя; ты носишь одежду из железа, которую не прокусит щука; когда ты в гневе, воды закипают и пенятся и реки вылезают из берегов; когда ты спишь, на воде нарастает лёд, чтобы тебя не касались звуки и твой сон не подгрызала тревога. Ты — ид ерв, значит, ты можешь всё в пределах твоих владений и даже немного шире, если спят другие хозяева; ежегодно ты обходишь все воды вместе с рыбами, которые тебе служат, смотришь, всё ли верно устроено, нет ли где неправды и своеволия, высматриваешь затопленные стволы, проверяешь речные пастбища, смотришь сети, морды, пущальницы, много знаешь, многое видишь.

Ты скажи, — сказал бы ему Ванюта, — вот ты ешь свои лодки и корабли, свою пищу из железной коробки, а растёт отсюда недалеко, в двух-трех по́прысках, даже меньше, яля пя, светлое дерево, лиственница, некормленое растёт; а каково ему некормленому расти, когда ни хлеба, ни вина, ни оленей, ни сукна, ни самой мелкой монеты, чтобы силу держать в стволе, никто ему этого не приносит; речку Коротайку ты знаешь, ты хозяин воды, должен знать, в её верховьях, в озере Харво (хэбидя я — священное озеро), на дне озера растёт лиственница; если год рождается несчастливый, выходит она наверх как карлица, примерно человеку по пояс, или не выходит совсем; в год счастливый поднимается высоко, веселеет, стоит зелёная. По стволу, если год счастливый, ходит на́ небо хозяин земли, сытый ходит, весёлый ходит. Потому что в весёлый год нет ни уходящих, ни приходящих, нет войны, нет голода, смерть скучает, все нгылеки под землёю сидят. Телята все размером с быков, размером с я́ловых — важенки годовалые, как телята годовалые — лончаки́, а двухгодовалые, как семигодовалые менару́и.

Но нет сил у светлого яля пя, сторожит хэбидя я стража, не даёт ему ни вина, ни оленьей крови, оттого несчастливый год тянется и тянется и не кончится. Оттого беда и война, оттого умирают люди, оттого болеют олени, оттого неспокойно в тундре.

Ты иди, — сказал бы Ванюта, если встретил бы железного человека, — к хозяину земли на дно озера, войди в отверстие в стволе у корней, и спускайся, пока не встретишь; ты скажи, — сказал бы ему Ванюта, — что явился большой шаман, который может оживить дерево; передай, — сказал бы ему Ванюта, — что как олень ведёт род от мамонта, от оленя — заяц, а люди от комара, так и то, что он от тебя услышал, до последнего слова правда».

На экране, в пузыре полумрака, взбаламученного железными пимами, возле мёртвого железного корабля железный человек прячет деньги. Ненэй еся, нгарка еся — большие деньги, круглые серебряные монеты.

Это не хозяин воды, это человек, одетый в железо, водолаз, рабочий, ид нгыл падирта. Водолазные работы на реках Ванюта видал не раз. Чинят сваи, поднимают затонувшие грузы, что-то делают под водой ещё. Жутко поначалу глядеть на уходящее под воду страшилище. Так же, верно, бывает страшно, если тебе встретится в тундре Сердца-не-Имеющий-Тунгу. Или Мертвец-Мужчина смотрит в верхнее отверстие чума, будто смеётся. Но те одетые в железо рабочие, за которыми наблюдал Ванюта, превращались, вылезая на палубу, в самого обычного человека. Медленно снимали с себя неуклюжий водолазный костюм, курили, улыбались, шутили.

Этот, на экране, — другой. Это вор, талей. «Пэ», — сказал бы ему Ванюта, встреться тот ему на дороге. Следуя путём своей мысли, этот человек прячет деньги, собранные другими людьми для того, чтобы хозяин воды был милостив и не нагонял бурю, чтобы был хороший улов и рыба не пряталась от сетей, чтобы не было у людей голода и дух смерти, прожорливый Старик Нга, не уводил людей в Нижний мир.

Война — тоже как вор, талей. Она летает над землёй, словно чайка, и хохочет железным голосом: каха кахавэй кахангэй, — и так же радуется человеческой смерти, потому что, когда много смертей, больше ставится могильных шестов, на которых ей удобно сидеть. Волосы у неё цвета трухи древесной, глаза как студень. Она закована в железо, как самолёт, она, как этот человек на экране, у хозяина воды крадёт пищу, и подарки его крадёт, и у хозяина земли крадёт пищу, и людей крадёт, дарующих подарки и пищу, и гложет поминальные кости.

«Эй, сайнорма, — сказал бы войне Ванюта, опустись эта железная птица на расстояние хотя бы длины тензея, — шла бы ты от нашего дома за семь долгих вечных мерзлот, утонула бы ты в горькой воде.

Я и первого раза ещё не умер, — сказал бы войне Ванюта, — и не ушёл пока в тёмный мир, где ещё семь лет проживу, чтобы, умерев второй раз, ожить жуком или маленькой водомеркой. Но я сражусь с тобой насмерть, честно, и пусть умру, но переломлю твой хребет, твёрдый, од-нопядевый, трижды хрустнувший, ломающийся с треском, как лёд».

В кинозале зажёгся свет, но ни того, чем кончился фильм, ни того, как он покинул Дом ненца, в памяти Ванюты не удержалось. Он мысленно сражался с войной, но та была хитрее и опытнее, к тому же на её стороне были боги непонятной ему природы.

Глава 8

Новенький юфтяной сапог, густо смазанный смесью дёгтя с колёсной мазью, легко взлетал над деревянными тротуарами. Солнышко в нём играло. Деревянные тротуары прели под косыми его лучами, а само оно то прыгало мячиком из бегущих вперегонки туч, то съедалось прожорливыми коровами из пасущегося небесного стада.

Сегодня Телячелов был как все, то есть одетый не по-полковничьи шёл себе среди немногочисленных пешеходов, мало чем от них отличаясь. Разве что покроем сапог, явно выделявшим его из постоянных обитателей Салехарда. Его это волновало мало. Когда ты человек государственный, мелкие заботы о сапогах не отвлекают тебя от сути. Сутью сегодняшнего визита в столицу циркумполярной области было: а) зайти в Управление и передать оформленную заявку на поставку в культурный сектор подведомственного Телячелову учреждения специальных пронумерованных тетрадей для ведения секретных записей; б) купить в городе нормального табака, а то в лавке у них в посёлке одна махра по шесть копеек за пачку, не курево, а труха. Ну и — в) — навестить Дом ненца, очень уж хотелось Телячелову посмотреть собственными глазами, чем этот дом живёт.

111

Салехард — городок компактный, всё здесь скученно, подошвы не стопчешь. На улице Республики, главной, на углу с улицей МОПРа, он зашёл в коммерческий «Гастроном», купил «Казбека» десять пачек — себе — и столько же «Беломорканала» — это и себе, и для сослуживцев, посмотрел на коньяк «Армянский» по девять рублей бутылка, облизнулся, но покупать не стал. Семьсот рублей, месячная зарплата, вполне выдержала бы такую пробоину, но съест его стерва Зойка, берегущая семейный бюджет. Потом он навестил «Культтовары», не собираясь ничего покупать, лишь ознакомиться с ассортиментом, не более. И конечно, не удержался. Тут попробуй-ка удержись, если в музыкальном отделе лежит Утёсов, новенькая пластинка: «Ласточка-касаточка» — раз, — плюс «Дунайские волны» на обороте. Заплатил законные рубль двадцать, взял пластинку с дыркою на конверте, на котором молодой человек улыбается приятной улыбкой и объявляет с гордостью за себя: «Я зарегистрировал свой радиоприёмник в день его приобретения». Убрал покупку с Утёсовым в саквояж, обложив её табачными пачками, это чтобы пластинка не пококолась, и двинул прямиком в Управление, благо было оно близко от «Культтоваров».

На дела ушло где-то с час, в Управлении работали споро, не тянули кота за хвост, как случалось в довоенное время, оно понятно, его потянешь, и пришьют тебе потом саботаж с последующей путёвкой на передовую.

Телячелов сидел на диване с пристроенной к нему бронзовой урной, позволил себе пятиминутку на перекур. Матовая кожа дивана ласково холодила ноги, на казённой стене напротив топорщились будённовские усы. Маршал на портрете был добр, лупоглаз и улыбчив не по-военному. Телячелов смотрел на портрет сквозь светлую плёнку дыма от своей раскуренной папиросы, и в голове его складывался пунктир. Мысленные чёрточки этой линии накаливались электрической нитью, чем больше из спецхранилища памяти вылезало неоформленных фактов. Усы Будённого вдруг перекинули мостик к усам начальника его, товарища Дымобыкова. Телячелов вспомнил случай, когда прилюдно на каком-то из совещаний Дымобыков заявил про себя, что он *первые усы государства*. Приплёл, конечно, как всегда, Оку Городовикова, с которым спорил однажды насчёт усов — у кого длиннее. Что, мол, даже измеряли усы бечёвкой, и у нашего оказались больше. Для кого-то это как анекдот — посмеялись, разошлись и забыли. Только он, замполит Телячелов, понимает суть этой фразы. Первые усы государства. Это ж надо, в кого он метил! Электрический пунктир в голове поменялся на трассирующую цепочку.

— Товарищу Телячелову салют!

Полковник покачнулся от неожиданности. Забыв, что в штатском, слетел с дивана и механически взял руку под козырёк. Потом увидел лейтенантские звёздочки и лоснящееся лицо Индикоплова, знакомого из райотдела ГБ.

— Какими судьбами? — спросил Индикоплов, шумно нюхая телячеловский табак.

Полковник вспомнил почему-то папашу, как тот носил с собою два кошелька — один пустой, для друзей-товарищей, на случай, если попросят в долг, другой для себя, с деньгами.

— Дела обязывают. — Телячелов сделал вид, что не замечает интереса к его «Казбеку». — А у вас тут какие новости? Всё спокойно?

— Тыл есть тыл, какое здесь беспокойство. Самая последняя новость — из Дома ненца ненцы украли костюмы ненцев. Представляешь — ненцы из Дома ненца, разве не анекдот?

Телячелов даже не улыбнулся:

— Ну и дальше что — «украли костюмы»? Дело на похитителей завели?

— Заявление поступило в милицию. Те его перенаправили к нам, в НКГБ. Здесь как раз был Гаранин из омского Управления, он провёл оперативное совещание. В общем, целый пожар. Начальство уже забегало. Чувствую, будет дымно.

Индикоплов, видя, что с «Казбеком» не выгорело, попрощался и побежал дальше.

Телячелов загасил бычок, скуренный до картонной гильзы, и доверил его бронзовой пепельнице.

Теперь посетить Дом ненца тем более было необходимо.

Бог есть.

Виктор Львович Калягин, смотритель антирелигиозного кабинета, нисколько в этом не сомневался. Доказательств Божественного присутствия в его жизни было хоть отбавляй. Даже отмороженная нога, по Калягину, была божьей милостью. Не отморозь он ногу перед войной, не смени её, мясную, на деревянную, догнивать бы ему теперь на погосте в городе Вытегре, куда судьба занесла его на исходе 1941 года. Тогда, эвакуированный из Пушкина, он должен был по просьбе знакомого, преподававшего географию и историю, выступить на уроке в школе с рассказом о советской археологии. Должен-то он был должен, только, пока шёл на урок, споткнулся о какую-то чурку и вместо школы попал в больницу. А знакомый на том самом уроке, на который Калягин шёл, получил подарок от Гитлера — шальная пуля с немецкого самолёта убила его на глазах у класса.

Эта смерть засела в нём крепко. Почему, недоумевал он, Бог произвёл такую замену — прибрал к своим рукам не его, а человека, по случайности обстоятельств заменившего Калягина на уроке. Степан Рза на его сомнения в справедливости Господнего выбора отвечал по-человечески просто: значит, людям вы недодали то, что ещё должны им додать.

Калягин часто не понимал художника. В основном такое бывало, когда речь шла о материях, требующих особенных слов. Например, о чувстве вины. Калягин после случая в Вытегре постоянно задавался вопросом: вот есть Бог, вот есть он, Калягин. Он, Калягин, сделав что-то неправильное, чувствует иголку в мозгу. Возможно, это называется «совесть». Ну а Бог, Он вину испытывает? Вину за отчуждение от человека. Ему известно такое чувство?

Рза на это улыбался лукаво.

«Ему известно такое чувство через вас. В ваш мозг колет, и в Его мозгу отзывается, — говорил он не то серьёзно, не то подсмеиваясь. — И потом, на всё ваша воля, Бога тоже можно ведь наказать. Вон, у ненцев, если что не по-ихнему, они бросают своё идолище в огонь, чтоб похлёбка поскорее сварилась, — с дурного бога хоть шерсти клок. И вы спроси́те их о чувстве его вины. Интересно, что они вам ответят?»

Калягин кипятился и нервничал.

«Вы вот шутите, а я говорю серьёзно, — отвечал он, ко всем богам, включая туземных, относившийся уважительно и с почтением. Веру он считал частным делом: в кого хочешь верить, в того и верь. Главное, другим не мешай и не навязывай кому-либо своей веры. — Ну скажите, дорогой Степан Дмитриевич, с кем ещё здесь можно поговорить об *этом*, если не с вами?»

Рза в ответ пожимал плечами.

«Ах об *этом*? — Он задумчиво смотрел на Калягина. — Об *этом*, дорогой Виктор Львович, лучше вообще молчать. Говорить об *этом* нужно как Марк Аврелий, только наедине с собой».

Ветер дул, погода менялась.

Они сидели, Рза и Калягин, в мастерской у Степана Дмитриевича, прислушиваясь к голосу ветра и наблюдая, как в проёме окна играет в небе предгрозовая чересполосица. Круглые ядрышки облаков, вплавленные в сизую дымку резко помутневшего воздуха, летели быстро и делались всё мрачнее, из облаков превращаясь в тучи, — они велели непослушному кораблю пристать к берегу, а он не повиновался.

Кораблём была мастерская, и экипаж корабля был пёстрый. Фигуры из дерева и из камня составляли его основу. Степан Дмитриевич, капитан корабля, смотрел, как тучи движутся против ветра навстречу флагу над окружкомом партии; растянутое красное полотно, отутюженное воздушным током, казалось неподвижным в своём полёте.

Грозы в Циркумполярье явление редкое, практически невозможное, здесь они бывают не чаще, чем лунная радуга над землёй или снег в пустыне Сахара.

Может, это сама война, гусеницами грохочущая по планете, заявилась сюда напомнить, кто сегодня в жизни хозяин.

Туча залепила окно, и сразу день превратился в вечер. Степан Дмитриевич покачал головой, хотел встать, чтобы зажечь электричество, и вот тут-то за окном и ударило.

Резкий треск, такое бывает, когда трескается глетчерный лёд, и холодная голубая вспышка, и всё это без промежутка во времени.

Почти мгновенно небо сделалось ясное, солнце вновь светило в районе порта, и от туч, только что обложивших небо, не осталось даже махонького клочка.

— Желание загадать успели? — спросил Рза растерянного Калягина, толком не успевшего осознать, сном было произошедшее или явью.

Виктор Львович покачал головой.

— Чёрт-те что с природой творится. — Степан Дмитриевич улыбнулся сконфуженно, будто лично был виноват в случившемся. — Мне однажды в Екатеринбурге нанесла визит шаровая молния. Я как раз работал над Карлом Марксом, ну и поначалу не понял, слишком ушёл в работу. Потом чувствую, кто-то сзади возле моего уха пристроился, как бы дышит, только уж очень жарко. Я подумал, это Ерёмин, местный екатеринбургский скульптор, мы с ним вместе мастерскую делили, ну и так, шутя, между прочим, тык ему не глядя щелбан. Тут меня как обожгло, я оглядываюсь, вижу, белое яйцо в воздухе — шипит, как на невидимой сковородке, брызжет светом и от меня улепётывает. А после, не долетев до стенки, вроде как пружинит о воздух и со всей дури летит обратно, чтобы, значит, отомстить за обиду. Хорошо, я успел пригнуться, ну молния и ударила Карлу Марксу в лоб. Во лбу кратер, как на Луне, а через час должна явиться комиссия. Маркс бетонный с мраморной крошкой, в общем повозиться пришлось...

В мастерской остро пахло тундрой. Степан Дмитриевич натаскал сюда мха в мешках, чтобы те работы, что не закончены, обложить для безопасной транспортировки. Не все, конечно, всех с собою не увезёшь, только самые родные и важные, за которых болело сердце и оставить которые незаконченными было для художника невозможно. Этим художник и занимался — обкладывал мхом скульптуру и оборачивал её мешковиной. Калягин был у него в подсобниках.

— С этим Марксом потом смешно, — продолжал рассказывать Степан Дмитриевич. — Чемто он кого-то там не устроил, и поручили мне тогда вместо Маркса что-нибудь помонументальнее изваять. Мысли у меня кое-какие были, и я им соорудил памятник освобождённому человеку в шестиметровую высоту. За образец я взял Микеланджело, его Давида, только заказчикам не раскрыл, откуда взята идея. Ну и опять беда, начальство сказало: стоп! Правду, давай нам правду. Чтобы измождённое тело, чтобы руки в узлах, чтобы сразу всем ясно было, что человек не баранки жрал, а страдал от угнетения в тюрьме народов. Я им на это и говорю, что, мол, правда, конечно, правдой, но она должна быть зовущая, не констатирующая вчерашнюю измождённость, что такой правды, когда человек калека, в новой жизни быть не должно, что в новой жизни правда и красота обязаны быть единым целым. Ну вроде уговорил, установили моего Давида на площади, а тут опять незатыка. Прозвали весёлые горожане статую Ванькой Голым. Простоял он, может, года четыре, а потом моего Ивана Давидовича погнали с площади. Чтобы он своим голым видом не возбуждал нездоровых чувств. Мне один знакомый потом сказал, что его в городском пруду утопили. Страшное это дело — красота. Евгений Викторович Вучетич говорил, помню, что если всех на свете людей раздеть, жуткая получится картина. Но вот если на выбор, по одиночке, то бывает, что глядится красиво.

Рза взял в руки деревянное существо, росту малого, в деревянной шерсти, вьющейся спиралями по ногам от ступней до пояса, чем-то схожее с языческим Паном, но без дудки и с косиной в глазах.

— Узнаёте? — Рза улыбнулся. — Мне тут Трошин Семён Филиппович принёс с реки хорошую деревяшку, я и понял, что это ваше. По пуп мохнатый, линный — видите, здесь линяет? — Рза показал на гладкие островки, обусловленные фактурой дерева, между частыми колечками шерсти. — Рот на темени вырезать не стал, неприлично как-то человеку, пусть и сихиртя, иметь рот на темени, как считаете?

— Всё бы вам, Степан Дмитриевич, смешочки, — сказал Калягин, принимая из рук художника его детище. — А мне грустно что-то за вас. Дымобыков, конечно, человек важный, но мог и сам сюда пару раз приехать бы. Потом ведь можно по эскизам работать...

— Можно, да, но с натуры оно вернее. — Рза обвязывал верёвкой мешок, осторожно протягивая её под следующей скульптурой-переселенкой, упакованной в амортизирующую холстину. — Вот недавно в старом выпуске «Северных архивов» обнаружил интересную запись: в городе Тюмени некто приказчик Белоконский в начале века изобрёл трубу «для смотрения вглубь земли» и там якобы увидел даже глубинный подземный океан и ныряющих в нём ящеров. Вам бы, Виктор Львович, такую, сразу бы своих сихиртя узрели.

Калягин его словно не слышал. Он смотрел на деревянного человека, но взгляд его был рассеянный. Рза тоже работал молча, и продолжалось так, должно быть, с минуту, пока их затянувшееся молчание первым не прервал Виктор Львович.

— Смотрю я на вас и думаю, — сказал он, не поднимая взгляда, — что всё-то вы от чего-то бежите.

— Бегу... — согласился Рза, отвлекаясь от своего занятия.

В голосе у Степана Дмитриевича не было ни вопроса, ни точки — только одно долгое многоточие, говорящее красноречивее слов.

———

— Товарищ Телячелов! Дмитрий Иванович! Вы ли это? — Вчерашний зам, а сегодня уже начальник доверенного ему объекта национальной важности, Илья Николаевич Казорин, раскинув по-орлиному руки, шёл навстречу Телячелову. — Сколько лет, сколько вёсен!

— Месяца два, не больше, — холодно ответил Телячелов, ничуть не обращая внимания на орлиный полёт Казорина по скрипучему казённому коридору. — Ага, вас наградили медалью, — увидел он на груди начдома светлый кружок награды. — Надеюсь, что по заслугам?

— Трудимся на благо отчизны. — Казорин погладил пальцами рубиновую эмаль звезды, горящей на серебряном круге под шёлковым муаром колодки. — Долг, как говорится, обязывает. А вы сюда по какому делу?

— Так, ничего серьёзного. Мимо проходил и подумал: вот, бываю в районном центре, а в Дом ненца ни разу не заходил. Решил закрасить свой культурный пробел.

— Это правильно, что подумали. У нас много есть чего интересного. Хор, музей, кинозал, два ансамбля инструментов, библиотека... Одних грамот и дипломов в красной комнате, считай, полстены плюс ещё переходящие вымпелы. Хотите вам экскурсию проведут? Виктор Львович! Товарищ Калягин, можно вас ненадолго? — Казорин вычленил из геометрии коридора медленную фигуру Калягина, попавшую в фокус зрачка начдома. — Я бы сам, но мне в окружком, дела! — Казорин с кисло-сладкой улыбкой повёл подбородком вверх, потом кивнул полковнику на Калягина. — Вы не знакомы? Разрешите представить. Товарищ Калягин, наш главный культурный специалист. Виктор Львович, сделайте для товарища Телячелова экскурсию по нашим пенатам.

Калягин и Телячелов поздоровались. Что-то в этом человеке на деревяшке было знакомо Телячелову до жути. Он вгляделся в его лицо. Правая бровь насуплена, левая слегка на отлёте, а из глаз, из их глубины, словно смотрит на тебя и смеётся прячущийся внутри юродивый. Телячелов перебросил взгляд на вылезающую из галифе деревяшку...

Город Киров. Прошлогодний апрель. Грязь, весна, улица Карла Маркса, бесконечная, как ночь на Полярном круге, деревянная гостиница комсостава. С командировкой сразу же не заладилось, руководство местного ПУРа убыло на штабные учения и возвращалось только к концу недели. А Телячелов прилетел в четверг, то есть ждать ещё как минимум сутки. Знакомых в городе не было, и он тратил время в гостинице, лежал на койке и глядел в потолок, выбираясь время от времени куда-нибудь в столовую, что поближе, или просто гулял по улицам. Город был переполнен беженцами — людей из оккупированных районов день и ночь везли сюда поезда, на улицах орали меняли, торговали у москвичей шубы, бабы, перевязанные платками, продавали синее молоко, на них смотрели бледнолицые ленинградцы и захлёбывались жадной слюной, инвалиды с обрубками вместо ног собирались на углах стаями, вокруг них вилась безотцовщина, что-то передавала им в руки и ныряла в нескончаемую толпу.

Это произошло в столовой. Телячелов допивал свой чай, разбалтывая рыжую муть, скопившуюся на дне стакана, когда в столовую ввалилось с десяток этих самых обрубков уличных. Только они вошли, как сразу из приличного заведения столовая превратилась в табор. Компания устроилась на полу, воздух загустел от похабщины, что-то они орали, а самый из всех уродливый с белой бульбой на месте глаза снял с головы фуражку и пустил её по рукам товарищей. В фуражку полетели рубли, и, когда она вернулась к хозяину, тот, слюнявя пальцы и матерясь, громко посчитал их число, снова бросил рубли в фуражку и нахлобучил её на голову соседу. После этого подмигнул всем хитро, сорвал с товарища головной убор и демонстративно потряс им в воздухе: мол, были рублики и — тю-тю — сплыли. Другие инвалиды захрюкали, но равнодушно и как-то вяло, верно, фокус был для них не в новинку и бульбастый играл на публику, столовавшуюся в потребсоюзной столовой. «Хватит, Федя, давай уж жрать», — поторопили фокусника свои. Тот зло цыкнул на нетерпеливую свору, натянул на себя фуражку и проворным движением пальцев выхватил будто из ниоткуда сильно мятый червонец с Лениным. И, помахивая червонцем над ухом, отправился к раздаточному окну. Остальные потащились за ним, задвигали своими обрубками, застучали костями и деревяшками, распространяя густо вокруг себя тошнотворные ароматы смо́рода. Работница, стоявшая на раздаче, осадила их татарский набег. «Ну-ка тихо!» — приказала она, и инвалиды сразу же поутихли. Только фокусник осклабился

123

АЛЕКСАНДР ЕТОЕВ

кривозубо, торкнул пальцем в Ленина на купюре и сказал громко, на всю столовую: «Нас, Тамара, лысый сегодня кормит, его неделя. Так что ты давай вали гуще, черпай с самой глубины дна, не то Ленин на том свете, Тамара, тебя лысиной к столбу припечатает заместо Доски почёта».

Ладно нецензурная брань, Телячелов матерщину перетерпел бы, хотя в столовой столовничали и дети, но вот мириться с хулой на Ленина для партийца было равнозначно предательству.

«Прекратите! — сказал он резко, отставляя свой недопитый чай и поднимаясь во весь рост над столом. — Я приказываю вам прекратить!»

Посетители в столовой примолкли. Взгляды всех были направлены на него. Люди ждали, чем всё это закончится, — ждали в основном равнодушно, но иные и со зрительским интересом.

От толпы, скопившейся у раздачи, отделился тот самый фокусник и неспешно, с безразличной улыбкой выполз на открытое место.

«Ты, приказчик, не залупайся, — прогнусавил он, почёсывая под мышкой. — Я таких, как ты, командиров сколько хочешь по тылам навидался. Ты командуй крысами тыловыми, а меня, за родину пострадавшего, лучше, сука, не обижай, убью».

У Телячелова в глазах почернело. Отодвинув ногою стул, он решительно пошёл на обидчика. Тот по-прежнему улыбался хитро, но улыбка была только уловкой, намагниченной приманкой для жертвы, раздражителем, устроенным для того, чтобы ввести комиссара в ярость.

Телячелов подошёл вплотную. Он нагнулся над одноглазым карликом с обмотанными тряпьём культями, остатками бывших ног. Он хотел

поднять его на руки и вынести из зала наружу.
Ему тоскливо было видеть людей, наблюдавших
за этой сценой. Неужели ни у кого из них не воз-
мутилась их советская совесть, когда прилюдно,
в открытую, напоказ глумятся над светлым именем?.. Сам он часто прислушивался к себе: не за-
вёлся ли у него внутри, не затаился ли там клас-
совый враг, как заводятся в кишках паразиты,
не льётся ли в решительные минуты ему в голову навязчивый шёпот: пожалей, не убий, прости. И если появлялось сомнение в правильности
выбранного решения, он мысленно обращался к
Сталину как к единственному мерилу праведно-
му, и Сталин, мудрый, справедливый судья, знакомо щурился в глаза комиссару и так же мысленно ему отвечал: «А вы, товарищ Телячелов,
представьте, что эта ваша сиюминутная доброта
обернётся для всей страны тысячами человече-
ских жизней и ослаблением нашей обороноспо-
собности в условиях враждебного окружения».
А у этих вот, которые за столами, сознание рас-
кисло настолько, что на любого сирого и убогого
у них в запасе только слёзы и сопли.

Комиссар уже держал инвалида за засален-
ный воротник ватника и рукой, что была свободна, отводил его тяжёлую пятерню, когда случилось то, что случилось. Матерящаяся свора обрубков, тряся в воздухе остатками рук, облепила
его, как мухи, подняла Телячелова на воздух и
легко потащила к выходу. Кто-то рвал зубами его
мундир, кто-то больно тыкал ему под рёбра, а
какой-то бугай без уха отколупывал ему на погонах звёзды. И никто из едоков за столами не пришёл Телячелову на помощь.

Его бросили в ближайшую лужу сразу же на выходе из столовой. Улюлюкающая свора рассыпалась, растворилась в уличной толчее. Его ещё и собаки облаяли, когда он выбирался из лужи. «Я вам, гадам, все лапы пообрываю», — сказал он им тогда от бессилия. Оборванный, побитый и злой, он смахивал с себя серую жижу, размазывая грязь по лицу и отводя глаза от прохожих. К нему подошёл милиционер, козырнул и спросил, в чём дело. Телячелов, трясясь от обиды, изложил ему всё как есть и потребовал немедленного вмешательства. «Заявление мы примем, а то ж, — сказал ему представитель власти, — только проку от этого никакого». — «То есть как это никакого проку! — возмутился Телячелов на такой ответ. — Это политическое дело. Страна воюет, а какие-то инвалиды ведут среди населения города открытую антисоветскую пропаганду, дискредитируют партийную власть, а вы мне говорите, что никакого!»

Он ходил и в милицейское управление, и в горком, и в обком, и в НКВД. И всюду разводили руками. «Инвалиды? Да-да, конечно. Знаем, пробовали, ведём работу. Но они же... вы понимаете... у них психика травмирована войной».

Тогда, в Кирове, в тот апрель, он познал, что такое страх. Это был настоящий страх, реальный, от которого не уйти, как уходят от страха ночи, заперев на засовы двери и занавесив окна. Это был не страх быть убитым на войне от вражеского снаряда. Смерть на фронте — конечно, страшно, только это предсказуемый страх. Как и страх оказаться жертвой засланного к нам в тыл лазутчика. От такого страха лечат уроки бдительности. Здесь был страх непредсказуемый, неучтённый. Психология советского человека чётко следует коллективным принципам, сформулированным партийными документами. Но когда ты видишь разрыв в строгой линии движения в будущее, нечто тёмное, не поддающееся учёту, не подчиняющееся законам социализма, и, главное, когда с этой силой совершенно невозможно бороться, — вот тогда и приходит страх.

Умалишённого можно упечь в сумасшедший дом, преступника — расстрелять, посадить в тюрьму, запереть в зоне. Жить же, зная, что в Советском Союзе есть особая порода людей, пусть калеченных, пусть даже героев, и на неё не распространяется советская власть и её законы, — для него, представителя партии на вверенном ему боевом участке, было всё равно что идти над пропастью по гнилой верёвке...

Телячелов сглотнул, вспоминая. Снова посмотрел на экскурсовода, навязанного ему Казориным. Нет, конечно, кроме беса в глазах и деревяшки, заменяющей ногу, со стёртым до косины набалдашником, не было у этого человека с той компанией ничего общего.

«Значит, товарищ Калягин, Виктор Львович, культурный специалист. Хорошо, экскурсия так экскурсия».

Казорин, попрощавшись стремительно, уже умчался по делам в окружком. Они остались в коридоре одни.

— С чего начнём? — спросил Телячелова Калягин.

Очень уж хотелось Телячелову задать Калягину лобовой вопрос: про главную достопримечательность Дома ненца, скульптора-лауреата.

АЛЕКСАНДР ЕТОЕВ

Что он, как он, с кем он общается, что думают о нём люди, что говорят? И о недавней краже тоже задать вопрос. Но он не стал торопить события, пусть всё складывается как складывается.

— Вы решайте, вы здесь специалист. Вообще-то, мне всё равно — что покажете, то покажете. Только чтобы не очень длинно. — Сапог Телячелова убедительно скрипнул, намекая, что он и его хозяин время ценят и не намерены тратить лишние минуты на пустяки.

Виктор Львович посмотрел на сапог Телячелова и кивнул согласно:

— Историю Дома ненца рассказывать я не буду. Скажу вкратце, что двадцатого августа тысяча девятьсот двадцать пятого года решением районного исполнительного комитета было определено образование Дома нацмена. Учреждение имело статус заезжего дома со столовой и культурно-просветительской ячейкой для инородцев, приезжающих в район по государственным делам. Размещался Дом нацмена в бывшем помещении Туземной управы по улице Республики, дом пять. В тысяча девятьсот тридцатом году Дом нацмена был переименован в Дом туземца, а в тысяча девятьсот тридцать третьем году для него было построено новое здание на улице имени товарища Ного, где он и размещается по сей день. Администрации строго вменялось в обязанности для туземного населения организовывать должным образом дежурство, чтобы приезжающие круглые сутки могли получать уют, питание, корм для оленей, собак, лошадей, а также ведение активной культурно-просветительской деятельности среди инородцев. Для того чтобы иметь более полную картину в вопросах культурного просвещения туземного населения, необходимо вспомнить первоочередные задачи культурного развития России в те времена. Общеизвестно, что культурная революция в двадцатые—тридцатые годы была направлена на изменение социального состава послереволюционной интеллигенции и нацелена на разрыв с традициями дореволюционной культуры, насыщенной мракобесием и поповщиной. На передний план выдвигалась задача создания пролетарской культуры, основанной на марксистско-классовой идеологии, коммунистическом воспитании, массовости культуры. Культурная революция предусматривала также ликвидацию безграмотности, создание социалистической системы народного образования и просвещения, формирование новой, социалистической интеллигенции, перестройку быта, развитие науки, литературы, искусства под партийным контролем. В результате культурной революции в Советском Союзе были достигнуты значительные успехи: по переписи одна тысяча девятьсот тридцать девятого года грамотность населения стала составлять семьдесят процентов, в государстве была создана первоклассная общеобразовательная школа, численность советской интеллигенции достигла четырнадцати миллионов человек, наблюдается значительный расцвет науки и искусства...

Сапог Телячелова скрипнул страдающе.

Виктор Львович понял намёк и перешёл от времён вчерашних к временам нынешним.

— В стенах Дома ненца проводятся лекции на актуальные темы военного времени, звучат патриотические стихи и песни. Творческая деятельность кружков — хорового, драматического, танцевального — пронизана военной тематикой, духом самоотверженности, любви к вождю народов, родной партии и отчизне. Главный лозунг настоящего времени «Всё для фронта, всё для победы!» есть первый руководящий принцип, которому подчинена вся наша деятельность...

— Спасибо, — сказал Телячелов. — А это у вас там что? — показал он на выплеск света, лёгший светло-серым прямоугольником на ломаную конфигурацию коридора.

— Это там у нас есть актовый зал, — скоренько сказал Виктор Львович и при этом почему-то хихикнул. Телячелов не понял его хихиканья. Калягин плавным полётом пальца указал на золотое мерцание среди скуки коридорной стены. — А вот это у нас есть портрет маршала Ворошилова, выполненный из рыбьей чешуи. Автор...

— Дайте я угадаю, — перебил экскурсовода Телячелов. — «Эр», «зэ», «а»? Рза, правильно?

— А вот и не угадали, — громко рассмеялся Калягин. — Степан Дмитриевич у нас вон там. — Калягин показал на проход, выходивший в актовый зал. — А это рыбартелевцы склеили. Хотели в Третьяковку послать, но наши отстояли, не дали. Степан Дмитриевич с чешуёй не работает. Налево военный кабинет, там у нас занимаются с молодёжью. — Он толкнул плакучую дверь, и оттуда на них жалобно посмотрело ухо кролика, каким оно выглядит на второй день после обработки его ипритом, а потом — то же ухо, и тоже жалобно, но уже после нанесения иприта на пятый день.

— Нет-нет-нет. — Полковник сделал руками крест и решительно пошагал к проходу, который вёл к скульптурам подозреваемого, подаренным художником Дому ненца.

Свет в актзале горел в треть силы, освещение было пригашено, лишь над сценой, там, где царил верховный, не очень ярко светила лампа. Ряды кресел, спинками к двери, упирались в неширокую сцену.

— Вот он, наш Степан Дмитриевич, вдоль стеночки. — Виктор Львович с особенною почтительностью обогнул по прямоугольнику кресла, даже его громкая деревяшка, что выбивала в коридоре чечётку, ступала теперь мягко, словно по мху. Он остановился возле спящего воина и приложил палец к губам:

— Не разбудите только, он спит.

— Кто спит? — не понял его Телячелов.

— Воин, боец, — шёпотом объяснил Калягин. — Произведение называется «Сон».

— Это что у него под головой? Кочка? — Телячелов отогнул веко, увеличивая площадь обзора. — Интересно, зачем боец голову положил на кочку?

— Так ведь война, — ответил Калягин. — На войне люди, бывает, и на болоте спят.

— На войне не люди, на войне — солдаты, бойцы, а боец не спит, он воюет.

Калягин пожал плечами. Телячелов разглядывал дарёную лауреатом скульптуру, и от мыслей, шевелящихся в голове, ему сделалось неуютно.

«„Сон“, говоришь? А сдаётся мне, товарищ главный культурный специалист, что никакой это не „Сон“, а „Побег“. И лицо у этого твоего „бойца“... Н-да... Я по службе этих лагерных харь насмотрелся столько...»

Побеги на Скважинке случались редко, но всё же случались. Последний был прошлой осенью, в сентябре. Этот побег запомнился тогда всем. Макар Смиренный, считавшийся среди заключённой братии фигурой смирной, вполне соответствующей своей благочестивой фамилии, на вечерней поверке не отозвался на выкрик проверяющего. Лагерь подняли на ноги, но Смиренного нигде не нашли. Он в тот день трудился на озёрных работах, и солдат с собаками быстро снарядили туда. В рабочей зоне что угодно бывает. Может, сами зэки не простили Макару какую-нибудь подлянку, притопили его в воде и привалили сверху корягой. До полуночи Макара искали, потом искать уже не имело смысла, ночью в тундре сам пропадёшь легко, и решили продолжить поиски на другое утро. С самого утра все, кто был из внешней охраны не на дежурстве, прочёсывали тундру в поисках пропавшего лагерника. День был хмурый, тучи и облака, и солдаты уже отчаялись отыскать возможного беглеца, как на небе ровно на полминуты показалось из-за туч солнышко. Вот оно-то и помогло. Луч ударил кому-то из солдат по глазам, но не с неба, а почему-то снизу. Бежавший, гад, он ведь что придумал. Украл в лагере из бытовки зеркало, припрятал его во мху на то время, пока работал, и когда бригаду повели в зону, незаметно отсеялся от колонны. И если рядом проходили бойцы (Макар лежал, по шею зарывшись в мох), то он выставит перед собой зеркало — в зеркале отразится тундра, а его самого не видно, он сам вроде как невидимка. Такой хитроумной сволочью оказался этот Макар Смиренный. Дымобыков его почему-то не расстрелял. Наоборот, поощрил, мерзавца, и почти сразу после фокуса с зеркалом дозорные на контрольных тропах стали пользоваться этим приёмом. И вообще после этого случая Дымобыков помешался на зеркалах. Ввёл даже небольшие наплечные специально для караульной службы, чтобы видеть, не идёт ли кто сзади.

— Вот ещё Степана Дмитриевича работы. «Лопарка», «Самоедка», «Мордвинка»... Женские национальные типы. — Калягин, не задерживаясь у каждой, хромал мимо скульптур к той, которую он считал главной, к каменному «Воину-победителю».

Телячелов, отягощённый воспоминанием, воспринимал слова Калягина вскользь. Только на скульптуре мордвинки задержался невнимательным взглядом.

«Мордвинка, — усмехнулся он внутренне. Впрочем, внешне он усмехнулся тоже. — Надо же такое придумать. Вылитая еврейка».

— Каков? — заволновался Калягин, ведя по воздуху тяжёлой ладонью вдоль контуров монументальной фигуры воина с гранатой в руке. — Вот что значит настоящий талант.

Телячелов уже подустал, искусство ему было неинтересно. Не из-за этих же женских типов явился он сегодня в Дом ненца, и не ради «Воина-победителя», хотя скульптура впечатлила даже его. И всё-таки кое-какие выводы можно было сделать уже сейчас. На то он и замполит, чтобы мыслить политическими задачами. «Сон», который явно «Побег», эта вот слепая восторженность приставленного к нему хромого экскурсовода. Такие восторженные слепцы легко идут на поводу у врага.

— Вы в его мастерской не были, — кивнул Калягин куда-то под потолок. — Вот где царство рукотворных чудес. Я ведь раньше к скульптуре был холоден. Ну скульптура, ну, там, женщина со снопом. В Эрмитаже, когда бывал в Ленинграде, посещал только залы археологии. А увидел работы Степана Дмитриевича, и как будто пелена с глаз упала... — Виктор Львович на секунду замолк, наверное собираясь с мыслями, потом продолжил с огнём в глазах. — Настоящее — это когда живое. Я ведь, если честно, их немного боюсь... иногда. — Калягин косо посмотрел на скульптуры. — Взгляд у них такой... человеческий. Таким взглядом только живые смотрят. Так я и понимаю искусство. Сталинскую премию дают только самым-самым, не каким-нибудь мазилкам безруким...

— Самым-самым, — скопировал его интонацию голос за их спиной.

Калягин и Телячелов обернулись. Перед ними стоял Хоменков. В немыслимой какой-то хламиде, покрытой коркой засохшей краски и с рукавом, наполовину подвёрнутым из-за его ампутированной руки, с наклеенной улыбочкой на лице, смотрелся он чистым чёртом да и попахивал не райскими ароматами.

> Хорошо тому живётся,
> у кого одна нога.
> Ей не колется, не жмётся
> и не надо сапога, —

пропел он сиплым оперным баритоном на мотив довоенной шансонетки. — Безрукий безногому не товарищ. Правильно, гражданин Калягин?

«Уголовник, что ли? — подумал Телячелов, с жутковатым интересом разглядывая это явившееся непонятно откуда пугало. — Хорошенькая компания, однако. Один безногий, второй безрукий, не хватает только третьего — безголового. Впрочем, нет, был безголовый, да умчался в окружком партии».

— Что позволено лауреату, то не позволено мазилке безрукому, *это* вы хотели сказать? — Хоменков посмотрел в глаза Калягину, щурясь. — Идёмте, — сказал он зло, — в мою творческую лабораторию за сортиром. Я вам покажу кое-что.

— Товарищ Хоменков, вы б того... — Калягин был смущён не на шутку. — Я товарищу провожу экскурсию, а вы встреваете, даже не извинившись. Простите, — Калягин повернулся к Телячелову, — это наш непризнанный гений, в Доме ненца работает оформителем.

— Так идёмте? — Хоменков нетерпеливо переминался.

Взгляд его превратился в бычий, глаза вылезли, сточенные копыта тёрли с силой ветхие половицы.

Мысль Телячелова сработала правильно. Что-то в этом чумовом человеке было нужное, не то что приятное, но такое, что могло пригодиться. Например, отношение к подозреваемому. Оно у него явно критическое. Явно между ним и лауреатом в жизни был какой-то конфликт. И это значит, что общение с ним, возможно, принесёт пользу.

— Отчего ж не пойти, пойдёмте, — сказал Те-лячелов.

Калягин посмотрел удивлённо. Хоменков ответил презрением на его удивлённый взгляд, тряхнул своею яркой хламидой, и с неё полетели по сторонам разноцветные споры краски.

Каморка, где держал Хоменков свои нажитые и доверенные ему сокровища, как то: кисти (большей частью малярные для покраски стен и заборов), два ведра, фанерные трафареты, чемодан неизвестно с чем, выглядывавший из-под узкого лежака, и так далее, личное и казённое, располагалась сразу же за отхожим местом, и когда Телячелов и Калягин оказались на её территории, замполит пожалел, что сюда явился. Пахло мерзко, воздух был спёртый, преобладали запахи нужника и прелого, нестираного белья, всё это немного облагораживал застоявшийся запах краски.

— Папиросой не угостите? — спросил Хоменков Телячелова.

Замполит оставил в уме зарубку, подумал и достал «Беломор».

— Волнуюсь. — Щёлкнула зажигалка-«маузер», и Хоменков затянулся жадно.

Телячелов взял папиросу тоже, но увидел на стенке строгий прямоугольник с надписью «Курить воспрещается!» и убрал папиросу в пачку.

— Вот. — Здоровая рука Хоменкова легла ладонью на край холста, натянутого на прямоугольную раму и установленного изнанкой к зрителям. Папироса в зубах художника едва не выпала от этого «вот», но удержалась и задымилась снова. — Моё детище, два месяца на него потратил. Притом работая только левой —

понимаете? — только левой! Одной левой, не то что некоторые.

— Это что? — не понял Телячелов, когда картина была установлена на лежанке.

На картине были изображены дети. Двое, мальчик и девочка в пионерской форме, сгорбились на парте над тетрадным листом, девочка писала в тетрадке ровно, как на уроке чистописания, рот её был чуть приоткрыт, кончик языка высунут, мальчик тянул к ней лицо и руку, то ли пытался овладеть вставочкой, то ли хотел подсказать ей что-то, парту обступили другие школьники, они были сильно возбуждены, один мальчик взмахнул портфелем, девочка, стоявшая рядом, плакала и улыбалась одновременно, кто-то ерошил волосы, кто-то хлопал в ладоши.

— Что это? — повторил замполит.

— О! — ответил Хоменков важно. — Это... — он перешёл на шёпот, — это «Дети пишут письмо вождю», так называется картина.

— Ничего себе! — повертел головой Телячелов. — Одной левой, значит, нарисовали?

Он всё думал, как бы увести разговор от всех этих картин и скульптур, до которых ему не было дела, в сторону его интереса.

— Ну не правой же, — Хоменков тряхнул подшитым рукавом балахона, и опять весёлые споры краски разлетелись в вонючем воздухе, — нету у меня правой. Одна теперь у меня палочка-выручалочка — моя левая. Я ею гирю трёхпудовую подымаю, я с неё в мишень стреляю без промаха, «Ворошиловского стрелка» имею. Как считаете, — он показал на картину, — достойна она быть выставлена в каком-нибудь столичном музее?

— Почему это вдруг в столичном? — спросил Калягин. — Вам что, местной экспозиции мало?

Хоменков погасил окурок и бросил его в ведро:

— Вообще-то, я не у вас спрашиваю, ваш ответ мне давно известен. Я у товарища полковника спрашиваю.

«Я же в штатском. — Телячелов вскинул брови. — По выправке он, что ли, определил? Или по сапогам?»

Калягин тоже посмотрел на Телячелова, но на лице его не отразилось ни тени.

Телячелов сощурился на секунду, сделал вид, что оценивает картину, почмокал для эффекта губами:

— Я в этом деле неважный специалист, но что-то в этой картине есть. Светлая картина, хорошая. Про советское счастливое детство.

— Вот и я говорю о том же, — воодушевился художник. — Лауреаты вон в Москве выставляются, а моя работа здесь киснет. Я уже и продолжение задумал. Картина будет называться «Вождь читает письмо детей». Единственное, что меня смущает, — вождя позволено изображать только по особому разрешению художественного совета. Для этого нужно быть художником с именем, а обо мне даже в Салехарде никто не знает. Как мне быть, товарищ полковник? Подскажите. Можно мне рисовать вождя?

— Ваши руки — что хотите, то ими и делайте.

— Но я хотел попросить совета.

— В таком случае не советую.

Художник обречённо вздохнул. Потом гневно посмотрел на Калягина:

— А всё вы! Всё ваш лауреат! Всё ваш Казорин! Ненцы на глазах у всех мандаладу делают, возвращают себе незаконно свои наряды, и этот ваш Степан Разин, предводитель народных масс, видите ли, вот зачем-то в лагерь собрался, других туда с конвоем привозят, а ему — наше вам с кисточкой...

Телячелов мгновенно напрягся.

— Вы, товарищ, идите, — коротко кивнул он Калягину и казённо его поблагодарил: — Спасибо вам за экскурсию, было интересно и познавательно. — И когда Калягин ушёл, плотно прихлопнул дверь и, резко переходя на «ты», наставил на художника палец: — А теперь давай поподробнее. Что ты там сейчас говорил?..

Глава 9

Майзель жил в рабочем бараке, уже лет десять как бывшем, удобно перестроенном изнутри и подлатанном снаружи перед войной. Вход отдельный, крепкие стены, кухня, комната три на четыре метра, поделённая на две части перегородкой (в дальней — дети, в передней — они с женой), есть опять же малый закуток для работы (на досуге Майзель ремонтировал обувь), — чем не жизнь, тем более времена военные. Неподалёку городской сад, Ваньке, кстати, задницу не забыть надрать, весь забор, считай, в саду развалили, гвозди с пацанами таскают «на нужды фронта», знаем мы эти «нужды» и для какого такого «фронта». Ребята-шоферá жалуются, уже три раза шины прокалывали, заразы. Игры играми, а дело серьёзное, проткнут по глупости прокурорский «виллис», так с них потом не спишут на детский возраст.

Сегодня Майзель ждал дорогого гостя. Утром, у ворот гаража, когда выводил машину, он случайно увидел проходившего мимо Степана Дмитриевича. Скульптор тоже его увидел. Майзель вышел, они посмеялись вместе, вспомнив, как тянули из грязи упрямого железного бегемота. Рза спешил, и Майзель спешил, его начальник хоть и добрый мужик, но разгильдяйства в работе не допускал, тем более в работе водителя. Вот они и решили встретиться нынче вечером, чтобы пообщаться подольше, точнее, Майзель пригласил скульптора к себе в гости, и тот его приглашение принял.

Степан Дмитриевич слушал и улыбался. Рассказ Калягина его позабавил.

— «Вождь читает письмо детей»? — Скульптор вдруг рассмеялся громко и, увидев взлетевшие дуги бровей Калягина — признак недоумения, — пояснил: — Я ему штаны свои подарил. То есть как подарил, просто дал вместо его, прожжённых. Кстати, картину с детьми я видел. Цвет хромает, а в целом композиция выдержана. Но «Вождь читает письмо детей»... Да уж!.. — Рза удержал смешок, чтобы не смущать собеседника.

— Вам смешно, а мне как-то не по себе, — покачал головой Калягин. — Хоменков завистливый и неумный. Что он там наплёл полковнику этому, когда тот меня попросил уйти? Да, ведь я спросил у Казорина, это был товарищ Телячелов, он, оказывается, в том заведении, куда вы скоро от нас съезжаете, зам по политической части.

— Вот как? — Рза нисколько не удивился, только криво усмехнулся в усы. — Серьёзный был у вас экскурсант. «Мыслит прямо как ледокол „Ермак"», — процитировал он слова Дымобыкова, впрочем не раскрывая авторства. — Вы, надеюсь, про этих своих сихиртя его не спрашивали? Ладно, дорогой Виктор Львович, не унывайте. Ну а если что, обращайтесь к нему. —

Он кивнул на Василия Мангазейского, молча вслушивающегося в их беседу. — «И свеща перед ним светится воску чёрного, и огонь у свещи чёрный же».

Хоменков сидел у себя в клетушке и листал подарок Телячелова — книжицу писателя Шейнина «Берегись шпионов». Сперва листал, потом вчитался, книжица его увлекла. Особенно его возбудил рассказ про хитроумного Адама Иваныча, матёрого шпиона, засланного в Россию ещё в дореволюционные времена в качестве законсервированного агента. Хоменков привык читать в голос, и чем выше взлетал градус страстей в рассказе, тем взволнованней звучал его баритон. Когда художник дошёл до сцены удушения Адамом Иванычем родной внучки своей, Тамуси, он уже не читал, он пел, как поют в трагических партиях оперные певцы:

— «Когда он вернулся домой, то в комнате Тамуси горел свет, но девочка уже спала. Адам Иваныч подошёл к её кроватке, поправил сбившееся одеяло и потушил лампу. Потом прошёл в свою комнату, плотно притворил дверь, закрыл ставни и сел к столу. Минуту Адам Иваныч сидел в кресле, закрыв глаза и вытянув ноги. Потом поднялся, включил какой-то провод, пропущенный незаметно под пол через ножку стола, и стал возиться с рычажком передатчика. Передавая сведения, Адам Иваныч, сам того не замечая, стал вслух произносить всё, что передавал. Передатчик тихо потрескивал, дождливая ночь способствовала хорошему приёму, работа уже подходила к концу...

— Дедушка, что ты делаешь? — внезапно раздался взволнованный крик Тамуси.

Адам Иваныч оцепенел. На пороге комнаты стояла внучка. Глаза её были широко раскрыты от ужаса, она дрожала, как в приступе лихорадки. Она слышала всё.

Прошло мгновение, которое могло показаться вечностью. Стояла страшная тишина, которую только подчёркивал слабый шум дождя за наглухо закрытым окном. И вдруг этот высокий худой старик, изогнувшись, прыгнул к ребёнку, и цепкие пальцы сомкнулись вокруг горла девочки, рухнувшей под тяжестью его тела.

Потом он медленно поднялся и вытер руки, испачканные детской слюной...»

«Адам Иваныч», — Хоменков хотел повторить имя, но вместо этого произнёс другое:

— Степан Дмитриевич...

Сказал и вздрогнул. Настолько реально представив сталинского лауреата на месте немца-шпиона.

Только он так сказал, как в дверь постучали.

«Кого ещё чёрт принёс?» — подумал Хоменков нервно и закрыл книжицу.

— Да входите, входите уж, — нехотя пригласил он.

— Я не вовремя? — спросил Степан Дмитриевич, закрывая за собой дверь.

У Хоменкова прямо челюсть отвисла: только что он представил, как пальцы сталинского лауреата смыкаются на горле Тамуси, и — здрасьте! — он уже здесь.

— Читаешь? — Скульптор кивнул на книжицу. — Если не секрет, что?

— Пушкин, — грубо хохотнул Хоменков, пряча книжицу под драный матрац. — Знаете такого поэта?

— Больно тощий у тебя Александр Сергеевич.

— У меня он Адам Иванович. А что тощий, так издание такое — специальное, для безруких мазилок... Вы по делу или языком почесать? Если языком, то в другой раз приходите, сегодня приёма нету.

— Ты не обижайся на меня, Хоменков, — улыбнулся в ответ на грубость Степан Дмитриевич. — Я пришёл у тебя попросить прощения. И картина твоя мне нравится. А то, что у меня две руки, а у тебя одна, то художеству такая несправедливость не мешает. Пишешь не руками, руки — так, инструмент, вроде кисточки или резца. Были художники, которые вообще без рук обходились. Есть тому исторические примеры. Например, Полиевкт Никифоров, иконописец, семнадцатый век, от рождения рук не имел и писал устами...

— Вы это всё к чему? — Хоменков как сидел с присохшей к губе ухмылкой, так и не убирал её.

— Я это к тому, что если делаешь что-либо, делай так, чтобы Бог был доволен, — ответил скульптор.

— Я человек безбожный, мне на Бога равняться нечего. И прощение мне ваше не нужно. Я вам штаны верну.

Степан Дмитриевич отмахнулся ладонью:

— Господь с тобой, какие штаны, забудь! Я пойду, в гости позвали вот. — Он толкнул скрипучую дверь и сказал, перед тем как выйти: — Там, на твоей картине, несколько интересных лиц. Все живые, особенно девочка с красным бантом...

— Тамуся? — осклабился Хоменков.

Рза не понял, пожал плечами и ушёл, затворив дверь.

Незакатное циркумполярное солнце дремало на окраине неба, освещая белёсым светом улочки вечернего Салехарда.

Хоменков остановился в тени, дождался, пока фигура скульптора не исчезнет за уличным поворотом, и быстренько пошагал к углу.

В голове у однорукого Хоменкова звучали слова полковника, тешившие его надеждой на скорое и заслуженное признание. Телячелов намекнул художнику, что замолвит в верхах словцо и тому дадут разрешение написать задуманную картину, ну а дальше — Москва, успех, выставки, вернисажи, слава. В обмен полковнику требовался пустяк — чтобы Хоменков наблюдал за всеми передвижениями «лауреата» (именно так, в кавычках, произнёс он звание скульптора), потому как есть информация, что «лауреат» вовсе не лауреат, настоящий лауреат похищен, а его место занимает поддельный, на что, кстати, указывают и факты, изложенные Хоменковым Телячелову.

«Только всё это пока между нами», — строго предупредил полковник.

Мысли Хоменкова переключились на сегодняшний визит скульптора, особенно его уязвила история с безруким иконописцем.

«Тоже мне, Полиевкт Никифоров, — харкнул Хоменков в щель исхоженного деревянного тротуара, перед тем как завернуть за угол и продолжить наблюдение за „лауреатом“. — Устами он, видите ли, писал, этот иконописец хренов. А задницей он писать не пробовал?»

145

Подумал и мысленно рассмеялся, вспомнил, как знакомый рассказывал об артисте оригинального жанра, задницей исполнявшем «Интернационал». Ну и доперделся артист, посадили за антисоветскую деятельность, пятьдесят восьмая, пункт десять.

Хоменков свернул в переулок и осторожно двинулся вдоль забора. Между ним и спиною скульптора дистанция была метров двадцать. Место было безлюдное.

«Дать бы ему по кумполу, чтоб колокола в ушах зазвонили, — пришла в голову злодейская мысль. — Ну-ка, интересно, а смог бы?»

Он представил, как здоровой рукой, а рука у Хоменкова была железная, бьёт с размаху по лысеющей голове, и в низу живота заныло от пульсирующих приливов сладости. Такое у Хоменкова бывало. Случалось, он представлял себе, как расправляется жестоко с обидчиком, изничтожает его умело и изощрённо, и всякий раз в низу живота разливалась эта жаркая сладость и тяжело набухала плоть. Он сознательно оттягивал миг завершения кровавой расправы, слушал стоны и хрипы жертвы, подкручивал колёсико громкости своей не знающей милости радиолы, пока сладко обжигающая волна не накрывала его с макушкой и наружу не извергалось семя. Это было слаще, чем женщина, ярче, чем удавшаяся картина, только это было внутри, не выходило из клетки воображения и игралось для одного зрителя, однорукого художника Хоменкова.

Рза свернул из переулка в тупик и направился к продолговатому зданию, приземистому и похожему на барак, облагороженный наличниками на окнах и пристроенными с боков крылечками. Он помедлил, подойдя ближе, потоптался, повертел головой, видимо пытаясь понять, к левому ему крыльцу или правому, сунулся было к правому, когда слева под навесом крыльца отворилась входная дверь.

Хоменков расположился за выступом какого-то нелепейшего строения — без окон, без дверей и на сваях, — похожего не на человеческое жильё, а на поднятый над землёй лабаз.

«Гроб на ножках», — подумал он и заглянул зачем-то под дом, в прелую, пахучую темноту. Лучше бы он туда не заглядывал. Между сваями глубоко под домом заметались синие огоньки и сложились в отчётливую картину. Хоменков сразу её узнал. Мудрое лицо Сталина, нависшее над листом бумаги, вырванным из школьной тетрадки. Художника ударило током, он дёрнулся, ударился больно о твёрдую лиственничную балку, выматерился неслышным шёпотом и снова посмотрел в темноту.

Под домом ничего не было.

— Я за тебя не ты... — попытался он совладать с речью, чтобы словами выразить невыразимую, немыслимую тоску, но выговаривалась одна бессмыслица.

Тут он вспомнил о забытом лауреате, бросил взгляд на барак напротив, но возле дома никого не увидел.

— Пфу ты, дура! — обиделся Хоменков на сегодняшнее вселенское невезение и, уже ни от кого не скрываясь, бросился к светящемуся окну.

Занавеска из портяночной ткани была отдёрнута примерно наполовину, должно быть, хозяин комнаты высматривал вечернего гостя, чтобы тот не мыкался на пороге, и всё, что происходило в доме, было хорошо видно.

Хоменков как посмотрел на хозяина, так мгновенно его узнал.

«Это ж он, тот самый водитель, с которым тогда, на площади, Рза вытаскивал машину из грязи. Им ещё помогал туземец».

Хоменкова обожгло изнутри. «Вот оно, шпионское логово. Ага, а это что там такое?» Он приник глазами к стеклу, лбом едва не упираясь в преграду. Хозяин, стоя спиной к окну, что-то объяснял гостю, а за ними, полускрытая от художника, виднелась некая конструкция из металла, похожая на машину «Зингер», только что-то в ней было лишнее, какие-то дополнительные колёсики, рычажки и прочие сложности, необычные для швейного дела. В комнате негромко застрекотало, хозяин надавил на педаль и взялся за колёсико с рычажком.

«Да это же замаскированный передатчик! — дошло наконец-то до Хоменкова. — Ничего себе устроились, сволочи! И ведь даже не задёрнули занавеску, действуют практически на виду».

Он вспомнил рассказ из книжки, подаренной ему комиссаром. Про скрипачку и старика-баяниста, игравших нашим солдатам на привале в прифронтовой полосе. О том, как политрук Иванов предложил починить баян, который фальшивил на переборах, а старик упорно отказывался и не выпускал инструмент из рук. И когда догадливый политрук вырвал с силой у старика баян, из лопнувших мехов инструмента вывалился радиопередатчик.

«То есть что получается? — дорисовывал Хоменков картину. — „Лауреат“ ходит по городу, собирает шпионские сведения и передаёт их этому „баянисту“. А „баянист“ пересылает фашистам. Спасибо писателю Шейнину, и товарищу Телячелову спасибо за то, что подарил книжку».

Хоменков настолько разволновался, что ненароком ударился о стекло взмокшим от волнения лбом. Рза и хозяин комнаты повернули лица к окну, и Хоменков с ужасом осознал, что его ноги лишились силы и не могут сделать ни шага. Он моргнул, видя, как эти двое с удивлением наблюдают за ним, потом всё-таки пересилил столбняк и на полумёртвых ногах двинулся по улице прочь.

Но это ещё было не всё. Когда он проходил мимо дома, того самого, похожего на лабаз, из-под свай, из пахучей тени, вылезла мальчишеская фигурка и перегородила ему дорогу.

— Парень, тебе чего? — настороженно спросил Хоменков. — Ты чего там, под домом, шаришься?

Парнишка приподнял голову, и высвеченное пятнышком солнца лицо его обрело рельефность.

— Снова ты? — сказал Хоменков, вспомнив камень на берегу Полуя, когда он прятался в кустах ивняка, тайно наблюдая за лауреатом. — Следишь за мной? Уши давно не драли?

— Очень нужно, — сказал мальчишка. — Я письмо пишу. — Он пальцем показал в темноту, густеющую под свайным домом. — Письмо товарищу Сталину.

— Кому-кому? — Художник сглотнул слюну, подавился и потерял дар речи.

— Дядя, ты что, контуженный? Письмо товарищу Сталину! Чтобы фи́га он тебе разрешил рисовать картину, чтоб ты только заборы красил.

149

— Ах ты, гадина! — обиделся Хоменков, хотел схватить обидчика за рукав, но мальчишка оказался проворнее, он уже исчез между сваями, и оттуда выкатывался горошинами его мелкий издевательский смех.

Хоменков сунулся в темноту и тут же отпрянул в страхе.

На него из мутного мрака смотрела острая голова рыбы с красными обводами вокруг глаз.

Гость слушал нехитрый рассказ хозяина и все время отвлекался на мысль, что вот слушает он этого человека, а сам невольно примеривает его лицо, мимику, жест руки, поворот плеча, мельчайшее живое движение к будущему скульптурному материалу. Рза давно обратил внимание на эту жёсткую, несправедливую цену, которой расплачивается с художником жизнь. Что ж, всё верно, если жизнь становится для художника не смыслом, а лишь объектом, интересует мастера не сама по себе, а в первую очередь как материал для творчества, то и плати за это. Или перестань быть художником. Поначалу это его пугало, а потом Степан Дмитриевич привык. Он сидел с друзьями, участвовал охотно в застольях, посещал собрания, заседал в президиумах, но выхватывал из всех этих встреч и сборищ единственно те моменты, которые могли ему сгодиться в работе. То же самое и сейчас.

— Война, да, но война далёко, нас пуля не возьмёт, — говорил Майзель Степану Дмитриевичу безыскусную житейскую мудрость, а Рза наблюдал, как он сначала морщит свой круглый лоб, а после пальцами разглаживает морщины.

— Я из немцев, когда-то мы жили в Гатчине, давно, до войны ещё, потом занёс меня бог сюда, потом семью сюда перевёл, и ведь как угадал, что сам. Так бы тоже попал куда-нибудь, только спецпереселенцем, не вольным. Работаю вот свободно, деньги платят, от Михалыча, товарища Постникова, начальника моего, что-то перепадает, да, продукты в доме имеются, в комендатуре отмечаться не надо, обувь вон чиню для людей, имею к этому большой интерес, опять же дополнительные доходы. Раньше просто сапожничал, ну, как все, — лапа, шило, нож сапожный и прочее, а тут вот аппарат приобрёл по случаю, марки «Адлер», старый ещё, немецкий.

Майзель встал и подмигнул скульптору, приглашая его посмотреть на чудо. Рза кивнул и пошёл за ним. За занавеской в небольшом закутке стоял этот самый «Адлер». Хозяин отпахнул занавеску и ласково прошёлся рукой по блестящему хромированному металлу. Рза отметил плавность движения и любовное прикосновение к вещи. Это было соприродно тому, как он сам работает на станке, изготовленном собственными руками. Скульптор понимающе улыбнулся.

Вот тогда-то их и отвлёк неожиданный стук в окно.

Гость с хозяином обернулись разом и увидели расплывчатое пятно, вроде бы напоминающее лицо. А может, и не лицо вовсе, но случайный на стекле блик — попробуй разгляди толком среди обманчивых вечерних теней. Впрочем, скоро пятно исчезло, будто его и не было.

— Ванька, что ли? — предположил хозяин. — Вечно шляется на улице дотемна, никогда вовремя не приходит. Пойду гляну. — Он направился к двери, приоткрыл её и выглянул за порог: — Никого. — Он захлопнул дверь. — Люся, доча, ты Ваньку сегодня видела? — обратился он к невидимой дочери, вместе с матерью молчавшей за перегородкой.

Вышла Люся, девочка лет восьми, посмотрела на приоконный стол, на разложенную на столе снедь, очень скромную, без всяких изысков, на открытую бутылку вина, специально приготовленную для гостя, но так и не початую почему-то, и поздоровалась со Степаном Дмитриевичем.

— Ваня обруч мне обещал принесть, — сообщила она отцу. — Его с самого утра нету.

— Обруч? — Майзель наморщил лоб и разгладил морщины пальцами. — Это что ещё за новости — обруч? Тебе втулку не выточить на станке, мастер на токарном участке жалуется. Да какой хлопец на тебе женится после этого! А она — обруч. — Он задумался и ногтем ковырнул подбородок. — Значит, обруч... А где он его возьмёт, обруч?

— Я не знаю, он обещал. Я его буду крутить на поясе, как акробаты в цирке, когда они под куполом выступают.

— Ты была в цирке? — спросил девочку Степан Дмитриевич. — В каком же?

— Я не была, я знаю, мне Камиля́ говорила, она была. — Дочка снова посмотрела на стол, чуть помедлила и скрылась на своей половине.

Снаружи на крыльце загремело, звук был дробный, железный, сопровождающийся шумом шагов. Сразу же распахнулась дверь, и в дом вкатился невысокий парнишка, то есть сам парнишка вошёл приплясывая, а вкатился страшного вида обруч, весь изъеденный, в дырах и хлопьях ржавчины, рыжей, как трухлявая древесина.

— Батя, как правильно написать: щиблеты или штиблеты? — от порога спросил Ваня отца, подхватывая свою ржавую железяку.

— Иван, у нас гость, здороваться нужно, когда видишь незнакомого человека, — строго сказал отец, глядя на дорожку трухи, оставленную на полу колесом.

— Здоро́во, — простодушно произнёс мальчик и протянул Степану Дмитриевичу руку, выпачканную ржавчиной.

— Ну здоро́во. — Скульптор ответил рукопожатием, при этом не смутившись нисколько неопрятным видом ладони. — Ты чирка-то тогда забыл, когда мы на берегу беседовали.

— Вы знакомы? — Майзель переводил взгляд с сына на ржавый обруч, с обруча на Степана Дмитриевича, снова на сына с обручем.

— Было дело, — сказал художник Ваниному отцу. — Мы с Иваном спорили: глупая птица гусь или умная.

— И кто выиграл? — мало что по-прежнему понимая, спросил Майзель на всякий случай.

— Я, — ответил Иван отцу. — Птица гусь от самолёта отличается тем, что летит без лётчика. А щиблеты пишутся «щиблеты» или «штиблеты»?

— Ты меня не путай с этими своими «щиблетами», ты мне вот что скажи... — Майзель понял, что сын нарочно пытается увести разговор в сторону — возможно, из-за гвоздей в заборе, изъятых «на нужды фронта». — Ты где этот обруч стырил? Часом, не с рыбзавода, не с рыбной бочки?

— Батя, нет, это Люська попросила меня найти. Я его нашёл под Вальковым домом, из-под земли выкопал.

— А в окно стучал — это ты? — Майзель переменил тему. — Тут нам кто-то в окно стучал.

Иван ответил, но не отцу, а гостю:

— Это однорукий стучал, он за вами в окно подглядывал, а потом стукнул лбом в стекло и пошёл. — Он приставил обруч к столу и достал из оттопыренного кармана острую рыбью голову с красными обводами вокруг глаз. — Я ему рыбу сделал.

— Всё, уйди, Иван, с моих глаз долой, позже поговорим. — Отец культёй показал на дверь, ведущую в соседнюю половину. — И это, — показал он на обруч, — отсюда забери. И рыбу убери, ради бога. — Потом, дождавшись, когда дверь за сыном закроется, обратился к гостю: — А давайте-ка за встречу по рюмочке винца, вы не против?

Непьющий скульптор был не против, и они выпили.

Глава 10

От Красночумья он повернул к реке. Напитанная водою тундра играла мириадами радуг, исходящих от трав и мхов, узорных корон лишайников, оазисов с высокой травой, обсыпанной водяною пылью, от сглаженных граней щебня на склонах и вершинах возвышенностей, от пёстрых пёрышек куропаток, застрявших в зарослях остролодочника; в радужном многоцветном блеске, как тени природных духов, мелькали прозрачные насекомые, от хитиновых муравьиных крыльев исходило праздничное сияние, птицы смеялись в небе, перелетая от протоки к протоке; кончался месяц июнь.

Ванюта был частью тундры, такою же, как комар, от которого происходил его род, а раз он был частью тундры, одним из её придатков, то весь этот праздник света был привычен для его существа и им воспринимался обыденно. Природа предшествует человеку, и природа ему наследует, она сильнее и важнее Ванюты, не было бы её, природы, не было бы и его, Ванюты, тут и рассуждать нечего, это непреложный закон. Природе необходим охотник, тундре необходим олень, и он, Ванюта Ненянг, в подбитой ветром одёжке идёт за своим оленем, куда его глаза светят.

Юноко, а по-русски Конёк, Ванютин олень-двухлетка, бычок молодой, но крепкий, рождён был от оленя-хэхэнда, священного оленя Я'хора, названного именем мамонта за чёрный, земляной цвет. Сам Конёк окрас имел светлый, но бледнее, чем был у матери, ярко-солнечной, красной оленихи, которую прошлой осенью в числе многих отобрали из стада и забили на нужды фронта. Звали её Хаерко, по-русски Солнышко, род Ванюты её оплакивал.

К большой реке они вышли ниже Мышиной Горки, когда-то, говорил Ванюте отец, здесь держал своих ездовых мышей Дух-Ездок-на-Мышах, пугающийся людского взгляда. Под холмом, круто обрывающимся к реке, у Ванюты в зарослях охты, уже обсыпанной мелкими зелёными ягодами, была припрятана узенькая колданка. Раньше они лодок не прятали, все знали, чья кого лодка, и если пользовались чужой, то потом благодарили хозяина. Теперь пришли времена другие, злые ветры принесли злобу, человек вдыхает её, и она поселяется у него внутри, выедает кости и мясо, мутит кровь, добавляя в неё желчь и мочу, и если от человеческого безумия помогает оленье лёгкое, надо в самом начале приступа быстро его на голову наложить, то от злобы леченье трудное, только самому опытному шаману дано уменье выгнать из человека злобу.

Юноко не любил плавать, но глаза его светили за реку. Ванюта освободил лодку, проверил, не подгнило ли днище, вынул из-под лодки весло, перевернул колданку бортами кверху и по кустам подтащил к воде. Распряг оленя, отцепил нарты, пристроил их на высокой корме, благо были они легки по весу, а величиною невелики, и там закрепил потуже.

«Туда идём?» — Ванюта посмотрел на Конька, и тот качнул ему бархатными рогами.

Ванюта грёб на островок-осерёдыш, торчавший горкой метрах в ста от фарватера, чтобы дать там передохнуть оленю. Конёк держался возле левого борта, задрав морду и тонко сопя ноздрями.

Ванюта плыл по тугой воде и слушал запахи, текущие в воздухе. Он помнил довоенное время, когда долгие берега реки пахли юколой, свайные сарайчики-юкольники стояли по берегам везде, свой почти у каждой семьи. Жили сыто, тундра кормила щедро, Саля-Ям, так здесь называли Обь, круглый год была обильна на рыбу, и все речки в тундре, и все озёра, большие и малые. Ловили вёршами, волосяными сетями, у отца была сеть-русанка, крепкая, с крупными ячеями, ею ловили нельму весом до двух пудов, рыба в семье не переводилась, теперь не то.

Саля-Ям совсем обезрыбела, как обезмирел мир, как светлое дерево яля пя растёт голодное в озере Харво и не может вырасти над водою. Ванюта верил, рыба ещё придёт, есть вода — будет в воде и рыба, рыбий род стойкий, как род дождевых червей — какой бы лютой ни стояла зима, черви всегда остаются живы, обволакивают себя теплостойкой слизью, так и пережидают зиму. Вот и рыба переждёт несчастливый год и заполнит собою реку.

Юноко посмотрел на Ванюту и ничего ему не ответил. Оленья мудрость не всегда совпадает с мудростью человечьей.

АЛЕКСАНДР ЕТОЕВ

Теплоход загудел протяжно, когда олень и человек олений отдыхали вместе на островке, медленно озирая силу, идущую против течения по фарватеру. Ванюта знал эту силу, знал её и Юноко. «Анастас Микоян» звали эту рукотворную силу. «Анастас» шёл в Салехард из Гыдоямы, таща в связке лихтер с углём и два мелкокалиберных земснаряда. Съела «Анастаса» река, и Ванюта с отдохнувшим Юноко продолжили своё речное радение.

Левый берег, низкий и мокрый, встретил их белохвостым орлом, сидевшим на сухой палке, воткнутой в кочковатый мох. Орёл важно посмотрел на Конька, потом важно расправил крылья и взглядом показал на Урал. Олень кивнул, оба друг друга поняли. Орёл взлетел, сделал два круга в воздухе и растворился в небе левобережной тундры.

Ванюту называли Ванютой, так было глаже чужому уху. В народе тундры звали его Ванойта — корневой, ступающий по корням, чтобы не оставлять следов, когда тебя преследует враг. Второе, комариное, имя было славой и гордостью его рода, сам могучий Вавлё Ненянг, владыка низовой стороны, великий шаман и защитник бедных, благословлял Ненянгов из мира мёртвых и давал им силу и дух. Помогало имя ещё и в житейском смысле: в тундре гнус и комар — адские насекомые. Они богами созданы для того, чтобы грешник — а кто не грешник? — помнил о будущих наказаниях (самое безобидное из которых — укус комара и мошки), ждущих человека в аду. Ванюту комары не кусали, и Конька, его оленьего друга, и всех, кто пребывал в малом

158

круге Ванютиной сердечной заботы. Было бы сердце больше, Ванюта оберегал бы всех — оленей, забирающихся на продуваемые вершины сопок или спускающихся на низкое побережье, где ветер их спасает от насекомых, и мамонтов, живущих в подземном мире, и пуночку, и юркого кулика, и парящих над неоглядной тундрой ширококрылых крепкоклювых поморников, и розовую приполярную чайку, приносящую человеку счастье, и людей, которых не обглодала порча и чья кожа не обмохнатела изнутри.

И с войной справился бы Ванюта — было бы сердце больше.

Они двигались на закат, к Уралу. Глаза оленьи вывели их с Ванютой много выше озера Харво, в среднее течение Коротайки. Здесь, среди надречных холмов на границе тундры и лесотундры, в роще лиственниц, укрытой от глаз холмами, покоился Ванютин отец. Живого его звали Сядэй, теперь он человек безымянный, мёртвого нельзя называть по имени, которое он носил при жизни, от этого ему становится больно. Между лиственничными стволами было его пристанище. Сделанное из половинок лодки и поднятое над песчаной почвой, последнее жилище отца Ванюта соорудил сам.

Всему, что умел Ванюта, его научил отец. Чувствовать по запаху дыма невидимое оленье стадо, ловить ездовых оленей, делать нарты, выдолбить облас («стружку от него не сжигай»), порубить рыбу («руби напополам, нанизывай на кол, втыкай его в песок у печки и дай рыбе пожить так сутки — будет еда со вкусом»), много чего умел он. Любой порой, в тьму ли, при свете ли, в непогоду и в спокойные дни, они с отцом покидали чум, и отец возил его слушать тундру. «Закрой глаза, — говорил отец, — сейчас твоими глазами должны стать нос, уши и голова, ноги и руки. Слышишь? Это вода в ручье. А это олений след. Это утки шелестят крыльями. Вот трава под снегом лежит, она ложится по ходу солнца. Проснулись птицы — значит проснулся день, стихает ветер — это ночь пришла в тундру. Запоминай, тогда будешь жить».

Ещё отец научил Ванюту некоторым приёмам смерти. Потому что если ими не овладеть, то для смерти, которая рыщет всюду, можно сделаться слишком простой добычей.

Отец рассказал Ванюте историю своего отца. Когда к тому зимой на Ямале пришла смерть в образе старухи Пухутякои, а он лежал, обложенный снегом, спасаясь от затяжной пурги, отец прицелился в неё из винтовки и выстрелил в старухино сердце. Выстрелил и ей говорит: «Ты мёртвая, теперь я тебя убил». — «Как убил? Я ведь живая!» — не верит ему старуха. «Нет, — говорит, — ты мёртвая, уходи скорей». Смерть идёт от него, плачет: «Я мёртвая! Он меня убил! Как же я теперь буду детскими печёнками лакомиться?» И ушла, а он остался живой.

«Это тот самый случай, — объяснял Ванюте отец, — когда обман не считается грехом. Грех обманывать человека, обманщика обманывать можно. Ну а хитрее смерти разве обманщик есть?»

И ещё одной необходимой науке отец научил Ванюту.

Когда выбираешь цель, глаз держи не на цели, а смещай чуть за неё. Взгляд, смещённый за цель, видит результат действия, и иногда он не стоит твоих стараний. Даже когда целишься во врага, смещай прицел дальше цели. Душа человека прячется у него за спиной, сжимается в шарик, точку, и когда ты в него стреляешь, первым делом следует поразить душу, потому что враг без души — существо неодушевлённое, а значит, он уже побеждён.

Ванюта полез себе под ремень, достал оттуда коробочку с сушёными мухоморами, это отцу в подарок, хотя и прежние остались нескуренными. Раньше он к ним присыпáл табак, когда его ещё продавали, теперь табак оленьим людям не продают, запретили по всем факториям, как хлеб не продают и вино, а крошево из ивовой древесины, нынче заменяющее табак, дарить отцу он не стал, это было не по-сыновьи.

Самый главный подарок Ванюта держал отдельно. В нартах, в лоскуте суконного одеяла, изъеденного, словно мышами, прожорливыми искрами от костра, лежала яркая, блестящая блёсенка. Ванюта выточил её сам из бронзового винта старого парохода, и теперь, в голодное время, отцу она будет в помощь, на такую яркую блёсенку, играющую в воде, как солнце, рыбу, даже невидимую, отец выловит обязательно.

Можно было прощаться. Колокольчик в головах у покойного тихо звякнул и замолчал — значит, отец доволен.

Юноко, смирно обгладывающий молодые кусты морошки, вдруг приподнял голову и перестал жевать. Хвост его приподнялся тоже, взгляд улетел вперёд, в сторону далёкого океана. Он почувствовал собачьего человека.

Командира гужбата НКВД люди тундры называли по-разному: «собачий воин», «собачий человек», «начальник железных нарт». Сам старшина Ведерников знать об этом не знал, ну да если б даже и знал, класть ему было с прибором на всё это туземное словотворчество. То, что местное население не запрягает собак в упряжку, а традиционно пользуется оленями, старшину волновало мало. Эти их религиозные предрассудки, подпитываемые вредителями-шаманами, — отказ от осёдлой жизни, летний отгон оленей на неконтролируемые властями пастбища, поклонение идолам и животным, — дело, конечно, скверное, даже политически вредное, но не его, Ведерникова, ума.

Важно было другое. Ему доверена железная птица, доставленная в его хозяйство из-под Челябинска (сведения секретные, огласке не подлежат), и бесколёсная тяга к ней — Смерч, Буран, Циклон и Тайфун, четвёрка тундровых циркумполярных овчарок (гибрид волка и восточноевропейской овчарки), не уступающих любому оленю ни в скорости, ни в выносливости, ни в силе. Опять же, тундра, олень тяжёлый, весной и летом копыта вязнут; а собаки по любому болоту пронесутся курьерским поездом, только брызги по сторонам; двадцать километров без отдыха по непроезжему бездорожью тундры, при этом ни хлыста, ни хорея, ничего такого не нужно, так, покрикиваешь порой, да и то в основном от скуки, чтобы собаки твой голос не забывали; ну и гнусь летучая, оленья погибель, собачьему племени не страшна.

Ему хотели навязать лаек, но старшина лаек не признавал. Во-первых, лайки не любят лето, когда тепло, и работать с ними летом одно мученье. А в главных — лайки собаки хитрые, лесные ненцы, единственные из ненцев, кто применяет их в упряжке вместо оленей, переустроили собачье сознание так, что в деле службы к лайкам никакого доверия. Завезут тебя в глухие места, встанут там и дальше ни с места. Сколько их потом ни хлещи, они смотрят на тебя, как на мёртвого, и смеются собачьим смехом.

Кирюхин, сопровождавший Ведерникова в сегодняшней вылазке за ворота лагеря, пристроил свою задницу на вертлюг и старательно изображал пулемёт. Как Чапаев в знаменитой картине, он выставил вперёд руку (другой держался за металлический борт, чтобы не вывалиться из нарт) и строчил из изображаемого ствола по воображаемому врагу. Больше чем полчаса уже продолжался бой, а лента в пулемёте всё не кончалась.

Ведерников поначалу терпел, потом это ему надоело.

— А, Кирюхин? Ты же вроде у нас женатый, — спросил он у заигравшегося Кирюхина, чтобы сбить его с пулемётной темы. — Так скажи, как это женатому человеку на службе и без жены? Это вроде как ты сейчас — рукой за неимением пулемёта?

Старшина перестал строчить, пулемётные надульник и мушка опять превратились в то, в чём было их естественное предназначение, — в указательный и большой пальцы, и вернулись к делам привычным — почёсыванию стриженого затылка.

— Это я тренируюсь в кучности, — ответил простодушный Кирюхин и вдруг, не предупредив, запел: — «Наши жёны — пушки заряжёны, вот кто наши жёны...»

Кончил петь, похлопал Ведерникова по шее и объяснил ласково:

— Мне «дегтярь» милее моей Матрёны, понял?

— Нет, — ответил Ведерников, не оборачиваясь, — не понял. Ты, товарищ, мне растолкуй доходчиво, почему это пулемёт Дегтярёва для тебя милее родной жены?

— Помнишь, Штуцер в отряде рассказывал про мавра Отеллу, как он бабу свою за измену удушил, как кутёнка?

— Ну, — ответил ему Ведерников, — было.

— Вот и я говорю — раз баба, значит проституция и разврат.

— Ишь ты куда загнул! — Ведерников зарделся в улыбке, кончики ушей покраснели, слушать про чужие грехи было и стыдно, и интересно. — Это что же ты имеешь в виду? Это ты про свою жену?

— Мне, Серёга, от людей скрывать нечего, — хохотнул старшина Кирюхин, будто бы рассказывал анекдот. — Я и там, у себя в Крестцах, сразу написал в партячейку, какая она такая есть.

— Да что было-то? Рассказывай, не тяни. — Ведерников едва не ёрзал от нетерпения. — Начал уж, давай уж кончай, чего уж.

Кирюхин устроился поусидчивей на тесном сиденье аэронарт и опёрся о винтовочный ствол.

— Ну, сначала была любовь, — заговорил он, улыбаясь и подхихикивая, — такая жаркая, аж меня трясло. Дотронешься до неё, бывало, и будто током тебя шибает — всего! Я с трудом пяти часов дожидался, в пять работу в лавке кончаешь, и, как собачонок, домой. Прибегу, про жратву забуду, обниму мою Матрёну и таю, вот какая была любовь. Думаешь, любовь токо в городе, а в деревне токо навоз и вилы? Нет, братуха, не токо! — Тут Кирюхин шумно вздохнул, чтобы вздохом подчеркнуть, как «не токо». — Я же в ОРСе работал, не при навозе, в ОРСе от Наркомлеса области, это тебе не вилы, работа чистая. Опять же курсы избачей кончил. — Старшина почесал висок дулом штатной винтовки Мосина, засмеялся как-то уже тоскливо, потом осёкся. — Так полгода мы прожили такой любовью. А потом я стал замечать, что товарищ мой... ну как, не товарищ, а, так скажем, товарищ по культработе, мы с ним вместе в избе-читальне вели работу, он был кандидат в члены партии, Федя Сёмин, старше меня на четыре года, я ведь сам в двадцать четвёртом родился, токо метрику мою потеряли, и поехали мы с отцом в район, в больницу, мою метрику выправлять. Там врачи снимают с меня штаны и начинают мои яйца щупать. Щупали, щупали и в новой метрике написали, что родился я на два года раньше, в двадцать втором году, в месяце июне-июле. Отец на них сразу в суд, ведь выходило, что мне четырнадцать, а раз четырнадцать, так надо платить налоги, а тут как раз всесоюзная перепись, и меня, оказывается, переписали уже, и в суде говорят отцу: извините, поздно, ничего поделать никак не можем. Нет, послушай, это ж помереть со смеху — пощупал яйца и определил, когда я родился...

— Что ты про яйца-то про свои заладил, — оборвал его начальник аэронарт, — мне твои мудя ни к чему. Ты давай про этого твоего товарища, что потом-то? Что ты стал замечать-то?

— Федька Сёмин, да, стал он как-то ко мне сильно тереться, в лавку стал ко мне приходить с поллитровкой водки чуть ли не каждый день, я, конечно, выпить могу, но на работе всегда отказывался. Федька Сёмин тогда уйдёт, потом снова придёт перед самым концом работы, уже поддавши, и всё меня с собой выпить тащит. «Не могу, — говорю я Федьке, этому кандидату, — домой спешу, там моя Матрёна скучает». А он, сволочь, улыбается как-то хитро и говорит: давай, мол, спеши, соскучилась твоя Матрёна по мужику-то. Я ж не понимал ничего, я же любил её, ну тогда-то. Ну вот, прихожу домой, обнимаю мою Матрёну, а она вроде как тоже выпивши, как и Федька, хотя сама на нездоровье мне притворяется. Я не знал, что, пока я в лавке, они очень даже весело развлекаются. А однажды попросила меня Матрёна дойти до нашего счетовода Крутикова поиграть там на граммофоне. Я пошёл, прихожу, играю, проходит полчаса, входит Федька и приносит мне что-то в свёртке, это, говорит, от жены. Разворачиваю, в свёртке закуска: ну, думаю, раз закуска, мы с Крутиковым тогда и выпили. Через час, а то и поболе снова приходит Федька и к нам присоседивается. Потом приходит моя Матрёна. В общем, выпили мы восемь поллитров, ещё поиграл я на граммофоне, а в час ночи мы пошли к себе спать. На рассвете просыпаюсь, Матрёны нету. Слышу, входит она тихонечко, раздевается — и ко мне, думает, что я спящий. Тут-то до меня и дошло. Ну, думаю, кандидат Сёмин, вот, оказывается, что ты, гнида, за кандидат. И ты, жена, оказывается, вот какая жена мне. Но смолчал тогда, говорить не стал. А потом ещё случай летом, окончательно мне всё доказавший. Назначил Федька на шесть часов вечера комсомольское собрание в избе-читальне, сам сказал, что приболел и чтобы я провёл собрание заместо него. Явка была неполная, собрание кончилось скоро, и я пошёл, раз такое дело, на нашу речку Серёдку рыбу удить. Прихожу, а у нас там бор, и, гляжу, в бору, на поляне, моя Матрёна с Федькой под кустом кувыркаются. И ещё один, такой Михайлевский, тоже кандидат в партию, с Катькой Скуевой, тёткой моей жены, под другим кустом в тех же позах. Я не выдержал волнения, закричал, она увидела меня — убегать. Я за ней, ну, думаю, убью суку. И уже почти я её догнал, но тут сандалии у меня свалились, а без сандалиев какая в лесу погоня. Двое суток она после этого носу в дом не казала, жила в лесу, в шалаше, и Федька навещал там её. А я как мёртвый домой вернулся и уничтожил всё, что принадлежало ей. В партячейку заявление написал и на Михайлевского, и на Федьку, милицию домой вызвал, милиционер Гефнер в присутствии соседа Титова опись имущества произвёл и обнаружил в нашей с женой постели некий подозрительный карандаш, его раньше в постели не было, и Титов, сосед, заявил, что карандаш этот принадлежит ему и был стащен Федькой из его дома.

Кирюхин замолчал, но молчал недолго. Он снова пересел на вертлюг и, выставив перед собой руку, застрочил по невидимому врагу, наверное мысленно представляя бегущую по лесу Матрёну, которую не убил тогда и убивает, убивает, убивает её теперь за измену, проституцию и разврат.

Ведерников правил нартами, наблюдая, как ослабевает и напрягается истёршаяся собачья упряжь, — собаки бежали ровно, но тундра ровною не бывает, ровною тундра видится из окошек-иллюминаторов самолёта, бесконечное зелёное одеяло, расшитое серебром воды. Нарты потряхивало на кочках, сзади строчил Кирюхин, а Ведерников смотрел на ремни из кожи морского зайца и прикидывал на глазок их прочность, больно уж они казались изношенными. Упряжь пришла от ненцев, кожа морского зайца считалась прочнейшим из материалов, применяли её даже на кораблях, но ко всему тому, что приходило от ненецких туземцев, относился старшина с подозрением, называя их внутренними фашистами, для него что ненец, что немец — разница было невеликая, в одну букву всего.

Из рощицы болотного ивняка выскочил взрослый песец, крупный, грязно-бурый, лохматый, сверкнул глазами на приближающуюся упряжку, постоял, нагло скалясь, будто смеялся, секунды две и снова исчез в низинке. Овчарки брезгливо тявкнули, но догонять наглеца не стали — много чести этому мышееду. Ведерникову сразу же вспомнился рассказ про бешеного песца, который вот так же скалится, потом бросается на человека в нартах, прыгает ему на плечо и вцепляется зубами в горло или лицо. Враньё, наверное, но картина жуткая, даже представить страшно. Тут же к этой картине жуткой прибавилась другая картина жуткая, её им совсем недавно живописно изобразил в красках на политзанятиях полковник Телячелов. Утки, пролетая над тундрой, в районе посёлка Каменный в полёте образовали свастику и летели так не менее получаса, их видели на многих факториях, на спецстройках «Пролетарская» и «Аксарская» и ещё в нескольких поселениях. Шаманы это нашаманили или нет, или же фашистские орнитологи так ведут свою наглядную пропаганду, органы сейчас выясняют. Это рассказал им Телячелов.

Ведерников склонялся к шаманам, хотя сам в колдовство не верил, он считал, что местные колдуны кормят птиц дурманными зёрнами какой-нибудь охренень-травы, вот те и перестраиваются в полёте, воображая себя асами из люфтваффе.

Пулемёт за спиной Ведерникова разразился человеческой речью.

— Я и говорю, где бабы, там проституция и разврат. В нашем офицерском посёлке, думаешь, не так?

Ведерников чуть хорей не выронил из руки, услышав про офицерский посёлок.

— Почём ты знаешь? — спросил он, глотая слюни.

— Слыхали, — туманно ответил ему Кирюхин и замолчал.

Ведерников сплюнул непроглоченную слюну и лицо повернул к Кирюхину.

— Болтун ты, — сказал он языкастому своему помощнику, — несёшь незнамо что, как сорока.

— Я ж тебе как товарищу, — попытался оправдаться Кирюхин. — Ты же жизни ещё не видел, ты ж любовь токо по кино знаешь — Любовь Орлова, там, то да сё, ну и Дунька Кулакова на сон грядущий. А я об эту любовь-морковь, считай, последние зубы стёр. — Он распахнул свой бездонный рот и предъявил как несомненное доказательство чёрно-бурые с прозеленью пеньки, бывшие когда-то зубами. — Вот, а ты говоришь «болтун».

— Ладно, вижу. — Командир гужбата НКВД снова обратился лицом по направлению собачьего бега: смотреть на гладкие овчарочьи спины и на мерно подрагивающие хвосты, на тундру, бегущую им навстречу, на текущие над ней облака и тени от облаков — по ней, на крикливых озёрных птиц, шумно вспархивающих над слюдяными протоками, было куда приятнее, чем лицезреть кладбищенское хозяйство разинутой кирюхинской пасти. Но заноза стыдливого интереса к намёкам болтуна-старшины рождала ниже пояса зуд, и Ведерников наконец не выдержал: — А что слыхать-то? — спросил он, не оборачиваясь. — Ну, про офицерский посёлок-то?

— Что слыхать, то и слыхать, тебе туда ходу нету. — Кирюхин, видно нарочно, тянул выкладывать слухи, или сам ничего не знал, а только придуривался, что знает, и свивал сейчас, как птица гнездо, какой-нибудь вздорный вымысел. — Я, вон, ходкий, но и мне туда ходу нету, — добавил он и вздохнул яростно. — В общем, слышал я, болтали в столовой, есть в посёлке одна портниха, ну, портниха-то она токо так, то есть чтобы не скучать от безделья, ну и денежка, конечно, идёт, чтоб от мужа не особо зависеть, они ж, жёны офицерские, как — они, токо их мужик за ворота, моментально от него не зависимые... Ну так вот, она, эта дамочка, ушивает и зауживает штаны, ну и коли человек ей приглянется, то она, когда мерку с него снимает, станет перед ним на колени, портняжным метром притянет его к себе и шурует пальчиками где надо. Ну а далее знамо что... — Кирюхин крутанулся

на вертушке для пулемёта — должно быть, само-
лично разжалобился от своего чувственного рассказа, — и чуть не выпал из нарт за борт, слава
богу, удержала винтовка. — Но такая, брат, наша доля, что не светит нам эта дамочка, мы с тобой как ходим в казёнке, так в казёнке и прохо-
дим всю службу, это токо офицерский состав всё
в ушивочку желает, по моде, чтобы хрен из штанов торчал и чтобы женщины на него облизыва-
лись. Что примолк-то? — спросил он у комгужбата. — Небось, тоже тоскливо стало?

— Всё ты врёшь, кобелина херова, — ответил
ему Ведерников. — Про Матрёну тоже, небось,
наврал. Небось, сам рогов ей понаставлял... —
Комгужбата не договорил, замер. — Тьфу ты,
мать твою, опять этот дикий... За протокой, гля-
ди, вон там...

Но Кирюхин отмахнулся лениво:

— Ну их к бесу с этой, как её там?.. Мандой?

— Мандаладой, — поправил его Ведерников.

— Мандалада, манда — по мне разницы нету.
Что та́к, что та́к — одна похабе́нь. У нас в Смо-
ленской тоже китаец жил, Мань Дунь, все его
Мандой звали, он лекарем по деревням подра-
батывал, арестовали его потом, оказалось, был
японский шпион...

— Пропал, зараза... — выругался Ведерников, в виду имея не китайца Мань Дуня, а рас-
творившегося в тундре туземца. — Который раз
его вижу, и всё трётся, трётся неподалёку от нашей Скважинки, мотается, как вошь на гребеш-
ке. Чую, не к добру это. Так что ты про китайца-
то говорил? Японским шпионом, говоришь, оказался китаец твой? Вот и этот, может, такой же,

только не японский, а гитлеровский. Едем на третий пост, там Матвеев с ночи зеркалит, дело у меня до него.

Третий пост был одним из ближних к промыслу номер восемь и к обширной лагерной зоне, к промыслу примыкающей. Большинство охранных постов располагались на лесных тропах, по которым туземное население уводило своих оленей на горные уральские пастбища, — то есть западнее лагерного хозяйства. Эти тропы были наперечёт, и на каждой в секретном месте, непостоянном, то и дело меняющемся, денно, нощно, зимой и летом несли службу невидимки с винтовками. Ведь иначе чем оленьей тропой, по мудрой мысли службы лагерной безопасности, заключенный, замысливший свой побег, не одолеет хребет Урала. Это со стороны каменной. Со стороны водяной, болотной, где лесотундра, перетекая в тундру, теряет свой древесный покров — а без защиты стволов и листьев, на пространстве, открытом глазу, попробуй убеги далеко, — постов было с десяток, не более.

На один из таких постов и летела авиаколесница, влекомая гужевой тягой под командирские покрики старшины Ведерникова.

Пост возник из ничего, ниоткуда, то есть как бы поста и не было, а было слово, сперва собачье, а потом уже ответное, человеческое. Собачье слово вышло громкое и раскатистое, звучало хором в четыре собачьих глотки. Человеческое было короткое.

— Стой! — сказал (вернее, приказал) невидимка — грозно и строго, голосом, каким отдают приказы. И добавил, теперь помягче: — Или я в тебя, старшина Ведерников, и в тебя, старшина Кирюхин, стрелять буду, как велено по уставу.

Начгужбата остановил собак, спрыгнул с нарт, потрепал рычащему вожаку загривок — успокоил в Буране зверя.

— Слышь, ефрейтор, ты ка́к здесь, живой пока? Не скучаешь? Комары не заели? — Ведерников достал папиросы и помахал пачкой над головой. — А с табачком у тебя как, не остро?

— Мне дымить не положено, чтобы не рассекретить секретный пост. А вы, гляжу, летаете с ветерком?

Из того же ничего, ниоткуда вдруг возникла мелкокалиберная фигура, облачённая в шинель из сукна, в зимнем, старом, тоже суконном шлеме, с красной, крупной, тоже суконной звёздочкой, с красным носом и винтовкой наперевес. На полевых, зеленоватых погонах краснела узкая ефрейторская полоска.

Осторожно обойдя зеркало имени Макара Смиренного, прощённого Дымобыковым беглеца, придумавшего этот способ укрытия, — зеркало было пристроено меж осинок, охраняющих песчаную норку, где Матвеев обосновался не без удобств, — ефрейтор подошёл к нартам.

— Салют, ребята! — бодро сказал Матвеев, забрасывая оружие за плечо. — Думал, смена, будут меня менять, хотя по времени вроде бы рановато. А это вы. — Он махнул рукой. — Раз я сам себя рассекретил, так и быть, давай папиросу.

Он затянулся и выпустил сизый дым, ветерок отнёс его в лесотундру.

— Тишь да гладь. — Ведерников оглядел окрестность, глазом зацепился за дерево с лопнувшей, облезшей корой и редкими сердечками листьев с подсохшими, свернувшимися краями, подумал про него: «Не жилец» — и тоже задымил папиросой.

— Слышь, старшины, пошамать нет ли чего? — поинтересовался Матвеев у сослуживцев.

Ведерников посмотрел на ефрейтора и осуждающе мотнул головой:

— Вон ты какой проглот! Тебе ж норма отпущена на наряд, а ты уже всё сожрал.

Матвеев осклабился виновато:

— Это я зверушку подкармливаю, песец тут один приблудный, ходит, ходит вокруг меня, смотрит жалостно, просит, сучёныш, плачется.

Кирюхин, слушавший молча разговор старшины с ефрейтором, грохнул смехом так, что овчарки вздрогнули.

— Ишь, зверушку он подкармливает, едрёнать! А какого она полу, твоя зверушка? Если женского, тогда знамо дело...

Но Ведерников остановил его жестом.

— Здесь туземец, часом, не проезжал? — спросил он у сердобольного часового и опять посмотрел на дерево, тихо умирающее от старости.

— Нет, не видел, не было никого.

— Ну и ладно, не было, значит не было. — Он подёргал вверх-вниз плечами, разминая после нарт тело, выгнул спину вперёд-назад, потом хлопнул по ефрейторскому погону. — Вот ты лучший стрелок, Матвеев, значок имеешь ворошиловского стрелка, белке в глаз попадаешь, хвастался, — чтобы шкуру не попортить зверьку, ты ж сибирский, из местных жителей?..

— С-под Снежногорска я, с посёлка Митяево. Оттудова досюдова с пол-Сибири, — ответил неуклюже Матвеев, смущённый от лестных слов.

— А что, все в Сибири такие меткие? — продолжал Ведерников вязать узелки из слов, и непонятно было, зачем эта словесная сеть, ведь считался он на службе человеком неразговорчивым. — Или есть слепенькие, как, например, Кирюхин? — Старшина Ведерников подмигнул напарнику: не обижайся, мол, шучу я, шучу, — впрочем, тот и не обижался. — Скажи, а сможешь ты, товарищ ефрейтор, раз ты такой стрелок, вон на том мёртвом дереве, — Ведерников показал рукой, — нарисовать из своей винтовки, ну, скажем, такой кружок, вроде фашистской морды, и всадить в то место, где лоб, смертельную пулю? Тогда ты будешь уже не простой стрелок, тогда ты будешь стрелок-художник.

Почему он сказал «художник», начгужбата и сам не понял, но только слово выскочило наружу, как в мысленном пространстве его головы чётко, будто на свежем снимке, проступило в холодном цвете лицо чёртова лауреата. Он прогнал проступивший образ, и тут же ему на смену вылезло другое лицо, дважды чёртова замполита, по чьей жёсткой, недоброй воле старшина Ведерников сейчас здесь.

Матвеев обернулся на дерево, прикидывая на глаз расстояние. Прикинул, глянул на старшину и помотал головой: нет.

— Никак нет, — озвучил он жест словами.

— Слабо́? — подначил его Ведерников.

— Не положено, — ответил на подначку Матвеев. — Патроны на учёте, и то мне надо, стрелять-то? За стрельбу в пределах, примыкающих к лагерной зоне, сам знаешь, чего бывает.

АЛЕКСАНДР ЕТОЕВ

— Ну, во-первых, ты не в пределах, а во-вторых, херовый ты сибиряк, Матвеев.

— Ты, ефрейтор, часом, не гармонист? — это спросил Кирюхин, непонятно с чего спросил, глуповато ухмыльнувшись при этом.

— Ну, играю, — Матвеев повёл плечами, поправляя ремень с винтовкой, — а тебе чего?

— А того, что в клубе у нас, в деревне, Васька был такой, гармонист. «Я, — говорил он, — несу ответственность за культуру в массы». А я ему: какая у тебя, у гармониста, ответственность? Со стула пьяным не свалиться, пока играешь, — твоя ответственность.

— Ты, Кирюхин, я не понял, это к чему, про Ваську? — уставился на старшину старшина. — При чём тут Васька? При чём тут твоя деревня?

— Я про палец, — ответил ему Кирюхин. — Кто играет на гармони или баяне, тот считается хороший стрелок. Она ж, клавиша, тренирует палец. Ему ж потом на спуск нажимать привычней, когда целишься из винтовки, там, из ружья. — Здесь Кирюхин изобразил, как палец плавно давит на спусковой крючок. — Так, Матвеев? Скажи ему, что не вру.

Взгляд ефрейтора бегал между старшинами, уши слушали то этого, то другого.

— Может, так, — ответил Матвеев пасмурно, видимо ещё не отмякнув от «херового сибиряка» старшины. — Я не думал, так или этак. Но вообще-то, скорее так. — В лице его убавилось хмури, и в глазах проглянуло солнышко. — Мне, товарищ старшина, моя б воля, — повернулся он к обидчику-старшине, — только дай приказ стрелять по фашистам, я б их, гадин, пачками б, днём и ночью б. — И добавил, чуть помолчав: —

У меня на фронте батю убили, а ты мне — в деревья целься.

— Знаешь, братец, я тоже на фронт просился, — сказал Ведерников. — Миномёт освоил, а командование меня сюда. Письма стыдно домой писать, честное слово. — Старшина опять посмотрел на дерево. — Слышь, ефрейтор, возьми-ка мои патроны, можешь даже мой карабин взять, да покажи, какой ты в самом деле стрелок. Давай, не бойся, если что, мы заступимся. Скажешь, волки на пост напали, мы подтвердим. Эй, Кирюхин, неси нам сюда винтовку, не твою, а ту, что в чехле лежит.

Глава 11

О Хоменкове Телячелов думал так: «Сволочь, которая работает на меня». Если бы однорукий художник трезво оценивал ситуацию, то он бы тоже мог сказать о полковнике: «Сволочь, на которую я работаю». Но демоны, стоявшие за его спиной, нашёптывали хором ему на ухо о чёрной несправедливости и обидах, виной которым незаслуженная чужая слава, и лишали его трезвости и расчёта. Обольщённый полковничьим обещанием, художник нервничал, строил в голове за́мки, рушил их и возводил новые. Единственное, что смутило его в разговоре с Телячеловым, — это фраза о том, что лауреат вовсе не лауреат, а кто-то другой, поддельный. Здесь художник был с полковником не согласен. Ведь получалось, что предмет его нелюбви сильно терял в масштабе — одно дело, когда сражаешься с волком, другое — когда с псом в волчьей шкуре. Равный с равным — это было принципиально.

Хоменков сидел в своей конуре и царапал на доске шилом. Выцарапывалась фигура женщины. Полуголая, как статуя физкультурницы.

Он глядел на обводы тела, и тут его посетила мысль. Поддельный лауреат, не поддельный — какая разница! Он враг, однозначно враг, шпион, гадина, фашистский лазутчик. Хоменков в том убедился лично, когда подсматривал в тот вечер в окно. А раз так, то где-то он должен прятать добытую шпионскую информацию, хранить её до поры до времени в каком-нибудь тайном месте. И где же это тайное место? Хоменков догадался где. В скульптурах, у него в мастерской.

Художник подмигнул физкультурнице, наведшей на эту мысль. И представил, как его молоток рушит в крошку дело рук вражеских.

Потом вспомнил свой визит в мастерскую. Мальчишку деревянного вспомнил. Прожжённые штаны вспомнил. Жуткого железного Кагановича. Воспоминание было не из весёлых.

Хоменков послюнявил шило и начертил на доске: «Темняк».

Вот кто всё сделает за него.

Темняк был из племени мухоморов. В Салехарде и городских окрестностях таких обитало несколько. Питали они тело и дух в основном отваром из мухоморов (свежих, сушёных, каких придётся), приправленным для сытости и для сладости корнями пердячей травки (она же чабрец ползучий), местного туземного лакомства. Пили они настой мухомора на застарелой человечьей моче, поэтому обыкновенному человеку общаться с ними было непросто, воротило от общения с ними. Это их пристрастие к мухомору, частое среди населения Севера, объяснялось ещё и тем, что все они болели меряченьем, по-иному — арктической истерией, странной болезнью психики, когда люди делаются болванами, управляемыми волей других, и выполняют любую дурость, какую им приказывают исполнить. Мухомор они считали лекарством, предупреждающим мерячечные припадки, чем-то наподобие инсулина у страдающих сахарным диабетом.

Темняк прибился к Дому ненца давно, его терпели, зная все его странности, жалели многие, больного всегда жалеют. Был он адской помесью кырджика с якутом, но не с простым якутом, а с особенным, непростым — затундреным, дремучим якутом; лицом тёмен, потому и Темняк, мелковатый, ростом с мальчишку, лицо в редкой, жиденькой бородёнке с разномастными, торчком, волосками.

«Этот волосок, — говорил он про свою бороду, — я от отца прирастил, этот от матери, а тот от оленя, этих много, пустили поросль, а вот этот, чёрный, от волка».

Темняк считался при Доме ненца сторожем. Вернее, сам Темняк так считал, должность сторожа в штатной ведомости отсутствовала. Жил он в балагане, пристроенном на задворках, в самом доме Темняку селиться не разрешали — вонял.

Расчёт у однорукого Хоменкова был простой, как всё гениальное. С мухоморным зельем в последнее время возникли у Темняка проблемы. Милиция на него поглядывала: как на инородное тело, плюющее на общественные приличия с этими его мухоморами, да ещё настоянными, прости господи, на моче; как на непредсказуемый элемент в расчисленной на века системе; как на рака из старой басни, который вместе с зубастой щукой мешает лебедю тянуть воз истории по заданному партией направлению. И захаживала в его балаганчик, шмонала Темняка на предмет обнаружения одуряющих средств, то есть, прости господи, мухоморов. Ей, милиции, доказывай, не доказывай, что это средство от арктической истерии, — ей на эту болезнь насрать, в должностных инструкциях про истерию ни слова. Более серьёзные органы, интересующиеся арктической истерией, — эти тоже про Темняка помнили.

Хоменков держал про запас мешочек с сушёными мухоморами, позаботился прошлым летом запастись этим ценным снадобьем. Вот на них-то, на мухоморах, он и выстроил свой расчёт.

Ещё Хоменков придумал рассказать простодушному Темняку, что в одной из обречённых скульптур припрятаны немалые деньги, оставшиеся от Сталинской премии. Танк, родине подаренный, танком, но ведь не может лауреат такой премии не припрятать что-то на чёрный день, это и Темняку ясно. А Темняк был на деньги падок.

Оставалось рассчитать время, скульптор вот-вот как съедет, и надо было не упустить момент.

— Куда он? — спросил Хоменков у методиста Еремея Евгеньевича, когда Рза, проклятый лауреат, с мешком выходил за дверь.

Ливенштольц сказал:

— За мхом, на Шайтанку.

— В добрый путь, — напутствовал Хоменков лауреата.

День был ветреный и сухой, это было Степану Дмитриевичу на руку, он с утра отправился в верховья Шайтанки за белым мхом — того, что он принёс в прошлый раз, не хватило, чтобы упаковать работы, те, что он задумал забрать на Скважинку.

Места здесь были пустынные. Плавный изгиб реки и мокрый, заболоченный берег — покрытый густой осокой с торчащими из травы берёзками, полумёртвыми, с отваливающейся корой, изъеденными болотной ржавью, — нужно было обойти стороной, взяв на километр к северу и одолев крутой косогор, чтобы выйти к сухому логу и спуститься по нему снова к берегу, где места были посуше и покрасивей. Из воды, на том берегу Шайтанки, выступали сваи разрушенного моста, чёрные, как головешки на пепелище. На них сидели неподвижные чайки и смотрели на человека на берегу.

Степан Дмитриевич помахал им дружески и, повернувшись спиной к реке, стал высматривать, где мох попушистей.

На самом деле мох был только причиной. Его можно было собрать и ближе, едва ли не в городских пределах, а не топать по болотистой тундре в эту первобытную даль. Скульптору хотелось уединиться, ему хотелось тишины и безлюдья, хотелось запахов и птичьего пенья, взглядов чаек с чёрных заречных свай и зависающего над тундрой зимника. Потому что Степан Дмитриевич чувствовал — нюхом, телом, всеми десятью чувствами, включая чувство боли и одиночества, — что-то должно случиться. Воздух последних дней был наполнен семенами тревоги. Слишком много тревожных знаков улавливал его зоркий взгляд в событиях, прямо, косвенно ли, но связанных лично с ним.

«Воздух последних дней...»

Сколько их осталось, этих последних дней? Да не всё ли равно сколько.

Он вдохнул прелый аромат ягеля, оленьей травы. Трава оленья пахла грибами, летним лесом, памятью пахла, речкой Бездной в алатырских лесах, чёрным илом из речки Бездны, из которого семилетний Степан лепил первых своих чудны́х зверушек...

Захотелось остановиться в памяти — остро захотелось и навсегда.

...Ранний май. Горячие стволы елей. В жёстких струпьях коры, сероватой, с изумрудными моховыми крапинами, в каплях вязкой смолы, бесконечно долго текущей по стволу вниз и застывающей на пути наплывами. Сладковатый хвойный дымок, прозрачный, медовый, ладанный, идущий невесть откуда, должно быть из райских кущей. За хвойным лесом — соловьиная роща...

Степан Дмитриевич улыбнулся воспоминанию. Это он в Алатырь-городе, уже не мальчик, но отрок семнадцатилетний, вместо того чтобы учиться на живописца, лежит в траве за можжевеловыми кустами и ждёт, когда в его самолов слетит новая певучая жертва. Выполняет задание учителя. Такими были его университеты.

Скульптор открыл глаза, запах ягеля растревожил память.

Чтобы заглушить этот запах, память эту заглушить чтобы, Степан Дмитриевич копнул рукой тёмный зелёный мох, выдрал клок и уткнулся носом в его тёмную влажную сердцевину. Надышался. Скорей, задохся. Дух был сложный, такой густой, что дыханию захотелось остановиться.

Тогда-то и опустилась тьма.

———

Сколько пролежал, он не помнил. Время съела боль в голове.

Очнулся он сначала от взгляда, потом к взгляду приложилась и речь.

— Скажи маленькое слово, одно, любое, хорошее, пожалуйста, скажи.

Лицо Ванюты, склонившееся над ним, с глазами-щёлками и губами трубочкой, из которых на лоб, на веки, в борозды морщин, проложенных временем на лице художника, текло тёплое размеренное дыхание, было озабоченно и сердито. Сросшиеся крылья бровей трепетали под напряжённым лбом, словно собирались взлететь.

— Что со мной? — спросил Степан Дмитриевич, одолев слабость и немоту. — Ты как здесь? — Он посмотрел на Ванюту и улыбнулся ему губами.

Лицо Ванюты мигом преобразилось. В глазах-щёлках заиграл свет.

— Конёк, Юноко, сюда привёл. Я хожу туда, куда мой Юноко. Конёк знает, куда идти. Я пришёл, ты лежишь мёртвый. Я просил у отца: «Он мёртвый?» — «Нет, — отец говорит, — не мёртвый, это он подумал, что мёртвый, полез на небо, а ему говорят: „Куда лезешь, ты же ещё не помер, вот когда помрёшь, тогда лезь“».

— Точно-точно, — поддержал его Степан Дмитриевич, — я ещё, когда на землю обратно лез, с трудом добрался, лестница была узкая, а народу — не протолкнуться сколько. Вот только кто меня на небо спровадил? — Он потёр саднящую кожу справа на теменной кости. — Этого тебе отец не сказал?

— Не сказал. Мы пришли, ты лежал. Вот так. — Ванюта показал как: уткнулся головой в мох, поджал под себя ноги и под туловище подложил руки. — В тундре красный мох вырос, сава иры, июнь ещё, а он вырос, будто нэрёй, осень. Старик-Нга такой оставляет, там, где ходит, и Сердца-не-Имеющий-Тунгу. Я пришёл, голова твоя тоже красная, и мох под головой красный, как тот, который мы в тундре видели, только это была кровь, вэя, он от крови был такой красный. Хорошо, крови ушло немного, и главная душа не успела из раны выйти, потому что, если бы душа вышла и никого с тобой рядом не было, кто успел бы подхватить её на лету и вернуть в тебя, ты бы точно залез на небо, как говорит отец.

— Не болит почти, только в затылке бу́хает, будто колотушкой кто-то бьёт изнутри. — Степан Дмитриевич тронул рану рукой. — Как ты его назвал? Сердца-не-Имеющий-Тунгу? — И добавил, выдавив из себя улыбку: — Раз не насмерть, значит у твоего Тунгу какое-никакое, а сердце всё же имеется.

— Тунгу человек, но большой, к людям выходит редко, только если очень уж голоден. Не Тунгу тебя ударил, другой человек, недобрый. Мы с Юноко, видно, его спугнули, ушёл он в ту сторону, вон туда. — Ванюта махнул рукой куда-то по направлению к городу. — Я бы его нашёл, но тебя я не мог оставить, трава нгэвэйця'нгамдэ рану твою лечила, плохую кровь и воду из головы вытягивала, а это долго.

— Спасибо тебе, Ванюта. — Старый мастер положил руку на плечо молодого ненца. — Если б не ты, был бы я уже не жилец. Не знаю, чем тебя и отблагодарить за моё спасение.

— Что ты, что ты! — замахал руками Ванюта. — Конька моего поблагодари. Я хожу туда, куда идёт мой олень. Юноко пришёл сюда, он знает, куда идти. Весь в маму свою, Хаерко.

— Где он? — спросил Степан Дмитриевич. — Мой рогатый спаситель.

— Он со мной, только его не слышно. Юноко тихий, его мама к тишине приучила, сам он слова не скажет, такой стеснительный. Только когда надо меня позвать, подаёт голос.

Ванюта поднёс к губам свисток из оленьего позвонка, что висел у него на шее, и не сильно в него подул.

Олешек появился, словно из ниоткуда, во влажных его глазах отражалось солнце, уже остуженное прохладным ветром вечереющего летнего дня. Оно отсвечивало от мягкой шерсти, растекалось золотом по спине, и частицы этого бесплотного золота дрожали в воздухе над Юноко, будто был он золоторогим оленьим богом с солнечной короной над головой.

— Спасибо тебе за жизнь, — поклонился Степан Дмитриевич оленю.

Конёк мотнул головой — должно быть, ответил: не за что, мол.

До комбината они ехали вместе — вернее, Ванюта шёл, а Степан Дмитриевич, слабый после удара, сидел в нартах на мешке со мхом.

Ванюта сперва молчал, но было видно, что за его молчанием скрываются невысказанные вопросы, только он по природной скромности или из уважения к старшему не решается произнести их вслух.

Степан Дмитриевич тоже был молчалив, сидел подрёмывал в мягкой своей повозке, о чём-то бормотал одними губами и поглаживал саднящую кожу.

Во сне ночью явился ему Темняк. Собакарь, его подельник-приятель, тоже из мерячечных мухоморов, скрёбся с той стороны двери, мекал, мякал, подкашливал, подвывал, но порог одолеть не мог. Он был слаб от пролитой крови, руки его устали, он скрипел сто́ченными ногтями, соскребая с двери шелуху краски, он хотел, чтобы его простили, сам себя он простить боялся, себя простишь — придёт гладкокожий дьявол, ударит тебя по темени, вытащит из мозгов косточку, ту, что называется мозжечок, и останешься ты рыбой гнилой.

«Не хотел я, — говорил он себе. — Жалко было дедушку очень. Зачем дедушка ушёл далеко? Ушёл бы близко, я бы и не увидел. Глаз бы на лбу закрыл и не увидел дедушку, не приметил. А далеко, так почему не убить? Шайтанка-речка мои места. Чужому дедушке там ходить не надо».

Хоменкову сны снились жёлтые, в них цвели китайские розы, их он видел в душной маньчжурской ночи, с китаянками, с мушками на картонных щеках, медленно, как раздавленные улитки, стекающими под шёлковые одежды...

Он уже почти кончил, когда Темняк, помявшись возле порога, сказал ему:

— Эт-т-та... деньги...

Если бы не скребущийся Собакарь, Хоменков послал бы его подальше на все триста тридцать три иероглифа древнего китайского алфавита, но меняющаяся реальность сна исказила его намерение, и он выдавил с трудом:

— У меня.

— Он живой, — сказал Собакарь, выскрёбывающий снаружи дверь. — Я мягко его убил, не насовсем... Рыба. Не хочу рыбу. — Он уже проскрёб в дверном полотне дыру размером с олений глаз и, пялясь на Хоменкова через неё, спрашивал на нечеловеческом языке: — Гьюли-толы́гл? Вернитухайто́? — И отвечал, не дожидаясь ответа: — Ку́ли мо́бо. Пьюри́ моно́.

Хоменков устал это слышать. И Темняка он видеть устал. Ему хотелось к китайским розам, и эти двое ему мешали.

В одной руке Темняк держал молоток, тот самый, ещё горячий, в мелкой крошке от убиенной им красоты земной, на ладони другой руки лежала кверху лапками муха. Она вертелась, как детская игрушечная машинка, перевёрнутая кабиной вниз, и Темняк смотрел на её старания с такою же пустотой в глазах, как тогда, в мастерской скульптора.

Хоменкова обдало страхом, он вспомнил эту жуткую сцену, когда Темняк пустыми глазами вглядывается в лицо ангела, молчит с секунду и вырывает из бороды волос. Этот, говорит, я от мамы прирастил, — и бьёт молотком по крыльям, по вьющимся кудрям на голове, по улыбке, по складкам тела, пока плоть не обращается в прах. «А вот этот вот от отца», — он вырывает волос, и следующая скульптура — женская — рушится под его ударом.

Муха продолжает вертеться на плоской, в тёмных шрамах ладони, а из дыры, проделанной в двери, смотрит на Хоменкова не Собакарь, смотрит мёртвая голова рыбы с красными обводами вокруг глаз.

— Как же такое могло случиться? Мерзавцы, право слово, мерзавцы! Это надо же — поднять руку на красоту! — Илья Николаевич Казорин нервничал и ходил по кругу. — Это ж шум, это ж грохот, ума не приложу, неужели никто не слышал?

— Утро, никого не было, — отвечал ему одышливо Ливенштольц, качая головой и оценивая глазами масштаб разрухи, царящей в мастерской скульптора. — В милицию надо сообщить, такое безобразие безнаказанным оставить нельзя.

— И в органы, — подхватил Казорин. — Дело-то политическое. Вы же сталинский лауреат как-никак, это ж покушение на святыню.

— Я себя святым не считаю, — поморщился Степан Дмитриевич. — И ни в милицию, ни в органы заявлять не стану. Это как судьба, кто-то даёт мне знак поскорее перебираться в другое место, сменить небо над головой. Работ жалко, некоторые мне нравились. Но что случилось, то случилось, их уже не вернёшь. Слава богу, не все порушены.

— Степан Дмитриевич, дорогой, дело не в судьбе и не в знаках. Сегодня эти мерзавцы... или мерзавец... уничтожил ваши скульптуры, а завтра он... или они... покусятся на самое святое. — Казорин вспомнил происшествие в зале, как он телом прикрывал предательский мазок краски на мундире верховного, и ему сделалось зябко.

«Вот гадство! — думал он про себя, тихо думал, чтобы не услышал лауреат. — Навязался на мою голову этот чёрт. Не к добру, ох, чувствую, не к добру! И это ещё теперь...» — Он озирал несчастливым взглядом то, что осталось после набега варваров... или варвара? Хотелось сплюнуть, но не прилюдно же, хотя плюй — не хочу, в мастерской мусору были кучи.

В мозгу Казорина ещё не сошёл нагар от долгого разговора в кабинете первого секретаря окружкома партии. Вместо Гулина за секретарским столом сидел капитан Медведев, очкастый начальник райотдела ГБ, и ел его двояковыпуклыми глазами. В районе Медведев был знаменит своей беспощадной бдительностью. В позапрошлом тире́ прошлом 1941–1942 году он разоблачил две туземные контрреволюционные банды, сконцентрированные в двух стойбищах на Ямале — Салиндера Тявака и Яптика Сатока. Помог ему в этом Езанги Манс, нынешний председатель колхоза «Красный октябрь». Непонятно, правда, «банды» были бандами или нет, но в отчётах именовались так. Ходили слухи, Казорин знал, что тщедушный Езанги Манс сам пришёл в райотдел ГБ и пожаловался на Салиндера Тявака, забравшего за долги его оленей и чум. То же, но годом позже, произошло с Яптиком Сатоком, Езанги у него числился в должниках. Езанги прирос оленями и должностью колхозного председателя, а Медведев из старшего лейтенанта за особые заслуги перед народом пророс в капитаны.

«Это заговор, — говорил Медведев, блестя очками. — Так у них всегда начинается, с мелочей. Я на этих их мелочах печень собачью съел. Вы говорите „может быть, забыли отдать“, а я вам заявляю, что нет, не забыли они отдать. Они только с виду простодушные. Приглядишься к ним — хитрожопее не бывает. Вот пример. — Он привёл пример. Таких примеров Казорин слышал немало. На совещаниях по вопросам бдительности и в таких вот разговорах, как этот. — Я вам всего сейчас сказать не могу, оперативная ситуация не позволяет, но есть сведения, что в самое ближайшее время нужно ждать активизации повстанческих банд. Мандалада, это вы знаете, создана по заданию германских разведывательных органов для руководства туземным повстанческим населением. Есть сведения, — очкастый майор прищурился, как близорукий щурёнок из щучьей школы в Щучьереченской тундре, — что в районе Обской губы действует фашистская подводная лодка. А возможно, и не одна. Понимаете, чем это опасно?» — «Понимаю», — кивал Казорин. «А толку, что понимаете? Понимать мало, действовать надо».

Словно прочитав его мысли, в дверь толкнулся одноногий Калягин.

— Илья Николаевич! — Калягин вытер ладонью пот с горящего лба.

Сердце у Казорина ухнуло в провал преисподней.

— Что ещё? — спросил он голосом приговорённого к высшей мере.

— Нашлись костюмы, зря мы на туземцев грешили.

— Как нашлись? Какие костюмы? — Ему трудно было переключиться с мысленного разговора на внешний.

— Ну те самые, которые считались украденными. Это наш мухомор убрал их в свой балаган, когда туземцы после праздника уезжали. А сегодня он в музейном наряде ходил по городу. Он, вообще-то, того, с приветом. Говорит, что забыл отдать. Возможно, не врёт.

— «Возможно, не врёт»... Вот жалеешь таких калеченых, а они тебя же под монастырь. Он что, ненец, если костюм напялил?

— Якут вроде. А костюм надел, так ведь это... свой-то, может, поизносился.

— Ладно, пусть следствие разбирается. Степан Дмитриевич, я пришлю людей вам помочь. Мусор вынести, ну и... собраться.

— Нет, не надо, я уж сам как-нибудь. Виктор Львович мне, вон, поможет. Виктор Львович, поможете?

Глава 12

Сообщение о происшествии на третьем посту командир циркумполярной дивизии особого назначения — или, на языке высоком, царь и бог сибирской земли на территории, Тимофею Васильевичу подвластной, — принял в бане. Только что вышедший из парилки, где он отхлестал себя кистями из сезальской верёвки, и уже махнувший четверть кружки доброго спирта, настоянного на почках местной карликовой берёзы, распаренный Дымобыков рассказывал капитану Шилкину:

— ...Сталин ему: «Почему орден Красной Звезды?» Тот стушевался, забздел горохом, по уши в штаны наложил, ну, думает, кончилось мое счастье, щас меня к стенке и пулю в лоб вместо ордена. Смотрит, Иосиф Виссарионыч вычёркивает из бумаги орден Красной Звезды, вписывает вместо него орден Красного Знамени и улыбается. «Что, забздел, — говорит, — горохом, товарищ лейтенант Иванов?» И руку Кольке моему жмёт, поздравляет... Ну, попёрли, капитан, с лёгким паром! — Дымобыков убрал в себя новую четверть кружки спирта.

Вот тут в предбанник и явился от замполита на́рочный.

193

Оттараторив обязательные слова, как того требует субординация и служебная дисциплина, он доложил о пулевых отверстиях в дереве, о вырезанной на стволе тамге, о начатом оперотделом расследовании, о том, что товарищ полковник распорядился уже...

Дымобыков выдохнул спиртовой настой и наглухо заткнул ему рот:

— Отставить! — Потом обратился к Шилкину: — Уши закрой. А ты открой, — приказал он нарочному.

Капитан Шилкин заткнул полотенцем уши, но полотенце есть полотенце, слова проходят через него, как микроб через поры тела, поэтому он услышал (неприличное опускаем):

— Я... Он... комиссар... мать его в... оперотдел... распорядился, видишь ли... Я... узнаю́... последним... Мы... Я... Он... Таких... с Окой... в восемнадцатом ... Всё. — Дымобыков поставил точку. — Давай сюда комиссара. — Это он сказал нарочному. — Голого, в баню, ко мне, сюда!

С едой в предбаннике было скромно (война, чтоб её, окаянную!): нельмы свежекопчёной несколько балыков, раков обских варёных чан небольшой, штук, наверное, с сотню, сало, хлебушек чёрный, свежий, прямо с хлебозавода. Ну и спирт, гнали его на месте, химпроизводство, не радием же единым жив человек служивый.

Тимофей Васильевич Дымобыков, подостывший после парилки, в рубчатой накрахмаленной простыне, словно патриций на картине художника Семирадского «Римская оргия блестящих времён цезаризма», грустно смотрел на раков, горкой высящихся над чаном и мёртво улыбающихся ему рачьею своею улыбкой. Эта их красноракость и вызвала минутную грусть, скоро сменившуюся на ярость.

Телячелов стоял на пороге. В скромной полевой гимнастёрке, в широких пузырчатых шароварах, в зеркально начищенных сапогах, в фуражке без единого пятнышка на мягкой васильковой тулье — полковник был сама аккуратность и полное и абсолютное соответствие последнему наркомовскому приказу о переменах в форме одежды всего состава внутренних войск.

В обстановке барской изнеженности, которая царила в предбаннике, среди спиртового духа и обтягивающих тела простыней это походило на вызов, брошенный августейшему императору каким-нибудь зарвавшимся сенаторишкой.

— Ну, Телячелов, ты и говядина! — первое, что выплеснул Дымобыков на замполита из кипящего чана рта. — Ты скажи, я в твои дела лезу? Ну-ка говори мне в глаза: я в твои дела вмешиваюсь?

«Ты во все дела лезешь, — подумал про себя замполит. — Даже щи первый на кухне пробуешь».

— Что ты делать должен? Какие у тебя полномочия? Политическая работа среди личного состава! Не так? А то, понимаешь, комиссаром себя почувствовал. Нету больше комиссаров, упразднены...

Он кивнул Шилкину: наливай. Капитан изобразил на лице вопрос: мол, товарищу полковнику тоже?

— Обойдётся, — вслух ответил начальник лагеря. — Это раньше, что ни комиссар — Фурманов, чтоб Чапаю палки в копыта ставить. —

Дымобыков хлебнул из стакана спирта, оторвал от рака клешню и громко высосал из неё сладкую текучую мякоть.

С губы капнуло мутным на простыню, и на белом её полотнище, как на школьной контурной карте, нарисовалось озеро Чад.

Телячелов держался невозмутимо, ни гримасой, ни игрой желваков стараясь не отразить на лице того, что бушевало внутри. Хотя, если почестному, внутри бушевало слабо, балла на четыре, на пять от силы. Больше сейчас его волновало то, что все эти громы-молнии звучат в присутствии капитана. Нижестоящий по званию не должен присутствовать при оскорбительных действиях по отношению к вышестоящим по званию. Это роняет авторитет. За это стоило бы рапорт подать. Кому только? Самому генералу? Ему же на него же и подавать?

— Главная моя задача как политического руководителя, — начал Телячелов ровным голосом, глядя, впрочем, Дымобыкову не в лицо, а на берег африканского озера, того, что появилось на простыне, — воспитывать ненависть к врагу. Передовая линия фронта проходит в сердце каждого советского человека, и раз мое сердце находится сейчас здесь, на Полярном круге...

— Ты в глаза мне смотри, — оборвал его Дымобыков. — Твоё сердце находится сейчас здесь, в бане, насупротив меня. Я-то всё понимаю — и про воспитание, и про ненависть к врагу, и тэ пэ. А ты вот понимаешь, что я, который главней тебя и по званию, и по боевому опыту, и по всему другому, о чём ты даже не можешь знать, узнаю последним о том, что происходит на моей территории? Кто приказал начать расследование? Какое вообще расследование? Какого хера?.. То, что я отсутствовал здесь, был на совещании в Омске, совсем не значит, что можно меня держать в неведении. Есть оперативная связь. Слыхал про такую? — Дымобыков хлебнул ещё и оторвал вторую рачью клешню. Заметив молнию осуждения, пущенную из глаз Телячелова после сделанного генералом глотка, и тонкую кривую морщину, проползшую от края рта замполита к мочке его левого уха, Дымобыков кивнул на спирт. — Осуждаешь, замполит, так? А я родине даю радий, и мне спирт — что тебе микстура, без спирта я свечусь по ночам, и люди меня пугаются. Знаешь, кто мне прописал это средство? Авраамий Павлович Завенягин, ещё на горе́ Магнитной, когда мы с ним и Окой Городовиковым Магнитку строили. Ладно, замполит, кончили. Докладывай всё как есть.

Дело было слишком серьёзное, поэтому, кроме лагерного начальства, на место чрезвычайного происшествия прибыло начальство из Салехарда — от райотдела Ямальского МГБ приехал лично сам капитан Медведев, от окружного отдела НГКБ — его начальник капитан Кривошеин. Охрана мирно толклась в сторонке, хрустя кожей казённой выделки и деликатно пуская в воздух струйки папиросного дыма. Солнце плавилось на металле пряжек, играло бликами на дужках очков, искрами горело в траве, не сознавая всю трагичность события.

— В Москву уже сообщили, товарищ Меркулов знает. — Капитан МГБ Медведев вплотную подошёл к дереву и зачем-то провёл ладонью от канта своей фуражки до покалеченного выстрелами ствола — примеривался, должно быть, угодили бы в него пули, стой он на этом месте. Капитан поморщился недовольно — отверстия на голом стволе, расположенные идеально по кругу, не оставляли никакого сомнения в печальной участи капитана, а дырочка в центре круга была бы последней точкой в его служебной карьере в органах.

— Вот это и есть тамга? — спросил Тимофей Васильевич, оттесняя капитана от дерева и тыча пальцем в царапины на стволе ниже круга из пулевых отверстий. — Каракули какие-то нацарапаны. И что эта тамга означает?

— А вы как будто не понимаете, — с нарочитым сарказмом в голосе ответил капитан генералу.

Тимофей Васильевич Дымобыков посмотрел на капитана внимательно. Шрам на его щеке, полученный в боях под Чонгаром, потемнел и сделался пепельным — цвета пепла от извергнувшегося Везувия. Телячелов улыбнулся мысленно: давай, давай, устрой им побоище. Отомсти за уязвлённое самолюбие, царь и бог циркумполярной земли. И Оку Городовикова вспомни. Как вы вместе усами мерялись. То-то будет картина Верещагина, которая с черепами.

И гроза, наверное б, разразилась — не такой был Тимофей Васильевич человек, чтобы спускать кому бы то ни было, начальство он, не начальство, подобную словесную грубость. Он даже руку отставил в сторону и чуть отвернул плечо, словно в руке, как на минувшей Гражданской, была зажата кавалерийская шашка. Только тут произошло неожиданное.

Будто выстрел из невидимого орудия, спрятанного за кустами багульника, на потоптанную сапогами траву принесло существо странное. Собаку не собаку, лису не лису, песца не песца, а какую-то неведомую зверушку из сказки Пушкина. Мех этого песца не песца был не серый, не светло-бурый, а такой, для которого и название подобрать трудно. Подпушь его была цвета облака, верх — тёмно-серый, радужный. Только мордочка у этого зверя была тёмной, вполне песцовой, со светлой полосой по носу.

Будь здесь старшина Ведерников, он сразу бы догадался, что гость, заявившийся на пост номер три, не кто иной, как тот приблудный песец, которого подкармливает Матвеев. Но Ведерников нёс службу в пределах зоны.

Первой на появление неизвестного зверя отреагировала охрана. Офицер из группы сопровождения, видимо главный в группе, отщёлкнул в сторону папиросу и вырвал из кобуры ТТ. Мелко прогремел выстрел, но пуля пощадила зверька. Он метнулся в ноги к капитану Медведеву и ткнулся носом в его сапог. Капитан отпрянул назад, оступился и завалился на спину. Снова прозвучал выстрел, и в кустах, куда угодила пуля, послышался звон стекла. Все с испугом посмотрели туда, а стрелявший офицер выматерился и кинулся к лежащему капитану.

Ни жив ни мёртв, Медведев поднялся и набросился на командира охраны:

— Ты что же это, дура, делаешь?! А если бы ты в меня попал?! Под трибунал, к чёртовой матери! Совсем голову отключили!

— Виноват, товарищ капитан. — Провинившийся вытянулся по струнке. — Я же это... среагировал по уставу.

— По уставу? По какому уставу? Где это в уставе написано, что можно стрелять по командиру? Или это чужой устав? Устав немецко-фашистских войск?

— Виноват, товарищ капитан. — Офицер стал бледен, как перед смертью. — Я подумал, а если он вас поранит? Вдруг его укус ядовитый? Ну и выстрелил, чтобы предотвратить.

Тимофей Васильевич Дымобыков смотрел на происходящее с хитрецой.

— Хорош стрелок, молодец, — похвалил он офицера перед Медведевым. — Ему б в снайперы, на фронте цены бы такому не было. Сколько фрицев бы положил. У вас, товарищ капитан, все такие?

Песец давно уже убежал, устрашённый смилостивившимися пулями, но неостывший капитан МГБ ещё шарил взглядом по тундре, не выскочит ли откуда-нибудь другой. На двусмысленные слова Дымобыкова Медведев ничего не ответил, будто бы этих слов не было. Он дал отмашку своему офицеру, чтобы тот не торчал столбом, и опять уставился на пулевые червоточины в стволе дерева.

— Вы к солнышку спиной повернитесь, — посоветовал Медведеву Дымобыков. — У вас вся спина мокрая. — И, выдержав ехидную паузу, подлил говнеца: — И штаны.

«Ну, язва. — Телячелов оценил укол. — Вот уж точно Медведев ему припомнит».

— Не беспокойтесь, товарищ генерал-лейтенант, — сухо ответил представитель госбезопасности, — есть дела более важные, чем штаны. Вот вы сказали «каракули». А эти, между прочим, каракули — прямой вызов советской власти. На тамге изображение комара, это специалисты определили. Комар — тотемное насекомое югорского рода... — Он замешкался, вспоминая, не вспомнил, открыл планшет и прочитал по написанному: — Ненянг. — Поднял голову и обратился к Телячелову: — Правильно, товарищ полковник?

— Ненецкого, не югорского, — поправил его Телячелов.

— Я военный, а не этнограф, я их не отличаю.

Дымобыков покачал головой: «Ну Телячелов, ну прохвост. И тут уже без мыла пролез».

Представитель НКГБ Кривошеин, всё это время терпеливо помалкивавший, будто не было ни песца, ни выстрелов, ни досадного падения капитана, спросил задумчиво, как бы у самого себя:

— А ефрейтор, который нёс здесь дежурство, он что говорит?

— Что говорит? Ничего он не говорит, — ответил ему Медведев, видимо более информированный. — Мы его допросили, говорит, ничего не видел.

— Может, это он сам и стрелял?

— Как же, «сам». Может, тогда он сам и комара на стволе вырезал? Нет, Николай Иванович, пули не из его карабина, экспертиза установила. Вот товарищ генерал-лейтенант тоже вам подтвердит, так, Тимофей Васильевич? — перевёл он стрелку на Дымобыкова. — Вы как командир вверенной вам дивизии что по этому поводу думаете?

Или показалось Телячелову, или заезжий капитан МГБ действительно выделил в своей фразе мифическое слово «дивизия», но замполит внутренне усмехнулся. Всё, что происходило у него на глазах, откровенно играло ему на пользу. Трещина в отношениях между государственными людьми представлялась Телячелову очевидной. Замполит предчувствовал вкус победы.

«Дивизии он, видишь ли, командир! — вторил он иронии капитана, услышанной, а может, самим же Телячеловым и придуманной в угоду своей гордыне. — Велика дивизия — едва на полполка наберётся. Уговорил в наркомате кого-то из собутыльников, ему и сделали эту липовую дивизию. С его-то связями!»

А Тимофей Васильевич Дымобыков думал не о туземных происках — думал он о разбитом зеркале, в которое угодила пуля предупредительного дурака из охраны.

— Послушайте, — сказал он, отдумав, — из-за этой вашей... таньги? тамги?.. вы мне зеркало казённое кокнули. Пост без зеркала что тачанка без пулемёта. Вы видали тачанку без пулемёта?

— При чём тут зеркало? — не понял его Медведев. — И тачанка эта ваша при чём?

— Как это тачанка при чём? — теперь не понял Медведева Дымобыков и смерил его пристальным взглядом, словно снимал с него размеры будущей арестантской робы. — А возьмём двадцать первый год, мы с Окой Городовиковым доблестно рубаем махновцев и однажды, значит, смотрим, тачанка, та, что мы в кровавом бою у бандитской сволочи реквизировали, стоит одна в овраге без пулемёта. То есть вечером пулемёт был, а к утру́ пулемёт тю-тю.

«Началось, — подумал Телячелов. — На любимую кобылицу сел».

— Караульных мы, понятно, того, — увлечённо рассказывал комдивизии, — не хер спать, когда стоишь в карауле...

— Стойте-стойте, — капитан Кривошеин оборвал его торопливым жестом, — этот, как его... Комаров? Макаров?.. Ну, ефрейтор, в карауле который, может, тоже отлучился, уснул, а тем временем пулемёт и... — Он осёкся под холодным огнём из глазных амбразур комдива — тот был зол, что его прервали.

Медведев спешно, пока комдивизии не продолжил мемуар про тачанку, переключил своё внимание на Кривошеина.

— Вашу версию с ефрейтором мы проверим. Отлучился, уснул, ага. Ну а если и того хуже? Мало ли что в нарушениях не замечен... — Капитан многозначительно хмыкнул. — И туземца здесь тем более видели, а ваш ефрейтор, видите ли, не видел. — Слово «ваш», брошенное Медведевым, адресовано было понято кому.

— Туземца? — переспросил комдив, и боевые стрелы его усов угрожающе нацелились на Телячелова. Опять тот, стерва, не поставил его в известность. — Какого ещё туземца?

— Старшина Ведерников мне докладывал...

— Старшина Ведерников, говоришь? Так вот пусть старшина Ведерников пойдёт туда, хер знает куда, и приведёт ко мне этого туземца живым или мёртвым. А то мы — марксизм-ленинизм, а они у себя, вашу мать, шаманизм-оленизм разводят?

Телячелов на мысленных счётах отщёлкнул очередную костяшку («Так-так, марксизм-ленинизм разводим. Как кроликов, что ли?») и внимательно посмотрел на лица представителей органов безопасности — заметили они или нет эту явную языковую диверсию. Те вроде бы не заметили, во всяком случае не подали виду.

— Что за народ поганый, — недовольно продолжал Дымобыков, — мы включили их в большой план по переделке человека из мелкого собственника в хозяина земли, а они приросли жопой к куче оленьего говна и из неё не вылазят. Это не я, это Владимир Ильич Ленин сказал, — на всякий случай уточнил комдивизии.

Оба капитана кивнули, а Медведев сказал в ответ — как бы в шутку, а быть может, не в шутку:

— Правильные слова говорите, товарищ генерал-лейтенант. И спасибо вам, товарищ генерал, за совет. Коль не вы б, штаны мои до сих пор не высохли бы. А зеркало вы зря пожалели. Кстати, зачем в карауле зеркало? Они что у вас, бреются на посту, караульные ваши? — И, не дожидаясь ответа от генерала, приказал своим верным соколам: — Дерево пилите и — в Управление. Как вещественное доказательство подготовки антисоветского мятежа на Северном Ямале. И нет ли тут руки германской разведки? Нюхом чую, что есть.

Глава 13

«Вот, Ванюта, — говорил сам с собой Степан Дмитриевич. — Взрослый человек, а дитя дитём. Все они, ненцы, дети. Больше бы таких на земле. Правое для них — это правое, белое для них — это белое, злое — злое. И помогать бы им, вот таким, ну а чем сегодня поможешь? Я для него русский шаман, способный оживить дерево. Да, могу, — посмотрел он на свои руки; в трещины на ладонях въелась старая рабочая пыль, которую если уже кто и отмоет, так только ангелы или черти по другую сторону жизни. — Яля пя, светлая лиственница... — улыбнулся он, вспомнив глаза Ванюты: как тот глядел, зрачок погрузив в зрачок, словно отыскивая в зрачке Степана отражение священного озера, из которого растёт и не может вырасти светлое дерево, яля пя, потому что год несчастливый, чёрный, военный год. — Сказку мне ещё рассказал, — припомнил он Ванютину сказку, — почему мох в тундре бывает красный. Это от крови детей, не напоивших мать, когда та болела, и мать превратилась в кукушку и улетела. Дети за ней бежали, звали назад, стоптали все ноги в кровь, но мать не вернулась. Я-то своим взрослым умом понимаю, — рассуждал Рза, — что кукушка — это аллегория смерти, что *не в сказке* мать умирает, оставляя

205

детей сиротами. И — как мне *моя* мать говорила: сколько раз кукушечка прокукует, столько лет тебе жить осталось. И считал ведь, всю жизнь считал, сердце замирало, считал, а когда Кассандрин счёт обрывался — падал с головой в страх».

Тень печали нашла на Степана Дмитриевича.

«Всё, уйди», — гнал он от себя тучу, но та не уходила, висела, напуская густую тень.

Чем он может помочь Ванюте, доброму туземному человеку? Кроме добрых слов, ему и дать нечего. Тот просит оживить дерево, увидел, как я делаю живыми фигуры из вроде бы уже мёртвого материала (я-то знаю, что он живой), и считает меня теперь волшебником. Войну он хочет остановить, чтобы щедро было в тундре, не голодно, чтобы хлеб на факториях продавали его народу («Почему так, если мы налоги платим исправно, оленей даём, дичь, рыбу даём?»).

«Я тоже не хочу, чтобы война, кровью готов заплатить своей, чтобы не было её ни на нашей земле, ни в мире, но кому интересна кровь старого человека, если фронту нужна молодая кровь, нужны руки, которые не резец, не штихель держать умеют, а оружие, а штык, а гранату. Вот сказал недавно один человек несчастный, что не от сердца премию я родине передал — от хитрости, откупиться хотел. Я его не осуждаю, Бог судья ему. Про церковь тоже, вон, говорят: откупиться хочет, даёт деньги на оружие для победы. Но не из поповского же кармана она деньги эти даёт, это же народные деньги, те, что верующие добровольно жертвуют в храмы, и эти деньги от сердца».

Степан Дмитриевич вспомнил мальчика, который его подвозил на аэронартах, старшину Ведерникова, командира гужбата, что он говорил про туземцев. Не точно так, что, мол, откупаются, часть оленей отдавая на нужды фронта, а основные стада уводят по тропам на северá, но мысль по сути выражал именно эту. Он, Степан, пока скитался в этих краях, слышал не от него одного, этого неудавшегося солдата, о якобы саботаже местных, о том, что по наущенью шаманов и кулаков туземцы специально прячут оленей, чтобы страна ослабла из-за нехватки мяса и фашист её победил. Тогда, мол, снова они станут в своей тундре хозяева, этого и добиваются, мол. Так ведь всякий, кто не дурак упёртый, знает, что олени летом в холоде должны быть, их мошкá да комар ест, они от жары болеют, при чём тут кулаки и шаманы? Глупость это, испокон веку олень из тепла стремится, где холоднее.

Сердце у туземца в олене. Туземец без оленя как без земли крестьянин. Оторвёшь его от оленя — он умрёт, сопьётся, в городе жить туземцу всё равно что в могилу лечь, оседлости его не научишь. А у наших любомудров ведь как: кочевая жизнь, жизнь оленная — это не советское, это не наше. Человек должен к месту прикреплён быть. Чтобы всегда был виден, всегда был определён. Чтобы, если война, знать, куда повестку прислать, а если на войне помер — куда похоронку.

Туча всё висела, не уходила, и чем больше Степан Дмитриевич думал, тем тень от неё становилась гуще и тяжелей.

«Наши боги нынче слабее, чем русский бог, — говорил Степану Дмитриевичу Ванюта. — Русского бога жалеет ваш русский царь, который сидит в Кремле, — Сталин, он его защищает. Без Сталина русский бог был бы слабый

АЛЕКСАНДР ЕТОЕВ

сильно, слабее наших, без Сталина русского бога держали бы за колючей проволокой, с собаками бы сторожили его, как в лагере заключённых, солдаты с ружьями целились бы в него, задумай он убежать. Вот наше святое дерево — яля пя, — его Сталин не любит, он наших богов не любит, мы ему танки, самолёты не покупаем, у нас есть нечего, даже когда рыбы в воде полно, потому что норма сдачи такая, что себе только чешуя остаётся. Я спросил весной у кооператора, — говорил Степану Дмитриевичу Ванюта, — почему нам не продают хлеб, кооператор ответил: съели. „Ты ещё скажи, — сказал я кооператору, — что это старуха Пухутякоя весь хлеб съела, чтобы одолеть трёх великанов — Великана-Задерживающего-Речную-Воду, Великана-Играющего-Земляным-Островом-как-Мячом и Великана-Играющего-как-Мячом-Камнем“. Кооператор прогнал меня, сказал, чтобы я, самоед, себя вместо хлеба ел, что такие, сказал, как я, „товарищи труженики тундры — ненадёжный и несознательный элемент“».

Степан Дмитриевич глядел в синеву, сквозь которую летел гидроплан. Мысленная тёмная туча, бросающая на сердце тень, не уходила, ветру было её не стронуть. Гидроплан шатало на волнах воздуха, старенький летучий корабль, командированный царём и богом Циркумполярья, чтобы доставить Степана Дмитриевича на Скважинку, приближался к месту посадки. На западе прямо по курсу вдоль горизонта лежал Урал, протяжённая гористая вертикаль с провалами, поросшими лесом, с синими дымчатыми вершинами и сияющими на солнце снегами. К северу уходила тундра, на ненецком языке «я» — место, страна, пространство, родина северного народа. Тучка, линия ли реки, грязно-серый размыв болотца с шевелящимися на ветру тростниками — всё рождало в старом художнике соучастие этой оленьей плоскости, его «я» сливалось с тревогами «я» туземного, и получалось — «мы».

Гидроплан качнуло, как бубен, заплутавший в полёте между семью мирами, и Степану Дмитриевичу вспомнилась история про шамана, рассказанная простодушным Ванютой. В Щучьереченской тундре не было шамана сильнее, чем Ябтик Пэдарангасава, в миру Евтихий Падарангаев. В знаменитом поединке с кочующим шаманом Байыром, спустившимся в эти северные места откуда-то с высокого юга, с берегов реки Чадаан (где она, Ванюта не ведал), Ябтик три дня и три ночи противостоял заезжему гостю, и люди, наблюдавшие за их схваткой, долго потом рассказывали подробности этой битвы. Противники расположились чум в чум на расстоянии вытянутой ноги. Вход в чум Ябтика был обращён к востоку, как и положено по закону предков, вход в чум Байыра, по-чужому, был обращён на запад. Люди видели, как босые ступни шаманов упирались в ступни противника, как икры на их ногах завязывались тугими петлями, слышали, как скрипят их зубы и крошатся костяным крошевом, когда они съедали друг друга. Ябтик одержал победу, заезжий шаман ушёл.

Но вскоре после этой победы Ябтику стал являться во сне безликий и странный дух, молчаливый и пахнущий мертвечиной, — приходил и стоял подолгу, выедая невидимыми глазами из человека его твёрдую сердцевину. Уж на что старый шаман был привычен к сражениям с демонами, но теперь с наступлением ночи стал держать под рукой топор. Демон продолжал приходить, оплетая Ябтика страхом, как паук оплетает нитью угодившую в его сети жертву. Когда Ябтик тянулся за топором, безликий дух смеялся беззвучным смехом, и шаман просыпался, мокрый, отравленный удушливым воздухом, настоянным на запахе падали. Это тянулось долго, неделю, а может, две, и с каждым своим явлением дух словно бы обрастал плотью, лицо его становилось чётче, и шаман узнавал в пришельце знакомые любому черты. Жёлтые, прокуренные усы, хитрая, с прищуром, улыбка, щёки в оспяных выщербинах. Ябтик знал, кто это такой. Хорошо знал. Все в тундре хорошо знали. Был русский бог Ленин, стал русский бог Сталин, это он являлся ему во сне. Богу этому приносили жертвы — делали фигурки из лиственницы и кровью смазывали усы. Ябтик верен был привычным богам — духам предков и силам земли и неба. Видно, русский бог это знал и после победы над чужаком решил прийти и показать свою силу, чтобы другим неповадно было. И вот тогда, рассказывал Степану Дмитриевичу Ванюта, шаман Ябтик пришёл в Красный чум и ткнул ножом из священной лиственницы в большое изображение бога — сначала в левый глаз, потом в правый, чтобы ослепить бога и чтобы тот не приходил в его сон. Прошла ночь, вторая и третья, и эти ночи проходили спокойно, Ябтик думал, что одолел бога, но на исходе четвёртой ночи приехали на стойбище русские, посадили шамана в нарты и под конвоем увезли в Салехард. Русский бог победил.

— Садимся, — сказал пилот, за всё время их недолгого перелёта произнёсший не более пары слов, а тут сразу разразившись тирадой. — Держитесь за что-нибудь, можем налететь на корягу.

На корягу, слава богу, не налетели, машина мягко приводнилась на поплавки и поскользила по озёрной равнине. На причале на болотистом берегу кто-то уже махал руками.

— Гляжу я на тебя, старшина Ведерников, и удивляюсь. Умный парень, а простых вещей не можешь понять. — Замполит дивизии смотрел глазами на старшину, а рукой рисовал уродцев. — Вот ты сейчас мне сказал, что как-то вышло не по-людски, что ефрейтор Матвеев тебе сват и брат, а я, твой командир и наставник, подложил твоему другу свинью.

— Я так не говорил, товарищ полковник, — возразил старшина Ведерников и тут же был осаждён не выносящим возражений начальством.

— Какая разница — так, не так. Важен смысл, а не словесное выражение. — Телячелов привстал над столом. — Ты выполнил задание, всё сделал как надо, по-комсомольски, спасибо тебе за это. А подробности — Матвеев, там, не Матвеев, — это всё отсекаем, главное не подробности — результат. Закуривай. — Телячелов сунул руку в ящик стола, хотел вытащить из пачки казбечину, но подумал и достал «Беломор».

— Не курю я, — сказал Ведерников, — вы мне уже предлагали.

АЛЕКСАНДР ЕТОЕВ

— Предлагал, — Телячелов усмехнулся, — помню. Это правильно, что не куришь. В здоровом теле — здоровый дух.

— Товарищ полковник, разрешите спросить. — Ведерников выдвинулся вперёд, но невидимую границу, разделяющую землю и небо, переступить не посмел. — Матвеева... его ж как вызвали, так он в часть и не возвращался. Ребята спрашивают, а я не знаю, мне им и сказать нечего.

— А ты и не говори.

— Так ведь я ж... — Ведерников замолчал под тяжёлым взглядом полковника. Потом преодолел робость и, подбирая слова, продолжил: — И Кирюхин тоже ведь был.

— А что Кирюхин?

— Ну он же видел.

— Насчёт Кирюхина не твоя забота. Он, в отличие от тебя, понимает тактические моменты. Война, товарищ старшина, идёт большая война. На кону родина, наша с тобой свобода. А раз война, то всё, что ведёт к победе, надо принимать без сомнений, это, брат, не пансион для благородных девиц, не школа бальных танцев какая-нибудь, где надо выступать на пуантах. Военная хитрость, без неё на войне нельзя. Суворов, Кутузов, все великие русские полководцы понимали её значение. Без неё никакую войну не выиграешь. Ты же воин, старшина, ты — боец. Враг не дремлет, он тоже ждёт, когда ты проявишь слабость, отвернёшься на посторонний шум, на какую-нибудь веточку хрустнувшую, а это ведь сообщник его, тоже враг, намеренно той веточкой хрустнул, чтобы ты отвлёкся и отвернулся, и в тот момент как раз в тебя пулю всадят. Ты пойми, старшина, враг есть враг и вражескую сущность свою проявит не сегодня, так завтра. А чем раньше он проявит её, тем лучше для пользы дела. Поэтому и тамга на дереве. Поэтому и ефрейтор Матвеев. Туземцу свистни, он тут же наведёт тебе в спину ствол. А ты должен навести первым. Что мы с тобой и сделали. Усвоил? — Телячелов, возбуждённый собственным красноречием, зарумянился, как клюквенная настойка, разве что не заблагоухал спиртом. Закурил, выпустил змейку дыма. Затем прищурился и сказал со смыслом: — Слушай сюда, старшина Ведерников. Сегодня прилетает лауреат. *Наш*, — он выделил слово голосом, — послал за ним гидроплан. Ты наш прошлый разговор не забыл? Или напомнить? Вижу, помнишь, ну так иди и действуй, притрись к нему, покалякай, то да сё, как здоровье... Что узнаешь, сразу ко мне. Да, старшина, ещё. Туземца этого, ну ты понял, товарищ генерал приказал найти и доставить его сюда хоть живым, хоть мёртвым. Лучше мёртвым. — Телячелов подмигнул хитро́.

Глава 14

— Сено-солома? — спросил плотный рукастый дядька в новой офицерской полушинели без погон, без прочих знаков отличия, легкомысленно расстёгнутой на груди, и в выглядывающей из-под неё поддёвке, перепоясанной узеньким ремешком. Обут он был в ярко-жёлтые, издевательского цвета ботинки с подошвою немыслимой толщины.

«Барин, — подумал, глядя на него, Степан Дмитриевич. — Кустодиевская фактура. Такого б в Охотный ряд, самое бы ему там место. Что там говорил Дымобыков? „Дядька тёртый, из чулымских разбойников". Может, и из разбойников, но по повадкам всё равно барин. Фамилия вот только не барская — Хохотуев. Актёрская какая-то, скоморошья, под цвет его ботинок фамилия».

— Мох, чтобы моим скульптурам помягче было.

— Знаю, знаю, наслышан уже, — кивнул мастеру «гражданский завхоз», посланный начальством встречать, поселять и обихаживать почётного гостя. — Мне Тимофей Васильевич о тебе всё рассказал. Рза, надо же! Из белочехов? — неожиданно спросил Хохотуев.

— Почему? Из мордвы мы.

— Из мордвы вы... Надо же. А чего подался на северá?

— Я на юге уже пожил, вот решил сменить юг на север. Правда, здесь у вас тоже юг. — Степан Дмитриевич вытер ладонью лоб и символически стряхнул себе пóд ноги невидимые атомы пота. — Почти Аргентина.

— Юг не юг, а живём, слава радио, — хорошо, не хуже других живём. — Хохотуев дал подзатыльника молодому рядовому НКВД, выданному ему в помощники; у того, пока он сгружал, едва не вывалилась из рук скульптура, пусть обёрнутая в мох и рогожку, но наверняка ценная, раз руками сталинского лауреата сделанная. — Северá... Девять месяцев зима, остальное — лето. Сгружай бережно, как своё, — учил «барин» запарившегося рядового. — Сам потом рассказывать будешь детям своим, как выгружал выдающиеся шедевры искусства лауреата сталинской премии товарища Зры.

— Рзы, — поправил помощник на всякий случай.

Он был парень передовой, вершины социалистического искусства знал с необязательного кружка, который посещал до войны, состоя в ячейке Осоавиахима.

— Рзы, — согласился Хохотуев, не прекословя. — Это у меня с молодости. Мцыри — цмыри, коридор — колидор. Ухо слышит, а язык переврёт. Сразу после контузии. В речку с моста нырнул. А был лесосплав. Я о плот головой. Зато числа любые складываю в уме — даже трёхзначные. Тоже после контузии. Не той, другой, когда меня медицинская лошадь копытом стукнула.

Это после второго срока. Назови два любых числа, я сложу, — предложил он Степану Дмитриевичу.

— В другой раз, — ответил ему художник. — Ничего сейчас на ум не идёт с дороги. Тимофей Васильевич говорил про мрамор.

— Это есть. Это надо в хвостохранилище, там мрамор. Завтра сходим, я покажу, сам выберешь.

Степан Дмитриевич не стал спрашивать, что значит «хвостохранилище» и какие в нём хранятся хвосты, как до этого не спросил про радио и почему ему положена слава. Он дождался, пока солдатик не перетащит последнее упакованное в моховую перину дитятко в новую мастерскую (самому гостю деловой Хохотуев ничего таскать не позволил, даже лёгкий тючок с одеждой, — должно быть, из почтения к возрасту), и кивнул, поблагодарив.

Рубленое приземистое строение — бывший второй ШИЗО — удивило его матёрой своей кондовостью. Стены из мощных брёвен, серых, потрескавшихся по всей длине, ржавая щеколда на двери (сейчас дверь была открыта), ни единого окошечка на фасаде, над крышей покосившаяся труба, железная, ржавая, как щеколда. Карцер он представлял иначе. В далёком 1914 году (он вернулся из Парижа в Россию), в Куоккале, после тщетной попытки попасть на приём к Репину, жандармы взяли неблагонадёжного Рзу на станции и ночью увезли в Петербург; тогда-то он и познакомился с карцером, настоящим, где ни сесть, ни согнуться, где живой поменялся с мёртвым, как в гробу, поставленном на попа. Правда, через день отпустили, поставили под тайный надзор, такой тайный, что поднадзорный сразу же уехал в Москву, а из Москвы на Чёрное море. Сейчас такой номер вряд ли удался бы.

В штрафной избе изолятора, при всей её внешней непритязательности, удивительно, но было просторно. Вдоль стены тянулись двухэтажные нары, напоминание о прошлой жизни этой новой, временной, мастерской скульптора с ненавязчивым намёком на будущее. Стол из грубо подогнанных досок. Косоватая латаная печурка с чугунной дверцей и печным стояком, плотно подпирающим потолок. Несколько лампочек Ильича, единственное здешнее освещение, в линию висели под потолком.

«Темновато», — подумал мастер, но вслух жаловаться не стал.

В карцере, пусть и бывшем, Степану Дмитриевичу работать покуда не приходилось. Он прикинул высоту двери и сравнил её с будущей скульптурой комдива, вспомнив классическую историю, описанную в романе англичанина Уильяма Голдсмита, когда художник рисует по заказу фамильный портрет, и всё хорошо, семейство результатом довольно, правда, есть небольшое «но»: картина оказалась так велика, что не пролезала ни в одни двери.

«Ничего, с наклоном пройдёт», — решил он в конце концов.

Хохотуев по-хозяйски осмотрел помещение, обстукал кулаком стены, колупнул ногтем печной стояк.

— У нас лагерь хороший, для себя строили, — сказал он, улыбнувшись по-доброму. — Когда для себя строишь, то, значит, не абы как. Наш лагерь, слава радио, ещё сто лет простоит, да что там сто — тыщу. Внуки спасибо скажут, вот, мол,

наши-то батьки какую крепость для нас построили. И всё с собой, всё на своём горбу, лес по Оби
сплавляли, а потом на себе, волоком. ГУЛАГ же
хер какую деньгу подкинет, и наш брат-заклю-
чённый это понимать должен, оттого и начальники нам считай что друзья-товарищи, мы им
тоже избушки брёвнышко к брёвнышку подго-
няли, сперва им, это конечно, потом — бараки,
это уже себе. И на вышки наши ты обрати внимание, балясинки там какие — архангельский
мужик постарался, любят они, архангельские,
делать, чтобы глаз любовало.

Степан Дмитриевич кивал согласно, и Хохотуев, не снимая с лица улыбки, продолжал на-
хваливать долю лагерную:

— Сейчас жизнь, слава радио, не голодная.
Америка белым хлебом снабжает, тушёнкой. Мы
здесь, считай, всю посуду из банок из-под ту-
шёнки делаем — миски, кружки, — столько её
привозят. Осветительную аппаратуру тоже, даже
крыши кроем металлом из этих банок. Ботинки
на ногах видишь? Помощь американских братьев. Негр-рабочий снял с себя ботинки последние — и сюда, через океан, нам. «Пролетарии всех
стран, соединяйтесь», а ты как думал. Хочешь,
я тебе такие же справлю?

— Футуристские, — сказал Степан Дмитриевич зачем-то.

— Это как? — задумался Хохотуев.

— Это к слову, — ответил Рза, — вдруг наве-
яло, не обращайте внимания. А ботинки?.. Не-
ловко, право. Упал вам на голову этакий человек
с Луны — и то ему дай, и это, и в придачу ещё
ботинки. Мне и ответить нечем.

— Дай, не дай — это уж не твоя забота. Так
моё начальство распорядилось, лично сам Тимо-

фей Васильевич, — чтоб во всём тебе оказывать помощь. Я и оказываю, раз велено. Почистил тут всё, про-де-зин-фицировал. Чуешь, карболкой пахнет? Ну а насчёт «ответить»... — Хохотуев замялся робко, на тяжёлом его лице промелькнуло что-то лёгкое, как мечта. — Ты вот скульптор, монументы строишь, стату́и. — Он сощурился, заглянул Степану Дмитриевичу в глаза и вдруг выстрелил по нему вопросом: — Скажи, а ты татуировку мне сделать можешь?

Степан Дмитриевич был сражён наповал. Татуировки ему ещё никто не заказывал. Он держался пару секунд, потом не выдержал, рассмеялся.

— Не пробовал, — ответил он честно. — Я в основном по камню, по дереву. По коже как-то не доводилось. А что, у вас здесь специалистов нету?

— Были кольщики, да всех их повывели. — Хохотуев скривил лицо. — Блатной кон-тин-гент, — опять слогами выговорил он сложное слово, — кого в лагере в расход не пустили, тех на фронт, на передовую кинули, искупать кровью свои грехи. Почему, думаешь, здесь, в кандее, теперь никого не держат? Потому и не держат, что держать некого — первого штрафного хватает. От Собачьей площадки тоже осталось одно название. Как раз напротив двойки собачий питомник был, потом зона ушла чуть севернее, к самой Скважинке, к производству. Значит, татуировки не по твоей части? — Он с надеждой посмотрел на Степана Дмитриевича, вдруг тот сжалится, согласится. — Скоро ягоды пойдут и грибы. У меня в хозяйстве всё есть — для сушки, для мочения, для всего. Ты моей морошки мочёной

ещё не ел, грибов не пробовал, любишь грибы-
то? Мне и надо всего маленькую наколочку, рядом с сердцем, по фотокарточке. Марью Павловну хочу носить на груди, вечная память ей моя и
любовь. Иголки, краска — об этом не беспокой-
ся, будет. У тебя обувь какой размер?

Степан Дмитриевич не выдержал атаки и согласился.

— Как спалось на новом месте? — нарочито
бодро спросил скульптора Хохотуев, заявившись
с утра пораньше в превращённый в мастерскую
кандей.

Его бодрость была наигранная — ключик-
чайничек Тимофей Васильевич распорядился
подыскать для Степана какой-нибудь сносный
угол, с теплом и чтобы не очень тесно, но Хохотуев замотался с заботами и попросил гостя
эту ночь провести в ШИЗО, впрочем, скульптор
нисколько не возражал.

Ботинки жёлтые Хохотуев, как обещал, принёс, размер вот только вышел великоватый, но
меньшего в запасе не оказалось. Степан Дмитриевич его поблагодарил, обновку, правда, пока
обувать не стал — представил, что вот идут они
по лагерю рядышком, ботинки на обоих жёлтые
одинаково — как бананы, что опротивели ему
ещё в Аргентине, — и смотрят на них люди и думают: вот уж два попугая, два клоуна, что один,
что другой. Поставил их рядом с печкой.

Имя у Хохотуева было неожиданное — Пинай. Пинай Назарович Хохотуев — так его ве-
личали полностью. Об этом Степан Дмитриевич
узнал, когда они шли по зоне к тому самому за-
гадочному хвостохранилищу, в котором хранил-
ся мрамор. Он был коренной сибиряк, прихваст-

нул, пока они шли, о геройских подвигах своих дедов, казачествовавших ещё с Ермаком и даже, после гибели атамана, доставивших его знаменитый панцирь в дар тогдашнему казахскому хану, чтобы тот подчинился великому государю всея Руси Фёдору Иоанновичу (так именно и сказал — и «великому», и «государю», и «всея», и «Руси» — без даже тени усмешки). О себе, почему он здесь, Хохотуев высказался сурово — должно быть, чтобы Степан уверился в безоговорочном раскаянии грешника: «Я живого человека убил, партийца. Судили меня, приговорили к расстрелу. Потом расстрел отменили, дали двенадцать лет. Тот партиец, которого я убил, оказался троцкистской гнидой». Ещё Хохотуев говорил про какого-то парикмахера Измаила, который из волос заключённых валяет валенки якобы для подарков фронту, а сам за деньги сбывает эти валенки вольным на водном промысле. Но он, Хохотуев, этого парикмахера, который от слова «хер», на чистую воду выведет. Рассказывал, почему его не взяли на фронт из лагеря в сорок втором, как многих, а назначили начальником по хозяйству — за личные заслуги перед комдивом, но за какие такие «личные», он говорить не стал. Смеясь, поведал о Бен-Салибе: «Томе Джексоне, негритёнке из фильма „Красные дьяволята“, помнишь? — (Степан помнил, но смутно.) — Ну там они ещё белогвардейский обоз для Будённого захватили, он, Том, лёг тогда на дороге, как будто мёртвый, а два красных дьяволёнка других, девчонка с братом её, у которых махновцы папашу шлёпнули, как выскочат из-за горки и давай вязать всё это офицерьё, которое при обозе...»

— Сюда-то его за что? — спросил Степан Дмитриевич ненароком.

— Как за что? — Пинай Назарович удивился. — Он же эфиопский шпион, к нам сюда ни за что не попадают.

— Я однажды с эфиопом дружил, — сказал зачем-то Степан Дмитриевич в ответ. — Народ отличный, дружный, весёлый...

— Дружный, — согласился Пинай. — Только воняют очень. Негры...

И повёл рассказ о блудном сыне эфиопского народа Кадоре Ивановиче Бен-Салибе, тогда двенадцатилетнем мальчишке, теперь ему уже перевалило за тридцать. Тот сбежал с торгового корабля в Севастополе в 1921 ещё году. Сбежал просто, без особого повода, новая земля, новый мир, всяко интереснее, чем палубу драить да от белокожих начальников поджопники получать...

— Вон он, кстати, — показал Пинай куда-то в сторону, туда, где рядом с серым низкорослым бараком сидел на лавочке кто-то скрюченный с явно не европейским, проперченным, угрюмым лицом.

— Как это: заключённый и без конвоя? — спросил Степан Дмитриевич удивлённо.

— Под конвоем? Зачем ему под конвоем? Он же, слава радио, негр! Чёрный! Он же что зимой на снегу, что летом — везде заметный. У нас, товарищ лауреат, под конвоем только котлы со жратвой носют из пищеблока, чтобы по дороге не разожрали... Эй, Салиб! — крикнул Хохотуев Салибу. — Береги кости на ногах, вдруг пригодятся!

Скрюченный, что сидел на лавочке, махнул ему неинтересно и вяло.

— Скучает, — сказал Хохотуев. — Помрёт скоро. Тощий у него организм, не то что в кино. — И запел натужно и низко на мотив хорошей песни певца Утёсова «У Чёрного моря»: — «По небу полуночи ангел летел, и тихую песню он пел...»

Степан Дмитриевич глянул на Хохотуева, как на туловище, идущее отдельно от головы, подумал: «Государь всея Руси... Лермонтов... Что это за лагерь такой имени ОГПУ? При чём тут это вечное „слава радио“? И имя нелюдское — Пинай». Спрашивать не стал, постеснялся.

Хохотуев допел до звуков небес, тех, что заменить не могли, и посмотрел Степану Дмитриевичу в глаза:

— Ласточку только корми... Не забывай птичку...

— Не забуду. — Степан Дмитриевич кивнул.

И подумал: «Какую ласточку?»

— Какую ласточку? — переспросил Хохотуев, должно быть прочитав его мысли. — Ту, что живёт в кандее. Во втором ШИЗО, когда его только ещё построили, ласточка свила себе под крышей гнездо, и наш комиссар Телячелов сшибал его всякий раз: если, мол, штрафной изолятор, так и нечего, значит, шизикам на птичек свободных зырить; ну а птица всё прилетала, строила, а Телячелов всё сбивал. Лично сбивал, руками, брал какой-нибудь кувалдон и шарах по её постройке. Есть у нас такой ефрейтор Матвеев, так он сказал этой птице-ласточке, чтобы та гнездо делала не над входом, а над окном, и ласточка построила себе гнездо над окном, в ШИЗО тогда ещё окна были, и он, Матвеев, над наличником что-то там подложил такое, чтобы легче было птичий помёт снимать, и вот, когда птенцы уже улетели, как-то идут с обходом, замполит вышагивает, Матвеев с ним, офицеры, а с проводов слетают вдруг ласточки, и одна, та самая, которой Матвеев подсказал, где делать гнездо, подлетает к нему и на плечо садится. А другие над комиссаром носятся и срут на него помётом. После этого окна в ШИЗО заделали, чтобы никаких ласточек. А она всё прилетает и прилетает. Ты уж ей там крошек каких кидай, чтобы не отвыкла от человека, хотя сытно сейчас им, лето — прокорма вволю.

Так, под разговоры Пиная и терпеливые кивки его спутника они шли мимо казённых строений, по мосткам переходили ручьи, канавы с гнилой водой, стреляющей пузырями газа, и с мёртвыми водомерками на поверхности, пересекли узкоколейное полотно, положенное на песчаную насыпь, поднялись в горку, остановились передохнуть.

— Дяде Стёпе Снегодую привет! — крикнул вдруг Хохотуев и по-приятельски помахал рукой. На лавочке у свежевыкрашенного строения, где над входом ровными буквами намалёвано было «Физическая лаборатория», дремал на солнышке человек. Он был разут, ботинки стояли рядом, такие же бананово-жёлтые, как и те, что были на Хохотуеве, пальцы на ногах шевелились, должно быть в такт неслышной мелодии, звучавшей в голове Снегодуя. Веки его были закрыты. — Как лечение водами? Помогает?

Человек разжмурил глаза, посмотрел сперва на Степана Дмитриевича, потом — лениво — на Хохотуева.

— Слава радио! — ответил он коротко на тайном языке Хохотуева и снова заклевал носом.

— Уми́ще! — сказал Пинай, когда они миновали корпус. — Гигант инженерной мысли.

Воды ему лечебные прописали... бальнео... больнео... как-то так. Здесь, — он кивнул назад, на скромный корпус лаборатории, — и начальство лечится семьями, и про нашего брата не забывают. Титов Александр Андреич — золото, а не врач. Ему что начальник, что заключённый — считай что никакой разницы. Ну а чем мы отличаемся от охраны? — Он внимательно посмотрел на Степана, словно ждал от него ответа, и, не дождавшись, ответил сам. — Тем, что в отпуск с зоны не отпускают? Так меня по разным делам и в Тюмень, и в Омск посылали. В Салехард так вообще без счёта. Чем не отпуск? — Он подмигнул таинственно. — И начальники, и мы, и охрана, слава радио, в одной зоне живём. Мы от них зависим, они от нас. Возьми, к примеру, Сашу Титова, Александр Андреича, лекаря. Тоже, между прочим, пятьдесят восьмая, пункт семь. Или Снегодуя возьми, дядя Стёпа по той же статье канает. Знаешь, почему Снегодуй? Потому, что он когда-то весь наш водный промысел спас...

— Водный промысел? — переспросил Степан Дмитриевич. — Рыбу, что ли, здесь промышляете?

— Рыбу? — хохотнул Хохотуев. — Можно сказать и так. Только эта такая рыба, — Пинай вдруг перешёл на шёпот, — без которой ни одно радио не работает. Снегодуй, — продолжил он прежним голосом, — когда зимой здесь всё снегом позаносило и было ни пройти ни проехать, придумал специальный щит от заносов. Раньше как — пути и подъездные дороги в трудовой зоне ограждали глухими заборами, а вьюга всё равно их валила. Так дядя Стёпа придумал ставить вместо заборов щиты со щелью внизу. Ветер дует

АЛЕКСАНДР ЕТОЕВ

в эти щели и, как метлой, сметает весь снег с дороги. И машины, и люди теперь ходят зимой спокойно. Ещё был случай, это когда у нас теплицы построили, чтобы начальству свежие фрукты-овощи к столу подавать. И Зойка, ну то есть Зоя Львовна, комиссарова жёнка, обиделась как-то, что ей огурец из теплицы попался горький, и комиссар за это всей тепличной бригаде устроил командировку в карцер. Так дядя Стёпа что тогда накумекал: пропустил через огурец электрический ток, и стал огурец сладкий.

— Хитро́, — оценил Степан придумку местного Леонардо. — А это... хвостохранилище скоро уже?

Бо́льшую часть пространства, чем дальше уходили они в трудзону, занимали строения, строеньица и строеньища, явно не предназначенные для жилья. Над порослью худосочных лиственниц бледно дымили трубы и торчали деревянные коробы непонятного для постороннего назначения, местность становилась болотистой, чувствовалась близость реки. Тут и там по сторонам от дороги доживали свой механический век старые бурильные вышки, покосившиеся, ржавые, раскуроченные, смотреть на них было жалко, как жалко смотреть на старость в любом её проявлении — человек ли это, постройка или машина.

Белым лезвием сверкнула река, обожжённая полуденным солнцем.

— Химзавод. — Пинай показал направо, на те самые высокие стены с трубами, коптящими небо, и с транспарантом, заметным издалека. На транспаранте белыми буквами по красной кумачовой материи вытянулись в линейку слова:

«Труд в СССР есть дело чести, дело славы, доблести и геройства. И. Сталин». — А вон, рядом, дамба, хвостохранилище.

Степан Дмитриевич глянул туда, куда показывал Хохотуев, но увидел только крутую насыпь, кривой дугой отгородившую горизонт от глаз.

— Там хвосты, слава радио, туда нам не надо. — Хохотуев сменил маршрут и пошагал к вместительному сараю, пристроенному вплотную к насыпи. На сарае криво и косо (писал, наверное, Хохотуев) над самой дверью пугала надпись: «Внимание! Близко не подходить! Внутри очень злые собаки!» Ниже кто-то дописал мелом: «Врёт. Нет никаких собак».

— Сволочи, — сказал Хохотуев и, густо поплевав на ладонь, затёр дописанное.

Всё-таки Степан Дмитриевич решился и спросил поводыря про хвосты.

— Хвосты, чего непонятного, — отмахнулся было тот от вопроса, но сжалился над человеком непросвещённым и объяснил, как учитель двоечнику: — Хвосты — это отходы химпроизводства. На химзаводе работают с концентратом, который получают из скважин, а из отходов сделали ограждение, вот эту дамбу. Там, внутри, жижа, болото, там отстаивается порода, потом её снова на химзавод. А вода сливается в Коротайку.

«Коротайка, озеро Харво, яля пя, священное дерево...»

Степан Дмитриевич вспомнил Ванюту, и отчего-то засосало под сердцем. Как он там, дитя простодушное? Что с ним? Жив ли? Кочует? Как там его Конёк?

— Получай, — сказал Хохотуев, сбив с двери сарая засов.

Степан Дмитриевич заглянул внутрь и узнал Италию. С мрамором он дружил давно — и породы его различал мгновенно — на глаз, на нюх. Юрский из каменоломен Баварии — серо-голубой, бежевый, мягкий, сдержанный, успокаивающий. Палевый с розовыми прожилками — карельский, один из самых долговечных на свете. Уральский белый из-под Челябинска, чёрный першинский, добывается под Екатеринбургом, теперь Свердловск. Малиновый, очень редкий, с берегов Онеги из-под вепсского села Шокша, шокшинский, которым облицован Мавзолей Ленина. Со всеми в жизни он поработал, все любил, уважал за верность, но всем им предпочитал один — белый, из каррарских каменоломен. Наверное, виной тому, то есть благом, Микеланджело и его «Давид». Или сама Италия, царство света, отражённого от сахарных плит, белыми ступенями, древним античным амфитеатром поднимающихся к синему небу, мраморная пыль в воздухе, итальянцы в белых рубахах, усеявшие мраморные уступы, мир, ещё не знающий ни этой, ни той войны, год 1909-й.

Степан Дмитриевич тронул матовую поверхность блока — в сарае их оказалось несколько, уложенных на деревянный настил, — погладил её любовно.

— Годный камень? — спросил Пинай и ткнул жёлтым носком ботинка неповинный мраморный бок.

— Отличный! Откуда у вас такой?

— Не скажу, военная тайна. Выбирай, какой тебе больше нравится. Этот?

— Этот.

— Сегодня же и доставлю в твою кандейку.

Глава 15

Поезд шёл на Урал.

В раскрытые рты вагонов, в опущенные донизу окна, в щели, в вагонную болтовню неудержимо, как атака Чапаева, пёр тёплый июньский ветер, остуженный подступающим вечером.

Мария слушала разговоры, сама молчала, говорить было не с кем и неохота. Попутчик, мужик-немой, лыбился на её колени, выпирающие из плотной юбки, и всё старался что-то сказать, но получалось как в «Муму» у Герасима. Его сальная, заикающаяся улыбка выглядела жалко и неприлично — ясно было, чего человеку надо, чего он ёрзает и отчего протирает локти об исцарапанную крышку стола.

Пассажирский «Вологда—Воркута» едва ворочал натруженными колёсами, умирал на час, а то и на сутки, пропуская встречные поезда. Стояли часто, с Урала шли один за одним составы, гружённые углем, лесом, чем-то ещё, не видимым под тканью чехлов, с охраной, щетинящейся винтовками, с дымным следом из паровозных труб, с гудками тревожными и пугающими.

Их гражданский состав отводили на запасные пути, люд ругался вяло и матерно, но терпел, все понимали: раз война, так и терпи — что важнее, твоё личное, мелкособственническое, или наше, общенародное?

Мария слушала своё сердце, когда не досаждали попутчики, особенно весёлая компания в купе по соседству.

Война вроде, народ на фронте, а этим плевать на всё, даже военный патруль на станциях както к ним особо не пристаёт. Всю дорогу играют в карты, лаются друг с другом не по-людски — куда едут? откуда они такие? Проводник покричит на них, пригрозит ссадить раньше времени, а они смеются над стариком, говорят ему: «Тыкву спрячь. Рано на развод вышел». Тот и махнёт рукой, уберётся к себе в каморку рядом с тамбуром и туалетом. Становилось порою страшно, когда кто-нибудь из этой компании совал глаз в открытую дверь купе, особенно один шустрый, чёрненький, с редкозубой кривой улыбкой и болезненно дёргающейся щекой. Она отводила взгляд и смотрела на бесконечный лес, тянущийся за песчаной насыпью с рельсами, положенными на шпалы, вдыхала дым паровоза и те особые печальные запахи, которые только здесь и бывают, в этом шатком железнодорожном мирке, ненадёжном, как ненадёжна жизнь в жестокое военное время.

На стоянках шумная гоп-компания вываливала из вагона на волю и, если случалась станция, а не вынужденная остановка средь леса, сразу же ныряла в толпу и не появлялась, покуда состав не трогался. Тогда они запрыгивали на ходу, а после из их купе раздавались ржанье и споры, какая из всех росписей лучше — одесская, варшавская или ростовская.

Приближались к Ухте. По вагону, щекоча ноздри и дразня пустые животы пассажиров, из весёлого купе текли запахи американских консервов, чего-то сладкого с бражной примесью, густая папиросная горечь.

Мария дремала под стук колёс, проваливалась в короткий сон и тут же, как поплавок, выпрыгивала из сна наружу. Во сне она превращалась в птицу, но не понимала в какую — чувствовала давление воздуха на оперённую плоскость крыльев и собственную лёгкость и силу, которой ей не хватало в яви. Она летела вдоль железнодорожного полотна, низко, наравне с поездом, и видела в окне вагона себя. Только не ту, сегодняшнюю, с потерянным чувством радости, а, наверное, вчерашнюю, молодую, или, может быть, завтрашнюю, счастливую от встречи, чаемой в скором будущем.

Поезд спешил вперёд, птица летела рядом. Мудрая птица думала, глядя на крутящиеся колёса, что чем медленнее она живёт, тем скорее приближается к смерти. Ведь скорость движения к смерти зависит от течения жизни — чем медленней и скупее жизнь, чем слабее работа крыльев, чем реже она даёт тепла нуждающимся в её тепле, тем ближе чёрная яма, в которую проваливаешься когда-нибудь.

Глядя на женщину в окне поезда, птица размышляла о человеке: чем это нелетучее существо связано с небом, с миром. Болью в первую очередь — от пуповины, которую перерезают в детстве, до предсмертной корчи в момент кончины. «Боль, — думала птица, — то самое связующее звено между землёй и небом. Самоубийство — бритва, петля — боль физическая, которую человек нормальный перенести не в силах. Боль — их ответ за грех, за жизнь, ненужно прожитую.

Для святых — переход безбольный. Людям грешным — боль и мучения».

Справа в частоколе деревьев, обвеваемых паровозным дымом, уже сгущалась предвечерняя тьма, а за оконной рамой вагона света не было, экономили. Птица, или не птица, бисеринами холодных глаз видела, как к двери купе, где ехало её сновидение, подходит кто-то грубый, нелепый и будит женщину дурацким куплетом:

Паровоз бежал,
колёса тёрлися,
вы не ждали нас,
а мы припёрлися.

Мария вынырнула из сна, а может, продолжала быть в нём, только сон был уже другой, в таком сне не хотелось жить, в таких снах, говорила ей мама в детстве, водятся скользкие уховёртки, они заползают в ухо, прогрызают ход тебе в голову и откладывают в мозгу личинки. И после ты делаешься старухой.

В открытой двери купе стоял тот самый, нахальный, смотрел на неё с улыбочкой и облизывал языком губы. Немой, её сосед по купе, заёрзал задницей по сиденью, вынул из кармана очки и нацепил их на лисий нос. Очки были ржавые, как селёдка, которую в голый год выдавали в застуженном Петрограде. Немой стал похож на Троцкого, каким его рисуют на карикатурах. Троцкого она видела пару раз.

Отпев про паровоз и колёса, шустрый сказал немому:

— Чудо, место ослободи, я к даме.

Немой, что без дара речи трясся в поезде которые сутки, приподнял заржавленные очки,

посмотрел на шустрого из-под них, и у него про-
резался голос:

— Я — Шохин-Ворохин-Василий-Сукин
стояла звезда Стрелец до пупа человек от пупа же
конь по всему подобию...

Мария попыталась понять его восставшую
из немоты речь, но смысл прозвучавшей фразы
ускользал, как из руки угорь.

Шустрый, заполонивший вход, выкатил глаза
на её соседа. Слева и справа от его головы, как у
сказочного Змея Горыныча, повырастали новые
головы вместо срубленных мысленно её загово-
рившим попутчиком. Одна, лысая, яйцом, сказала, растягивая слова:

— Фа-а-нерку ему пра-а-бить по па-а-ня-а-
тиям!

— Всечь в бубен! — сказала другая, рыжая,
с проплешинами, как у драного по весне лиса.

Мария сидела ни жива ни мертва, как пробкой запертая в сосуде купе навязчивыми со-
седями. Чёрный посмотрел на неё, подмигнул
и осклабился. Потом нацелил глаз на немого.

— Ты, батя, этого... того... — сказал он, на-
морщив лоб. — Ты мудруешь или святой? Такими словами шпаришь... Ладно, вали, святой. Мы
люди добрые до поры до времени. В карты с нами потом сыграешь, а, Сукин-Шохин-Ворохин-
Вася? Причаливай к нам в купе. А теперь выдь
на минутку в тамбур, мне с дамой поговорить
надобно.

— Не батя я тебе, не командовай! — ответил
ему немой. — Сам выдь отсюдова, иродова порода!

Головы, лисья и яйцом, торчавшие у шустрого над плечами, сразу же обрели тела и нависли

над упрямым попутчиком. Его мигом — в две пары рук — вздёрнули над деревянной скамьёй и ударили маковкой о верхнюю полку. Раз, второй, ещё и ещё.

— Вы что делаете! — Мария вскочила с места. — Он блажной, не видите, что ли? Я сейчас проводника позову!

Она оттёрла чёрненького с прохода и заспешила вдоль вагона к проводнику. Уже у самой его запертой двери она почувствовала сильные руки, нагло обхватившие её бёдра. Марию приподняли над полом, сзади в шею задышали противно, пахло тухло, как от забродившего варева, и на весу потащили дальше.

— Пусти, сволочь! — закричала она, но чья-то жёсткая, сальная ладонь закрыла ей низ лица, и крик превратился в хрип.

Марию вынесли в тамбур.

— Познакомимся поближе, красивая, — сказал чёрный, выпуская её из рук.

Мария дышала шумно, она никак не могла опомниться. Дверь в вагон с той стороны подпирал своей тушей рыжий, дружок чернявого, — назад, в купе, хода не было. Рыжий плющился о стекло рожей и щерился острозубым ртом, предвкушая веселье. Вход в соседний вагон был заперт от самой Вологды по неизвестной причине. Из поезда на ходу не спрыгнешь. А справиться с этим выродком ей явно не хватит сил.

Неприлично вихляя задом, тот картинно наступал на неё.

— Рыбинка, покажь своё сердце. — Он расстёгивал на ходу штаны. — Любови жажду большой и чистой, только побыстрей, не то лопну.

Вонь в тамбуре стояла суровая. Туалет не работал уже с Микуни — загадили, — и проводник, чтобы не мучились пассажиры, поставил в тамбуре большое ведро. Она косо глянула на него — это было её спасение. Или, наоборот, — смерть.

— Пошёл ты!.. — плюнула Мария словами в этого козла похотливого, подхватила с пола ведро и одним сильным движением опрокинула его на голову кучерявого.

Лицо рыжего наблюдателя за стеклом стало как посмертная маска.

— Она его зашкварила, сука! — крикнул он кому-то в вагоне, видно третьему в их компании, тому, что с головой яйцом. — Опустила!

«Вот и всё, — сказала себе Мария, — сейчас меня будут убивать».

Рыжий дёрнул на себя дверь, хотел сунуться в загаженный тамбур, чтобы покарать суку, но тут состав затормозил с лязгом, и рыжий, не устояв на ногах, повалился на грязный пол и проехался животом до стенки.

Дальше всё завертелось, как колесо. Поезд стал, снаружи орали громко, дверь открылась, крикнули: «Стоять! Никому не двигаться!» — и в вагон впрыгнули военные с автоматами и с красными погонами на плечах. В тесном тамбуре стало совсем тесно, синещёкий офицер с маузером орал так, что уши спирало: «Сымай ведро, гадина хитрожопая!» — и рыжему, что скрючился на полу: «Ты, а ну подымайся, гнида!» Часть бойцов рванула по проходу в вагон, и там, слышала Мария будто в тумане, шумно уже возились и слышны были удары твёрдым во что-то мягкое.

— Вы, гражданка, пройдите к себе на место, — сказал офицер Марии, и она, гадливо ступая по нечистотам, ушла в вагон.

Тут же объявились пассажиры с проводником. Откуда они взялись? Где были до этого? Прятались по полкам? В сортире? Забегали по вагону, запричитали, пока строгий офицер с маузером не приказал: «Всем сесть по своим местам! Проверка документов, мать вашу!» Проверили только соседа Марии, долго разглядывали его бумаги, потом офицер сказал: «Давай с нами, тьма тараканская», — и его увели с ними.

До Чума она добралась спокойно, без приключений, оттуда до места было рукой подать — всего-то перевалить Урал.

Глава 16

Степан Дмитриевич колдовал с мрамором, намечая в нём узловые точки, от которых побегут линии будущей монументальной фигуры. Коротко повизгивала фреза, мастер вслушивался в её звучание, поэтому он не слышал, как дверь мастерской открылась и от порога царственной поступью внутрь проследовал Тимофей Васильевич.

— Гляжу, обживаешься помаленьку, — оценил он взором хозяина подведомственное ему хозяйство. — Бородёнку, значит, решил оставить, не послушался, значит, мудрого командира?

— Забыл, вот, честно, запамятовал, сборы, всякая суета. — Мастер остановил фрезу, и руки хозяина и работника встретились в обоюдном приветствии.

— Ладно, не препятствую, пусть растёт. Может, оно и к лучшему. Помню, в тридцать первом году меня с Окой Городовиковым повернули, так сказать, лицом к технике, направили от Военной академии имени товарища Фрунзе в Третий авиационный отряд имени ивановских рабочих на учебно-боевую лётную подготовку. Летаем мы на эр-пятых, учимся, а самое трудное тогда было — это работать с кошкой, ну такой специальный крючок для получения донесений с земли, опускаешь его к земле, цепляешь пакет за петлю и тащишь его наверх, в кабину. Та ещё, скажу тебе, работёнка. И как раз к нам в авиаотряд прибывает лично сам товарищ Будённый с группой лиц высшего начсостава проверять, как мы справляемся. Мы с Окой с Семёном Михайловичем в Гражданскую столько шашек о головы беляков притупили, не сосчитать сколько, а тут, на смотре, не запанибратствуешь, тут не застолье, чтобы вспоминать о былых походах, тут личное своё умение показать надо. Я-то кое-как справился, на четвёрочку, а вот Ока, когда кошкой пакет цеплял, вместо донесения словил фуражку старшего инструктора товарища Борисенко, и ветром её снесло прямёхонько к ногам начсостава. На разборе полётов вызывает Будённый к себе Оку и говорит: «Я, дорогой Ока, тебя безмерно ценю, но самолёт — это тебе не кобыла с крыльями, это главная боевая сила в новой, современной войне, поэтому приказываю тебе, дорогой Ока, несмотря на всё моё к тебе уважение, сегодня же сбрить усы, лишаю тебя за серьёзный промах права носить их на твоём геройском лице». Тут Ока побледнел смертельно и твёрдо заявил: «Нет». И это не кому-нибудь, а члену правительства, представителю Реввоенсовета СССР! То есть нет, не сбрею, и баста, хоть меня из партии прогоняй. Будённый молчал, смотрел, вроде бы как хмурился, недовольный, а после хлопнул старого товарища по плечу, рассмеялся и говорит: «Я ж это, Ока, пошутил. Оставайся как есть, с усами. За твёрдость твою в этом вопросе выражаю тебе своё глубокое уважение. А теперь ступай в самолёт, исправляй свою сегодняшнюю оплошность, и чтоб фуражек ко мне больше не прилетало». — Тимофей Васильевич расцвёл от собственного рассказа, приятно, видно, было ему памятью возвращаться туда, куда уже не дойдёшь ногами. Даже шрам на его щеке подобрел, порозовел, сделался мягче. — Это я так, к слову. Времени у меня на тебя ровно час сегодня. Дел до дури... — Дымобыков сразу же посерел, посерьёзнел, заговорив о делах. — Баржа эта ещё...

— Баржа? — поинтересовался Степан Дмитриевич приличия ради.

— Баржу вчера на Оби взорвали. Баржа небольшая, «Нацменка», на двести тонн, но факт опасный. Ударили, похоже, торпедой. С немецкой подводной лодки. На уши всех подняли. Не понос, так золотуха. — Дымобыков махнул рукой. — Ну и как мне перед тобой позировать? Стоя?

— Необязательно, — улыбнулся Рза. — Походите туда-сюда, потом постойте, повернитесь боком, спиной... всё в произвольной форме.

— Ага, — кивнул Тимофей Васильевич. — «Походите туда-сюда». Будет, значит, статуя ходока. Герой Советского Союза генерал-лейтенант Дымобыков на пути в деревню Кукуево. Давай я ещё посох в руку возьму. — Он вытянул перед собой руку и сжал кулак, будто бы держал посох.

Степан Дмитриевич усмехнулся в бороду, быстро вытащил огрызок карандаша и на чистом клочке бумаги, положенном для твёрдости на фанерку, что-то зарисовал.

— Вот уже и позируете, — сказал он, не убирая с лица улыбку. — Вообще делайте что хотите. Стойте, сидите, разговаривайте, я вас рисовать буду. Движения, мимику, такая у меня с вами будет работа. С камнем — это работа уже без вас, камень как девушка, стыдится на людях раздеваться.

— Красиво сказал — «как девушка». Ты ещё и поэт.

Дымобыков легко освоился с работой натурщика. Похаживал деловито «туда-сюда», как ему было сказано, говорил без умолку, пока карандаш художника бегал «туда-сюда» по бумаге.

— Замок дверной у тебя хлипковат, такой сковырнуть недолго, — осуждал Дымобыков дверной замок, вертя его так и этак и ковыряя пальцем в замочной скважине. — Замок вору не зарок. Я тебе часового поставлю, чтобы, не ровён час, какой-нибудь местный чмырь сюда к тебе не залез. Народ в зоне ушлый, враз инструмент потырят — для ножей или так просто, на всякий случай. Есть у нас такие умельцы, что если за ними не уследишь, сделают самолёт из чего угодно, хоть деревянный, улетят отсюда за милу душу, и ищи их потом свищи. Эти гаврики только о том и думают, как сбежать половчей. Помню, было дело в Инте, лес валили под шахты. Так они своего дружка-корешка в кору еловую завернули, с торцов по кругляшу вставили и в кузов трёхтонки положили вместе с остальным лесом. По пути на станцию, где брёвна на платформы перегружали, этот молодец и сбежал из кузова. Поймали потом, конечно, от наших хлопцев куда сбежишь...

— Замрите на секундочку, постойте вот так, не двигайтесь. — Степан Дмитриевич останавливал мгновенье как мог, фиксируя на ненадёжной бумаге ускользающее движение жизни, чтобы после сиюминутное, ненадёжное перенести отсюда и в вечность.

— Ёксель-моксель! — Тимофей Васильевич углядел генеральским глазом жёлтые ботинки у печки — не то взятку, не то подарок, не то плату за будущую наколку, — принесённые вчера Хохотуевым. — Обул, обул-таки тебя, бесов сын. Ботинки сунул, а крова тебе так и не предоставил. Я же ему сказал, что человек государственный, знаменитый, уже в годах, такому нужен тёплый ночлег, а он тебя здесь заморозить решил...

— Тимофей Васильевич, дорогой, да я сам его попросил об этом. — Степан Дмитриевич вступился за Хохотуева. — Я уж здесь, при детках своих, — он ласково оглядел скульптуры, — я их грею, и они меня греют. Это моя семья.

— Семья... — Глаза Дымобыкова затуманились, но длилось это недолго. Негоже думать властелину Циркумполярья о каких-то сердечных ценностях, когда есть ценности поважнее, к которым он приставлен правительством. — Живи, Степан Дмитриевич, я не против. Только как-то это неправильно такому уважаемому человеку, как ты, в карцере-то, пусть бывшем, будто ты какой лагерник. Ложе вон, смотрю, на нарах себе устроил.

— Я не жалуюсь, я человек привычный — где только в жизни не ночевал.

— Раз решил, так решил, не под конвоем же тебя отсюда в тепло вести. Да, — вспомнил снова Дымобыков о Хохотуеве, — мой Пинай не слишком в душу въедается? Если что, ты ему окорот давай, он ведь тот ещё хитрец, мой Пинай, на людях ананья, а в доме каналья, любого оседлает, как лис медведя.

— Что вы, что вы, Тимофей Васильевич! Товарищ Хохотуев очень даже меня выручает. — Он зачем-то посмотрел на ботинки, что тихонько подрёмывали у печки, и тут же переместил взгляд, чтобы Дымобыков не подумал ничего лишнего. — Вот с хвостохранилищем давеча познакомил. Мрамор привёз. Хороший, настоящий каррарский, сам к рукам идёт, когда с ним работаешь. Откуда у вас такой?

— А... — Тимофей Васильевич отмахнулся от вопроса, как от докучливого комара какого-нибудь: что, мол, тебе за разница? Я же здесь царь и бог, и каких только сокровищ не хранится в моих чертогах. — Слушай, я вот смотрю, ты всё на клочках рисуешь. Хочешь, я тебе бумаги пришлю? У моих особистов бумаги много, они ей даже задницу подтирают. Прислать?

— Хорошо бы, — обрадовался предложению Степан Дмитриевич, — с бумагой у меня туго.

— С бумагой у всех туго, во всём Советском Союзе, люди вон на обоях, на бумаге для убивания мух докладные пишут, а в Салехарде в начальной школе заменили тетради оконным стеклом — снимают полировку, делают стекло матовым и пишут, чтобы можно было стирать. Но для важного дела почему бы не подсобить с бумагой? Всё, Степан Дмитриевич, напозировался я, на сегодня хватит. — Дымобыков одёрнул китель. — Когда приду в другой раз, не знаю. Через Пиная тебе сообщу или пришлю кого-нибудь. Да, ещё, чуть не забыл, голова садовая. Скоро мы ждём гостей. Авраамий Павлович Завенягин будет у нас с визитом. Замнаркома внутренних дел товарища Берии, ну и добрый мой приятель по жизни. В общем, надо подготовиться по-достойному.

Футбол хочу организовать. Люблю футбол, особенно мудиться. — Дымобыков сам же и рассмеялся своей заёмной пацаньей шутке. — Спектакль показать хочу. Артистов у нас хватает, пол-лагеря, почитай, артисты. Я по этому случаю хочу тебя, Степан Дмитриевич, попросить. Клуб у нас не ахти какой, сцена для спектаклей не предназначена, но хочется в грязь лицом не ударить перед дорогим гостем. Не в службу, а в дружбу, помоги нам оформить сцену. Не то что у нас художников нет, художники есть, имеются, но я им, если честно, не верю, заумные они все какие-то, нарисуют кубы с квадратами или, там, каких-нибудь херувимов, и красней потом за это художество. Ну что, Степан Дмитриевич, не откажешь?

Степан Дмитриевич отказываться не стал.

Телячелов, яко лев рыкающий, запечатанный в железную клеть, метался по кабинету от стенки к стенке. События последних дней, часов, даже минут требовали решительных действий. В руки замполита дивизии счастье пёрло, как в сытые времена пёрла рыба на нерест вверх по сибирским рекам.

«Мандаладочка моя, мандалада», — пелось в голове у Телячелова. Мандаладу он переиначивал в мандолину, сладкой музыкой играло словцо, венецианскими прохладами веяло от него. Настало время собирать камни, чтобы выстрелить из пращи прицельно по медному истукану Циркумполярья.

Хорошо иметь нужного человечка в районном аппарате госбезопасности. «Индикоплов, я ведь даже имени твоего не знаю, только звание.

Были вместе когда-то в Саратове, залопатили тогда завкафедрой не помню уже чего — то ли марксизма-ленинизма, то ли языкознания. Жаль, я тебе табачку не дал, когда мы в Управлении встретились, пожадничал, каюсь. В следующий раз дам».

Информация была сказочная. «Обнаружен немецкий след», — рассказал Индикоплов по телефону. Далее он поведал Телячелову, навострившему, как овчарка, уши, о немецкой подводной лодке, потопившей в Обской губе «Нацменку». Рассказал об аресте гидрографической экспедиции Северного морского пути во главе с её начальником Плюсниным. «Другой у них начальник, другой!» — проорал про себя Телячелов, услышав такую новость, но вслух орать не решился. Индикоплов фигура тёмная, неизученная, хоть и знакомый. Вроде пешка, но пешка, бывает, проходит в дамки и становится дамой пик, а это чревато. «Резидент, понимаешь, — шептал Индикоплов в трубку, — германских разведывательных органов, по их заданию действовал. У нас тут такое делается!.. Этим чмурикам, Плюснину и его „гидрографам“, фрицы приказали поднять туземцев Щучьереченской и Тамбейской тундры, чтобы потом восстание перекинулось на Ямал и далее, на всё побережье. Мандала-а-а-ада-а-а, — пропел Индикоплов в унисон с мыслями в голове Телячелова. — Они из местных организовали целые воинские подразделения, немцы им на подводных лодках оружие поставляли — и нарезное, и гладкоствольное. Меркулов в курсе. Быков и Гаранин уже работают».

«Гаранин — рука Меркулова. Это плюс. Медведев и Быков тоже. Это уже три плюса. За Дымобыковым стоит Завенягин, считай что лично министр Лаврентий. Это минус, длинный минус, плохой. Но Лаврентий — это НКВД. А Меркулов — МГБ, это плюс. Если коротко — молот и наковальня. Думай, думай, — торопил себя замполит. — Это шанс, пан или пропал».

— Слушай, есть тут у меня человечек, — как бы походя обронил Телячелов, — старшина Ведерников — может, слышал? Нет, не слышал? Ну и не надо. Бдительный боец, наблюдательный, побольше бы таких, как Ведерников. Он недавно изложил мне свои наблюдения, личные. Да такие, аж дух захватывает. Имена там некоторые всплывают, очень интересные имена. И похоже, это связано с мандаладой. Я пришлю тебе его бумагу с курьером или привезу сам. Разберись и передай кому следует.

— Пиши. — Телячелов положил лист бумаги Ведерникову под нос. — Я, такой-то, такой-то... Написал? Пиши дальше. Будучи командируемым... Стой, не пиши. Будучи откомандированным в Салехард по поручению...

— Будучи — вместе или раздельно?

— Ты какую оценку в школе по русскому имел, грамотей? Кол, небось? Вместе, слитно пиши. По поручению генерал-лейтенанта товарища Дымобыкова...

— Товарищ генерал-лейтенант ничего не поручал мне...

— Поручал, не поручал, ты пиши.

— Не стану я такого писать, чего не было.

— Значит, так, старшина Ведерников. Ты гостайну врагу продал, а я тебя, получается, покрываю. Мне ничего не будет, если даже и дойдёт до ОСО, а у тебя, старшина Ведерников, такая весёлая жизнь начнётся, что любому подконвойному позавидуешь, если, конечно, останется чем завидовать. Пиши давай.

Старшина чуть ли не с час с потным лбом и обкусанными губами мучился над Телячеловым диктантом, а когда отмучился наконец и полковник спрятал плод его мук в папку с грифом «Секретно», встал из-за стола, чтобы идти.

— Слушай, — придержал его комиссар, — ты ступай сейчас в гости к лауреату. Товарищ генерал-лейтенант затеял сделать в нашем клубе концерт, и лауреат у него вроде за оформителя. Ты сопроводи его в клуб, покажи место, поговори, может, что полезное и услышишь. Скажи, что по поручению товарища генерала. Усвоил, старшина? Да, зайди заодно в посёлок, отнеси моей подарок от тёщи. Посылка прилетела сегодня с утренним гидропланом. Домик мой знаешь где? — И сунул ему в руки посылку.

За глаза, между знакомыми, Зойка, официально Зоя Львовна Телячелова, в девичестве Зильбертруд, супруга замполита дивизии, пробурчала неразборчиво из-за двери:

— Заоди, заоди, не за́пе-е-ето.

Старшина понял, что вроде бы его приглашают в дом, и вошёл, пошаркав сапогами перед порогом. В руке он держал оштемпелёваный коричневым сургучом деревянный ящик с посылкой.

— Старшина Ведерников по поручению товарища полковника...

— Ладно, кончай с товаищем... — Хозяйка была в шёлковом халате с драконами, волосы заколоты гребнем, изо рта, как из гривы дикобраза, во все стороны торчали иголки, оттого, похоже, дикция её и хромала.

На столе перед Зоей Львовной лежало тёмно-синее галифе, исчирканное белым мелком, лежали нитки, ножницы, сантиметр портняжный. Зоя Львовна работала.

Комната выглядела культурно, оценил Ведерников обстановку. Портрет Сталина на стене, под ним комод, простой, не резной, светлого дерева, лакированный. На комоде, на верхней крышке, томики сталинских сочинений мягко светились красным. Но особенно приглянулся старшине пол — он был ровно выкрашен под паркет, а середина его, там, где за столом сидела хозяйка, изображала ковёр.

Зоя Львовна выплюнула на стол иголки.

— Проходи, старшина, что встал-то, как неродной? — Речь хозяйки обрела норму.

Зоя Львовна обошла стол и изогнулась перед старшиной лебедью. Драконий глаз, узкий и опасный, как нож, смотрел на Ведерникова с шёлкового её халата, и от этого драконьего взгляда старшину вдруг одолел страх.

Он протянул хозяйке посылку:

— Вот, велено передать. Товарищ полковник... — Он осёкся, ощутив взгляд, которым ела его хозяйка.

Взгляд был липкий, сахарный и опасный, такой же, как глаз дракона.

— Раз велено, передай... — Она приняла у Ведерникова посылку, не глядя поставила её на пол и запихнула ногой под стол.

Хозяйкина нога была белая, утыканная чёрными волосками, она вылезла из полы халата и не спешила возвращаться назад.

Ведерников уловил на себе взгляд Сталина с висящего на стене портрета. Немой укор был на лице вождя. Ему, Ведерникову, укор. Сталин что-то говорил со стены, но воздух в комнате был душный и плотный, через такой не то что слова, через такой пуля не пролетит. Да и не понял бы старшина Ведерников, когда б упали в его уши слова вождя: «Не желай жены ближнего твоего, ни раба его, ни рабыни его, ни вола его, ни осла его, ничего, что у ближнего твоего». Потому что в советской школе не проходят заповедей Господних.

— Ой, солдатик, — Зоя Львовна оглядела Ведерникова в области от колен до паха, уже не сахарно, а цепко и делово, как портниха будущего клиента, — такой молоденький, а галифе стариковское. Как у муженька моего. Надо, надо его ушить, возьму недорого, не пугайся. — Она встала перед старшиной на колени и подвернула ткань на его штанах в самом широком месте. — Вот так, и станешь совсем красивый, совсем-совсем. — Зоя Львовна посмотрела на него снизу вверх. — Хочешь стать красивым, солдатик? — И снова глаза драконьи. — Намётку можно сделать прямо сейчас. А, солдатик, чего время тянуть?

Глаз драконий притягивал, как фонарь обречённую на погибель моль. Старшина, притянутый силой взгляда, опустил голову и обжёгся. Поверх шёлка, поверх драконов лежала, выбившись из выреза на халате, переспелая грудь хозяйки, та, что на стороне сердца. Одиноко коричневел сосок островком на нерасписаном глобусе. Грудь хозяйки подпрыгивала от вздохов. Зоя Львовна дышала грудью.

В мозг прокрался голос Кирюхина: «Где бабы, там проституция и разврат». И далее, про офицерский посёлок: «...ушивает и зауживает штаны, ну и коли человек ей приглянется, то она, когда мерку с него снимает, станет перед ним на колени, портняжным метром притянет его к себе и шурует пальчиками где надо. Ну а далее знамо что...»

Грудь томила, Сталин стращал с портрета, комсомольская совесть выла, подмигивал глумливо Кирюхин, Телячелов, замполит дивизии, целился ему прямо в сердце из дуэльного пистолета Токарева.

— О-о-ох, — вздохнула Зоя Львовна протяжно, — нездоровится мне что-то сегодня. Прилягу. Старшина, помоги. — Покачиваясь, она встала с коленей и, обвив Ведерникова рукой, повлекла его в соседнюю комнату.

Обстановка здесь была подомашнее. Шкаф, горшки с цветами на подоконнике, у стены высокая оттоманка. К ней-то Зоя Львовна и двинулась, постанывая и прижимаясь к Ведерникову. Тот шёл, как заводная игрушка, но пружина внутри слабела, и завод, сержант это чувствовал, ещё немного, полсекунды — и кончится. И будет тогда холод и мрак.

Зоя Львовна легла на ложе, нога свесилась, халат распахнулся...

В первый раз он увидел *это*. Кирюхин и другие ребята из тех, что пообтёртей, поопытней, расписывали во время отбоя во всех деталях женские интересности. Ведерников жадно слушал, было стыдно, сладко и... как-то гадко. Он прятал за жеребячьим ржанием свой юношеский, невинный стыд, чтоб, не дай бог, не подумали: а сержант-то наш целка, а не мужик.

То, что он увидел сейчас, ничуть не походило на то, о чём ему рассказывали в казарме. *Это* было страшное, волосатое, со спутанными седыми клочьями, слипшимися над влажной начинкой, пахнущее прелью, кошатиной, но — манящее, притягивающее, влекущее, порождающее сладкую темноту, обволакивающую сердце и разум.

Зоя Львовна что-то ему шептала, он не слышал, слух заложило тоже. Сквозь глухоту просачивалось отрывочно:

— Мой-то... Не живёт со мной уже год... Радий, особое производство... Изменяет он мне, вот и радий... Завёл себе молодую, себя на неё расходует... Одинокая я, бобылка при живом муже... Знаю, кто она, знаю... Лейтенанта Сердюкова супружница... «Ко-ко-ко» перед мужиками да «ко-ко-ко»... Курица, яйца несёт им, можно подумать... Я как в бане на неё погляжу — ни стати, ни жопы, только дыра мохнатая... И чего в таких мужчины находят?..

Старшина почувствовал её руку, впившуюся в его запястье. Ощутил под своей рукой, направляемой рукой Зои Львовны, скользкую горячую мякоть, пульсирующую под его движениями.

— Ну же, — торопила она. — Утоли моё одиночество, старшина.

Дыхание у Ведерникова сбивалось, мешал дышать непроходимый комок, застрявший в основании горла. Он пробовал его проглотить, но комок был тугой и горький, и с каждым погружением пальцев в набухшую и потемневшую плоть он делался всё туже и горше, а когда Зоя Львовна вскрикнула, комок вышел из старшины наружу вместе с содержимым его желудка.

Пинай бывал у скульптора по несколько раз на дню. Обеспечил Степана Дмитриевича талонами на питание в столовой военного городка — посёлка, как здесь его называли, — но художник попросил Хохотуева, если можно, доставлять ему еду в мастерскую. Не хотелось лишних встреч и знакомств, тем более что весть о его приезде наверняка распространилась уже повсюду. Выходил он из мастерской мало — наработавшись, отдыхал на нарах, приглядывался к оживавшему мрамору, забывал про отдых и вскакивал, чтобы чуть подправить скульптуру или что-то в неё добавить. Пару раз прогулялся по городку, заглянул в лавку, покупать ничего не стал, хотя талоны и деньги были, дошёл до трудовой зоны. Никто его на прогулках не останавливал, даже люди в военной форме, хотя многие скашивали глаза, увидев бородатого старца, свободно перемещающегося по зоне. Должно быть, решил художник, есть негласное распоряжение начальства не чинить ему особых препятствий.

Хохотуев в очередной визит напомнил Степану о татуировке. Решили приступить тем же вечером.

Степан Дмитриевич работал с мундиром, размечал на мраморе те места, на которых нужно расположить награды. Занятие было муторное, наград на Тимофея Васильевича за долгие годы службы напáдало что звёзд в августе, и художник обязан был чётко распределить, в какой последовательности им сиять на груди героя.

Хохотуев явился, как договаривались. Принёс тушь, иглы, плотный кусок картона, выложил всё это на стол-верстак, сработанный собственноручно Степаном Дмитриевичем, потом бережно вытащил из-за пазухи тощую книжицу в переплёте, раскрыл, страниц в ней не оказалось, а была вложена старая фотография, матовая, с зубчатыми краями.

Пинай Назарович Хохотуев ласково посмотрел на снимок, также ласково погладил его и сказал потеплевшим голосом:

— Марья Павловна моя ненаглядная, прости мне грехи мои вольные и невольные.

С фотокарточки смотрело молодое улыбчивое лицо, женщине было где-то лет под тридцать, не более. Хохотуев передал снимок Степану Дмитриевичу, вздохнул и начал оголяться до пояса.

— Мать честная! — вырвалось у художника, когда глазам его предстала картина, достойная любого музея живописи. — Где же это вас так, дорогой? Когда же на вас столько всего успели?

Тело Пиная Хохотуева от пояса по самые плечи было синё от татуировок. Но не это удивило Степана Дмитриевича, удивило его другое. Не увидел он на могучем торсе, над которым ему предстояло сейчас работать, ни привычных профилей вождей мирового пролетариата, ни крестов на куполах церквей Божиих, ни верной сыновней клятвы «Не забуду мать родную», ни прочей нательной классики. Зато плыл здесь в лодочке кучерявый Пушкин в обнимку с красавицей Гончаровой на фоне плавающих в пруду лебедей. Другой Пушкин, уже поопытней и постарше, дрался на дуэли с Дантесом. Одет Дантес был в форму лагерного охранника и вместо дуэльного пистолета держал в руке пистолет Макарова. Третий Пушкин тоже целился и стрелял, но из двустволки в лопоухого зайца. А богатырскую грудь Пиная охранили, как Русь святую, васнецовские «Три богатыря».

Степан Дмитриевич застыл в молчании, зачарованный этим зрелищем. Такого чуда ему видеть покуда не доводилось. Нет, на татуировки он насмотрелся вдосталь, и здесь, на родине, и там, за границей, но подобного обилия Пушкина — до сегодняшнего дня никогда, Пинай Хохотуев был первым.

— Сам Черномор работал, — пояснил обладатель чуда, заметив, с каким жадным вниманием скульптор разглядывает картинки. — Московская школа.

— Чувствуется, работал мастер, — поддакнул Степан Дмитриевич охотно. — Кто это — Черномор?

— О-о-о! — Лицо Хохотуева озарилось внутренним светом, с таким почтением он протянул своё «о». — В миру Евдоким Махотин, а среди своих — Черномор. В лагере на него молились, выше авторитета не было. Пушкина читал наизусть, Пушкина любил сильно. Как начнёт, бывало, в бараке это вот, про Руслана... — Пинай напыжил щёки, выкатил из-под век глаза и прочитал гробовым голосом, задрав голову к поднебесью:

> Руслан подъемлет смутный взор
> И видит — прямо над главою —
> С подъятой, страшной булавою
> Летает карла Черномор... —

так никто не шелохнётся, не выматерится, пока Черномор читает. Лучший был в Союзе по татуировкам. Такого Пушкина больше никто не сможет. — Пинай вздохнул печально, низко опустил голову и погладил кучерявого Пушкина, тоже опечалившегося как будто. — Нету его уже, в сорок первом погиб в штрафбате.

— Интересная история, грустная. Но, Пинай Назарович, дорогой, куда ж я помещу вашу Марью Павловну? — Степан Дмитриевич развёл руками. — Здесь у вас и так целый Лувр и Ватиканский музей в придачу.

— На сердце её хочу, чтобы слышала, как оно страдает.

— На сердце занято, на сердце вашем Алёша Попович с луком и стрелами. И вокруг сердца занято, — сказал Хохотуеву Степан Дмитриевич, читая выколотую возле левого соска надпись.

«Не трожь его, оно и так разбито», — сообщала она.

— Тогда давай на спине. На сердце, но на спине. Там тоже услышит.

Хохотуев повернулся спиной, здесь живописи было не меньше, но попадались необитаемые участки кожи.

— Ну разве что на спине, — согласился скульптор. — Хотя и здесь как в галерее Уффици.

Степан Дмитриевич приступил к работе, в общем-то не такой и сложной: чего в жизни ему только не приходилось делать по части художнической — и заборы красить, и копировать мастеров Возрождения.

Тушь была у заказчика хорошая, китайская тушь. Иглы были новые, медицинские. Степан Дмитриевич набросал на дублёной коже контуры лица с фотографии. Можно было это сделать на трафарете, на толстом куске картона, Хохотуев такой принёс, но решили обойтись без него. Самый больной момент клиент перенёс спокойно, иголочки уходили в кожу почти бескровно, настолько были остры́. Через час всё было готово; Марья Павловна, неувядающая любовь Пиная, прислушивалась к биению сердца верного своего кавалера.

Наколочка получилась ладная, Степан Дмитриевич остался доволен — и новую профессию освоил, и человеку хорошему угодил. Хохотуев тоже светился весь, жалел только, что сам не видит, — зеркала, чтобы самому оценить работу, в мастерской не было.

— Завтра товарищ Дымобыков пожалует на примерку, велел передать, что будет, — сообщил, прощаясь, Пинай.

Но стоял, не уходил, теребил на груди пуговицу, явно что-то хотел сказать и не говорил, молчал.

Видя это, Степан Дмитриевич деликатно заметил:

— Сейчас ниточка на фуфайке лопнет, пуговка и отвалится.

— Я, — замялся, засмущался Пинай, — что спросить хочу у тебя...

— Что же?

— Ты вот чаешь воскресения мертвых и жизни будущаго века? — Лицо Пиная мучительно исказилось, с таким трудом дался ему вопрос. — Чаешь? А?

Вопрос был неожиданный, будто выстрел. Что на такой ответишь? Скажешь правду — непонятны последствия. Что у этого Хохотуева на уме? Хотя вроде человек он хороший, в людях Степан Дмитриевич разбирался.

«Чаю?» — спросил он у самого себя, видя, с каким напряжённым взглядом ждёт его ответа Пинай. Собственно говоря, и Степан Дмитриевич чувствовал это кровью, он был и так уже частью жизни этого «будущаго века», немаленькая его частица была давно уже там, в тех невидимых для глаза местах, где нет мёртвого, где только живое, где всё напитано божьим светом. Где живые его дети, созданные его трудом, все эти кикиморы и святые, грешники и воины-победители, где даже будущая статуя Дымобыкова имеет право пребывать в святости. Но разве о таком скажешь? Себе-то не всегда говоришь, а другим зачем?

Не дождавшись, Хохотуев продолжил сам, и второй вопрос прозвучал не как выстрел — как канонада:

— В жизнях будущаго века, когда тело человеческое воскреснет, татуировка останется на нём?

Вопрос сразил Степана Дмитриевича вповал. Он хотел было отделаться шуткой, но едва приоткрыл рот, как за дверью раздался голос:

— Товарищ Рза, можно к вам? Это я, старшина Ведерников, помните, я вас подвозил? У меня дело до вас.

— Как не помню, конечно помню. — Степан Дмитриевич возблагодарил Господа, что не придётся отвечать на вопрос — пока, во всяком случае, не придётся. — Милости прошу, заходите.

Командир гужбата НКВД боком сунулся в мастерскую Степана Дмитриевича. Был он бледный, вид имел болезненный и помятый, на лице под левым глазом набух синяк, свежий ещё, не синий. Увидел Хохотуева, оробел совсем, хотя подумать: на общественной лестнице Хохотуев и он — два полюса. Хохотуев — обыкновенный зэк, да хоть бы с правом перемещаться без сопровождающих, он, старшина Ведерников, — лицо, законом уполномоченное таких вот субчиков стро́жить и конвоировать. Разница была ощутимой. Только чувствовал старшина Ведерников: разница-то, конечно, разница, да мало что та разница значит. Исходила от заключённого Хохотуева некая магнитная сила, которая притягивала одних и, как поджопник, отпихивала чужих — да так отпихивала, что кто-то плевался кровью. Даже воровские авторитеты, рассказывали старшине старики, не считали его за ссученного и соседствовали с Хохотуевым мирно. И правильно, говорили, делали.

Войдя, старшина Ведерников потоптался за порогом, помялся, постррелял глазами по сторонам, — видно, не ожидал служивый, что застанет лауреата с кем-то.

— Здравствуйте, — сказал он Степану Дмитриевичу.

Хохотуева он как бы и не заметил.

Пинай мгновенно преобразился, сменил на лице картинку, перешёл с трагедии на лубок.

— Здравствуй-здравствуй, друг мордастый, — сказал он в рифму. — Ты, Серёга, говори, я ушёл. — Хохотуев кивнул степенно Степану Дмитриевичу, хлопнул Ведерникова по-свойски по его опогоненному плечу и пошёл из мастерской вон.

Глава 17

Клуб в посёлке был невеликий, скромный — зал человек на семьдесят, сто от силы, не то что в Салехарде при Доме ненца.

Старшина Ведерников, начгужбата, сопровождавший Степана Дмитриевича до клуба, и тогда-то был деревянней некуда, когда они катили по тундре в аэронартах, а сегодня был деревянней вдвое. Да ещё этот непонятный свежий синяк под глазом. Вёл себя Ведерников напряжённо, на вопросы отвечал невпопад, будто мыслью плавал в мрачных каких-то далях, и тот мрак, в который он уплывал от Степана Дмитриевича, оседал на его словах, движениях, на бледном его лице. Это был другой старшина Ведерников, изменённый. Что-то ело его изнутри и мучило, только что — Степан Дмитриевич спросить стеснялся, особенно про синяк.

Клубный зал жил жизнью клубной, искусственной — а какой ему ещё жизнью жить? Привычно улыбался с портрета Сталин из неглубокой глубины сцены — своей привычной, мягкой, родной, отеческой, знакомой до слёз улыбкой. Привычно звали с плакатов лозунги — всё выше, и выше, и выше стремим мы полёт наших птиц... Хотя какие здесь, в тундре, птицы? Одни болотные, да озёрные, да морские. А выше только орлы да соколы — сталинские соколы и орлы.

Из непривычного, не похожего на иное, были рокочущие, рвущие разум, озарение дарующие слова, протянутые транспарантом над сценой: «Радий — родине!»

Степан Дмитриевич улыбнулся.

«Слава радио, — понял он. — Радий родине». Всё вставало теперь на место.

Старшина Ведерников как вошёл, так сел на стуле в предпоследнем ряду, слился с деревом и сидел на нём неподвижным сиднем.

Степан Дмитриевич внимательно оглядел пространство, оценил взглядом художника перспективу и возможности сцены. Походил вдоль пустых рядов. Глазами сунулся в свежий номер газеты «Красная Скважинка», повешенный на стене у входа (с грифом «За пределы производства не распространяется»), почитал в газетной передовице наставительные слова некоего товарища Т. о повышении бдительности на наступательном этапе войны (слова были обильно украшены цитатами из товарища Сталина), зацепился глазом за фразу «Часы-ходики — в каждое общежитие», прочитал на полосе ниже призыв «Разоблачайте симлодов!», удивился новому слову, спросил у старшины с синяком:

— Сергей, старшина Ведерников, а кто такие симлоды?

— Симулянты и лодыри, — ответил старшина равнодушно.

— Спасибо, — поблагодарил Степан Дмитриевич.

На сцене что-то происходило. Театр какой-то творился, вяло репетировали актёры. Перед ними, к залу спиной, в новом сизо-сером бушлате обезьянничал человек с залысинами. Степан Дмитриевич прислушался к сцене.

— Ты, Морозов, кого играешь? Ваську Пепла, врага играешь, которого вот-вот как поставят к стенке и расстреляют. А у тебя улыбка шире ушей. Ты волноваться должен, переживать. Запомни, дура: «Волнение выражается быстрым хождением взад и вперед, дрожанием рук при распечатывании писем, стуком графина о стакан и стакана о зубы при наливании и питье воды». Понял?

— Так ведь графин, а где тут графин? И стакан? — отвечал Морозов.

— Воображенье! — говорил человек с залысинами. — Ты, Морозов, человек или насекомое? Ты не можешь вообразить графин? И стакан? Ты быстро ходить не можешь? Небось, когда жрать дают, руки у тебя не дрожат — они у тебя трясутся. А здесь ты дохлая рыба, эта... как её... ламинария.

Степан Дмитриевич прислушивался с интересом. Ведерников деревянно дремал, массируя, опять-таки деревянно, свой лиловый уже синяк.

— Ну а ты, Холодов! — Человек с залысинами обращался теперь к другому, тощему, сутулому человеку, в пиджаке с полуоторванными карманами. Его жилистые голые руки утопали в карманах чуть не по локоть и грозили невидимым кулаком режиссёру, а может, дразнили кукишем. — Это Горький! Это «На дне»! В моей личной, современной интерпретации. «Интерпретация» — это такое слово, означает по-русски «толкование», «объяснение», «разъяснение». Ты — Лука. Ты — тип человеческий. Ты спокоен на данном этапе действия. А спокойствие выражается чем? Как учил Станиславский? «Спокойствие выражается скукой, зеванием и потягиванием. Радость — хлопанием в ладоши, прыжками, напеванием вальса, кружением и раскатистым смехом, более шумливым, чем весёлым». А ты мне дешёвую мадам Баттерфляй устроил.

— Ну так это ж я ж не того ж, — отвечал ему сутулый и тощий.

— А ты — того ж, ты соответствуй, коли здесь, коль не в руднике, а на сцене. Тебя ж твои ж на роль эту выбрали. Перед своими и отвечать придётся. Давай ещё. И зевай, потягивайся. «Мяли много, оттого и мягок...»

— Вот вы где! — вкатился голос Хохотуева в зал. — Я мечусь тут, как стерлядь в проруби, а вы в искусстве, ты — особенно — с синяком, — ткнул он ногтем в неповинного старшину Ведерникова. — Ну скажи, ты ж твою мать, сиреневая вода пришла, цистерна, в Лабытнанги, для лагеря. И что мне с нею, с этой водою, делать? Ну жёнкам офицерским раздам ведра три-четыре, но то ж цистерна! Им до смерти своей этой водою шерсть себе подмывать, и то дочерям останется... — Хохотуев плюнул жирным плевком под ноги, как бы с досады. Подошёл к Степану Дмитриевичу, понизил голос. — Я, Степан, уточнить пришёл насчёт «чаю» или «не чаю». Решил я, можешь меня судить, но думаю, когда мёртвые воскреснут в будущем веке, татуировка на них останется. Жди завтра у себя товарища генерала, будет, слава радио, рано.

Он ушёл, хлопнув клубной дверью, как выстрелил.

Человек на сцене, до того прислушивавшийся спиной, обернулся в театральном поклоне.

АЛЕКСАНДР ЕТОЕВ

— Стёпа, здравствуй! — сказал он звонко, близоруко кося на Степана Дмитриевича сощуренным левым глазом.

Степан Дмитриевич тоже сощурился, не узнал.

— Не узнал? — понял, что его не узнали, артист на сцене. — Мы ж с тобою, Стёпа, в Париже в десятом году вместе за Анькой Ахматовой ухаживали. А Анька досталась Модильяни. Теперь узнал?

Степан Дмитриевич узнал:

— Коля, ты? Столько лет не виделись, немудрено не узнать.

— О! Узнал наконец! А я спиной слушаю, думаю, точно Стёпа. Все советские пути ведут в Рим. А Рим — это большой лагерь с отделением у нас, в Скважинке. Тебя надолго к нам? Срок какой? Какая статья?

Степан Дмитриевич хохотнул в бороду:

— Ну, пока Бог миловал, никакой. Я здесь по художественным делам. Заказали сделать скульптуру. И по клубу попросили помочь...

— Я подумал, раз ты, Стёпа, с сопровождением, — парижский знакомец Степана Дмитриевича скосил глаз на Ведерникова, — значит к нам сюда по велению родины. А ты вона как, птица вольная, рад за тебя, рад.

— Вы здесь тоже, я смотрю, живёте без кандалов. Пьесы ставите. Ты же, Коля, вроде не режиссёр, поэт.

— Жизнь заставит, пойдёшь хоть в дирижёры, станешь палочкой махать, только бы не киркой и лопатой. А поэт... Что теперь поэзия!.. И поэты. Вон поэт, — кивнул он на Ваську Пепла, то есть на артиста Морозова, играющего Васькину роль. — А, Морозов? Прочитай нам своё, последнее, где про Данко. — Человек в залысинах подмигнул Степану Дмитриевичу обещающе. — Читай по правилам, как положено, «со стуком стакана о зубы при наливании и питье воды». Вот этот уважаемый человек, — кивок на Степана Дмитриевича, — таких поэтов в жизни слыхал, что тебе, Морозов, даже не снилось. Так что не подкачай. Читай громко, как перед Богом.

Морозов оттопырил карманы и, не вынимая оттуда рук, объявил на весь клубный зал, громко, даже старшина Ведерников вздрогнул:

— «Легенда о Данко». Сочинение Василия Морозова. Моё то есть.

И начал читать:

> Жили люди на земле давным-давно.
> Кроме счастья, они не знали ничего.
> Были счастливы и веселы они,
> Но напали вдруг жестокие враги.
>
> И прогнали их в болота и леса,
> Где была одна ночная мгла,
> И покинула надежда их совсем,
> Нету выхода, казалось тогда всем.
>
> Но пришёл на помощь юноша один,
> Был он смел и потому непобедим.
> Грудь свою, не жалея, разорвал
> И оттуда своё сердце он достал.
>
> Впереди с горящим сердцем он пошёл
> И людей в степь широкую привёл.
> Не пожалел сердца Данко своего,
> Так не забудем, товарищи, его.

— Браво, Морозов! — зааплодировал чтецу человек с залысинами. — Маяковский четырежды перевернулся в гробу от зависти, по числу куплетов. — Он поднял вверх руку. — Всё, товарищи крепостные актёры, всем по баракам, на сегодня отбой. Я приду чуть попозже. Холодов, скажи проверяющему, что предреперткома расконвоированный Гнедич-Остапенко задержался на репетиции, обсуждает оформление праздничной сцены.

Холодов и Морозов ушли. Старшина Ведерников тоже, оказывается, незаметно покинул клуб, пока они слушали «Легенду о Данко», — должно быть, не выдержал яростных строк поэта.

— Вот, Стёпа, — удручённо развёл руками предреперткома, — какая теперь поэзия. Нет, я тоже не ангел, всякое приходилось писать. «Сказ про газ», «Балладу о каучуке». Даже «Песнь про сифилис» как-то сочинил по заказу. «Песнь», не что-нибудь, ты только представь! Помнишь наши споры о красоте? «Мир спасёт красота», то-сё? Не знаю, как ты, а я считаю, что всему нашему былому прекраснодушию грош цена. Мир, если что-то его и спасёт, — только не красота! Наоборот, красота мир погубит. — Оловянный глаз говорившего был уже далеко от Солнца, где-то за орбитой Плутона, где уж точно никакой красоты — ни Джоконды, ни Венеры Милосской, — один вакуум и галактический холод. — Красота — оболочка, видимость. Вот иду я по летней роще, красиво, на душе благостно. А пригляжусь внимательно — на ветках удавленники висят. Или смотрю я на реку, гладь серебряная, покой. А под гладью, на дне, — утопленники, раки их, мёртвых, гложут. Про землю не говорю. Копни её в любом месте — всюду кости, везде покойники...

Гнедич-Остапенко, будто в трансе, будто вещал со сцены, не кончал свой затянувшийся монолог. Степан Дмитриевич подумал грустно: «А ведь это он сам с собой, это он себя убеждает в верности своих утверждений, и слушатель здесь не я, случайно оказавшийся в лагере, слушатель сам несчастный, перепробовавший жизни все „измы“ — от символизма до реализма, того, что с приставкой „соц“, — и разуверившийся во всём на свете». Отчего-то было ему не жаль этого разуверившегося эстета. Даже примитивный стишок про Данко своей неискушённостью и наивностью тронул Степана Дмитриевича больше, чем все эти поэтические подробности с раками, пожирающими мертвецов.

«Жизнь идёт по странным законам, — заключил Степан Дмитриевич свою мысль. — Бывает, что человек хороший, а от себя отталкивает, как пружина. А есть люди откровенно плохие, но притягивающие к себе, как магнит. Впрочем, чёрт его знает, время человека меняет. И, — это он себе, — не суди, да не судим будешь... Не судим? — задумался вдруг. — Судим, ещё как судим. Судей во все времена хватает».

В мастерскую он вернулся разбитый.

Тимофей Васильевич Дымобыков в мастерской объявился рано. Оставил при входе бойца охраны, вошёл без стука, притворил за собой дверь.

Степан Дмитриевич работал над мрамором, подшлифовывал ручным инструментом награды на генеральском кителе.

— Мать честная! Сколько их у меня, даже не верится! — радостно удивился комдив, глянув на рукотворный иконостас, украшавший грудь его двойника. — Ока Городовиков сказал бы: «Ты теперь, Тимофей, как в танке, теперь тебя, Тимофей, никакая пуля не возьмёт, отскочит, как от брони». Помню, на даче у товарища Сталина на банкете по случаю героического дрейфа экспедиции Ивана Папанина Ока расплясался так, что переплясал всех — и Ворошилова, и Будённого. Иосиф Виссарионович, помню, похлопал тогда в ладоши и говорит: «Ока, тебе, когда ты пляшешь, никакой музыки не надо, у тебя на груди свой личный краснознамённый оркестр. Пора добавить в него ещё один инструмент, балалайку, лучше танцевать будешь». И добавил — медаль «За боевые заслуги». Что же, товарищ Рза, генерал-лейтенант Дымобыков по вашему приказанию прибыл, начинайте священнодействовать.

— Вольно, товарищ генерал-лейтенант, — отшутился художник. — Садитесь поближе к алтарю, начинаю.

Тимофей Васильевич уселся широким задом на крепкую скамью у стены, прислонившись затылком к дереву.

— Бумагу я тебе не принёс, было не до бумаги. Хохотуеву скажу, принесёт. — Он сместил взгляд к печке, увидел жёлтые ботинки, осклабился. — Ещё не надевал? Жмут или брезгуешь? Понимаю, русский сапог надёжнее, по любому говну пройдёт. Нет, союзники ребята хорошие, очень нам Америка помогает. Только... как бы это сказать культурно... сегодня она нам помогает, а завтра... Немцев тех же возьми. Тоже были наши друзья, вместе с нами по Северному морскому пути ходили, вместе измеряли глубины, а теперь их подводные лодки очень даже свободно теми самыми замерами пользуются, ходят в наши северные моря, топят наши корабли и конвои, даже до Оби добрались. Помнишь, я тебе говорил про баржу? — Он нахмурился. — Плюснин, гидрограф, такую мать, с фашистами спелся. Мы же с этим Плюсниным в Главном управлении Севморпути в Архангельске вместе обсуждали гидрографическую обстановку в районе Скважинки, почему давление воды на промысле скачет. И к нам он потом приезжал. Вежливый такой был, услужливый... Прикидывался, скотина...

Степан Дмитриевич водил карандашом по бумаге. Глаз его, цепкий, как объектив «Фотокора», ловил на лице модели мельчайшие колебания чувств, а рука, ведомая глазом, переносила эти мелочи на бумагу. В работе мелочей не бывает. Скорбная морщинка у рта, стремительный взлёт бровей, дрогнувшие от гнева веки расскажут о человеке больше, чем застывшая фотографическая улыбка, маска, неестественная и мёртвая, выдаваемая за реалистическое искусство.

— Слушай, я вдруг подумал: может, ты мне шрам на мраморе уберёшь? Раз с живого его нельзя, так хоть на статуе от него избавлюсь. Какого дьявола он там нужен?

— Тимофей Васильевич, вы меня простите, но искусство — это в первую очередь правда. Не помню, чьи слова, кажется Чехова. И Ленин их потом повторил. Я понимаю, что правда бывает разная. Одному правда — чтобы красиво, другому — чтобы правдиво. Я предпочитаю второе.

Не хочу никого обманывать. И потом, Тимофей Васильевич, ваш шрам — это тот же орден и заслуживает не меньшего уважения, чем другие ваши заслуги. Давайте его оставим. Убедил?

Дымобыков заёрзал задом по дереву, мысль художника пришлась ему по душе.

— Убедил, Степан Дмитриевич, убедил. Если орден, тогда оставим. В этом деле ты командир, а приказы командира не обсуждаются. — Тимофей Васильевич встал и устало разогнул спину. — Ты про правду сейчас сказал, правильно сказал, честно. И что правда бывает разная, тоже верно. Но смотри теперь — ты и я. Ты, Степан Дмитриевич, художник, ты работаешь в одиночку, сам себе исполнитель, сам ответчик за то, что сделал, и перед собой, и перед людьми. Я работаю с подчинёнными. Подчинённый должен быть исполнителем. Он обязан ни секунды не сомневаться в правильности распоряжений власти. Если я ему скажу: «Ты — сука, враг и предатель!» — он обязан согласиться со мной, потому что начальник прав. «Да, так точно, я — сука, враг и предатель, к стенке меня за это». Почему обязан? Потому что каждый в жизни хоть раз, да предал, хоть раз, да обматерил власть — открыто или внутри себя. — Генерал прошёлся туда-сюда по свободному пространству мастерской, остановился перед художником, хитро ему подмигнул и вынул откуда-то из-под кителя небольшую металлическую коробочку. — У меня насчёт прав ты или не прав вот какая штука имеется. — Дымобыков отщёлкнул крышку и показал Степану Дмитриевичу содержимое. В коробочке находилось нечто, очень напоминающее часы, циферблат был только какой-то странный — никаких делений, только две половины, чёрная и белая. И стрелка была одна. — Когда кто-то начинает себя оправдывать, а я знаю, что человек неправ, я кладу перед ним этот прибор и говорю: вот новое изобретение советских учёных, аппарат для чтения мыслей. И прибор сейчас показывает, что ты есть скрытый и молчаливый враг, потому что мысли у тебя чёрные. Видишь, стрелка ушла на чёрную половину? И люди верят — не потому, что наука, а потому, что нет человека светлого целиком и правильного. В каждом человеке водятся черви...

— Ну-ка, ну-ка? — заинтересовался скульптор. — А давайте испытаем на мне. Очень мне любопытно, какого цвета у меня мысли.

— Не боишься, Степан Дмитриевич? А то ведь, не ровён час...

— Поздно уже бояться в мои-то годы. Чёрную собаку добела не отмоешь.

— Ладно, Степан Дмитриевич. Сам напросился.

Дымобыков что-то подщёлкнул снизу на приборе-мыслеопределителе, поводил коробочкой с аппаратом возле головы скульптора, потом с ехидной улыбкой сунул прибор циферблатом к его лицу. Стрелка ткнулась в чёрную половину.

— Ну вот. — Степан Дмитриевич развёл руками.

— Кайся, товарищ лауреат, яко на духу кайся, открывай мне все свои прегрешения, вольные и невольные, — вещал Дымобыков поповским басом, а сам радовался, как школьник, подшутивший над учителем на виду у класса и оставшийся безнаказанным.

АЛЕКСАНДР ЕТОЕВ

— Каюсь, грешен, — отвечал в том же тоне ему Степан, но без улыбки, а как-то скучно.

Впрочем, скука пряталась у скульптора в бороде и не лезла на глаза собеседнику, давно уже не позволял себе Степан Дмитриевич чувства выставлять напоказ.

— Мне тут звонили из Салехарда, трудный был разговор, тяжёлый, обстановка в районе складывается тревожная, это ладно, это тебя не касается. Но зачем-то интересовались твоей персоной. Что, мол, товарищ Рза? Как здоровье, как поживает? Не съехал ещё, работает? В райотделе так просто про здоровье не спрашивают. Что думаешь по этому поводу? Не согрешил ли, часом, а, Степан Дмитриевич? Смотри у меня, у нас с этим делом строго! — шутливо пригрозил Тимофей Васильевич, а у самого во взгляде мелькнула нехорошая тень.

В сердце у Степана Дмитриевича ёкнуло. Он-то хорошо понимал, что значат эти звоночки, от них-то он и подался на вольные параллели Сибири под охрану сторожевых вышек.

— А приборчик — это пустое. — Дымобыков потряс коробочкой и убрал её с глаз долой. — Приборчик этот ловушка для дурачков. Я же сам внизу пальцем стрелку куда надо верчу. Хочу — на чёрное, хочу — на белое, но на белое ставить неинтересно, на белом человека не видно.

Дело шло, мраморный комдив оживал, как Галатея, только мужского пола. Изваяние получалось величественным, и не только за счёт наград. Особое величие придавал намеренно завышенный рост, комдив как бы вставал на носки и вглядывался в смутное будущее, выискивая в нём глазами проблески зари коммуни за. Так объяснил художник свой замысел замполиту дивизии, посетившему его мастерскую. Полковник был дружелюбен, спрашивал о том и об этом, тоже поинтересовался ботинками, что-то пошутил про Америку, сказал, что однажды мылся в походной американской ванне, но русская баня лучше. А ушёл — пожал руку скульптору и пожелал ему успехов в работе.

Степан Дмитриевич сидел за столом, отдыхая после художнических трудов. Мраморная пыль на полу искрилась в потоке света, льющегося через открытую дверь, тёплый воздух наполнял мастерскую запахами летнего дня. Среди прочего добра на столе лежала толстая картонная папка, насквозь пропитанная конторской пылью.

В очередной свой визит к художнику Тимофей Васильевич как бы в шутку принёс ему ворох идей непризнанных местных гениев. Записанные на чём попало — на каких-то полосках кожи, на обрывках старых плакатов, на страницах амбарных книг, даже на полях сочинения греческого историка Фукидида, — все эти явления мысли были сложены в единую папку с надписью «Изучить». Если кто-то всё это и изучал, этот кто-то был невиданного терпения, Степан Дмитриевич оценил это позже. Выложив драгоценный груз, Дымобыков сказал Степану: «Вот, хотели выкинуть, да забыли. Тут про всякие памятники, статуи. Ты художник, глянь одним глазом, может, чего дельного есть». Папка пролежала на верстаке, дожидаясь своего часа, и вот этот час настал.

Степан Дмитриевич её открыл и прочитал на пожелтевшем листе бумаги, лежавшем поверх других: «Начальнику Химлаборатории Башилову И. Я. от старшего лаборанта Острового И. А.». И далее: «Заявка на изобретение».

Старший лаборант Островой предлагал к ближайшему юбилею советской власти проект башни из проволоки в 500 метров высотой, каркас башни весом 2–2,5 тонны поддерживается сверху воздушным шаром, и вся башня унизана электрическими лампочками и портретами вождей мирового пролетариата и руководителей государства из никелиновой проволоки по асбесту, проволока при накаливании краснеет, и красными чертами по белому асбесту проступают лица вождей и руководителей.

«Интересное предложение, — похвалил изобретателя Степан Дмитриевич. — А если ветер? Башня будет же ходуном ходить, и унесёт её чёрт знает куда, если не закрепить якорем. Не пойдёт». — Он отбросил предложение в сторону.

В следующем документе из папки предлагалось лагерные бараки строить не деревянные, а стеклянные, чтобы виднее было наблюдать за дисциплиной в их стенах.

«Это мы уже проходили, — вспомнил Степан Дмитриевич с улыбкой. — Стекло-хата, так это называлось тогда. Изобрёл Велимир Хлебников, конструируя города будущего. Чего он в них только не наконструировал. Дом-тополь, подводные дома-говорильни, что-то вроде лекториев, когда рыбки плавают за стенами из стекла, были даже дома-поля без внутренних стен, где в беспорядке были разбросаны на стеклянной плоскости стеклянные хижины, шалаши, вигвамы, чумы стеклянные... Забавный был человек Хлебников, председатель земного шара. Жаль, помер рано. Не увидел соратников будетлян, конструирующих стекло-бараки».

Он припомнил громкие споры в узком кругу своих о материале-основе, выражающем суть эпохи. Голубкина провозглашала тогда: «Каждая эпоха имеет свой материал, который является наилучшим выразителем её художественных стремлений». Поясняла: импрессионизм — бронза, постимпрессионизм — камень, будущая эпоха — стекло. Потому стекло — чтобы была прозрачность, все люди на виду, им скрывать нечего, у всех одна цель; зло, ненависть, предрассудки — в прошлом... С ней было трудно спорить — как же, сама Голубкина, ассистировала Родену, руки-ноги для его скульптур делала! Он, помнится, возразил: а дерево? Для какой эпохи дерево лучший выразитель её стремлений? На него посмотрели как на сельского дурачка, как смотрели в далёкой юности, когда ему, вольнослушателю медицинского факультета Московского университета, приказывали сынки-дуболомы алатырского помещика Глумова: «Эй, Рза, принеси-ка с ледника ногу».

«Стекло им подавай», — хмыкнул Степан Дмитриевич и закашлялся. Из папки пахнуло пылью — пылью вечности, пылью грядущего, стеклянной пылью из домов-говорилен, хижин, шалашей и вигвамов.

— А здесь у нас что? — спросил он духа из папки, когда вынимал на свет очередное упражнение мысли. — Ага, памятник Ермаку, покорителю Сибири, так-так. «Поставленный на реке

Иртыш рядом с местом гибели... непотопляемый... на воде, на якоре... совмещает функции речного буйка...» А вот это правильно, это по-хозяйски, практически мыслит человек. Но не оригинально. Помнится, Николай Евгеньевич Лансере в одна тысяча девятьсот двадцать девятом году предлагал проект памятника-маяка Колумбу на острове Сан-Доминго. Правда, тот был не плавучий. Да и Хлебников всё бегал с идеей поставить памятник Ермаку на Волге, в Самаре, где ворота в Сибирь. У Велимира что ни памятник, то самый гигантский в мире. Он хотел Америку переплюнуть, сделать его в виде статуи Свободы, только в руке у Ермака не факел, а дымящаяся пищаль.

Степан Дмитриевич зевнул. Что-то он уже подустал от всех этих гениев и гигантов. День угасал, пора бы уже чайку и на боковую. Ладно, ещё один документ из папки, и на сегодня всё.

Это была пачка листов, выдранных из амбарной книги, чуть подпалённых с краю. «Жгли их, что ли? Если жгли, то почему не дожгли?» Слева вверху бурело пятно от скрепки, будто раздавили клопа. Пачка была тонкая, листов в десять, прошита суровой ниткой, которая скрепляла листы. Такое серьёзное отношение к документу уже настораживало и пугало. Но более пугало начало рукописи, её титульная страница. «Венец пятилетки» — написано было посередине печатными буквами от руки. А в правом верхнем углу красивым почерком обозначен адрес и адресат: «В Москву, товарищу И. В. Сталину». Было странно увидеть документ с таким адресом в этой заплесневелой папке. Пусть даже писанный рукой сумасшедшего. Всё, где упоминалось святое имя, принадлежало спецхрану, а всякий безумец, осмелившийся его написать, подлежал изоляции от общества и самой строгой проверке.

Степан Дмитриевич начал читать. Буквы перемежались цифрами, цифры переходили в схемы, схемы — в эскизы, эскизы чёрт знает во что. Чтение заняло полчаса, почерк был аккуратный, рука та же, что выводила адрес на титуле. Имя автора идеи и подпись на последней странице были тщательно вымараны, возможно, и автор тоже. Суть проекта поражала воображение.

Скульптор убрал листки, перешёл на нары, задумался. В подробностях воспроизвёл в памяти чудовище из страшного сна неизвестного миру гения. «И смех, и грех, — сказал сам себе и прибавил: — Но греха больше».

Гигантская пирамида, проект которой предлагал автор, должна была вместить в себя все достижения цивилизации XX века. Все страны мира могли принять в нём участие: советская сторона брала на себя сооружение корпуса и фундамента, а внутренняя отделка стендов и размещение экспонатов осуществлялись за счет приглашённых стран.

Открыта выставка будет ровно год, после этого вход на неё будет заделан, и часовой механизм откроет его только через сто лет — для того, чтобы наши потомки обошли помещения и устранили дефекты, выявившиеся за столетие. После этого вход будет замурован окончательно, и пирамида останется стоять так, как стояли до сегодняшнего дня египетские пирамиды, идеально храня в себе образцы ушедшей культуры.

Местом для «Венца пятилетки» следует избрать историческое Бородинское поле. Вся работа рассчитана на пять лет, для этого потребуется около 375 000 рабочих. «Венцом пятилетки» пирамида названа в честь 1-й советской пятилетки, положившей начало героической череде следующих — 2-й и текущей 3-й.

Пирамида будет пятиконечной, по числу лет пятилетки, и имеет в плане советскую пятиконечную звезду. Площадь сечения её на поверхности земли — 6 квадратных километров, высота 917 метров — год Революции (без тысячи).

Далее в рукописи проекта приводились размеры высочайших строений мира — Эйфелевой башни (298 м), Эмпайр-стейт-билдинг в Нью-Йорке (380 м), Дома Советов в Москве (415 м), пирамиды Хеопса (137 м) — и сравнивались с «Венцом пятилетки».

Под землю сооружение уходит на 150 метров, постоянно расширяясь, превращаясь в запутанный лабиринт, так что в действительности основание займёт примерно 15 квадратных километров, не более и не менее.

Верхних этажей — 229, по числу республик, империй, княжеств и султанатов. Каждое государство обязуется за свой счёт привезти и поставить лучшие и самые современные изделия своей промышленности, причём обещает принять все меры для сохранения их в веках. Паровозы, самолёты, автомобили, швейные машины, спички, мыло, духи, вакса заполнят стеллажи. Картины, книги, киноленты, пушки, газы, детские коляски — всё будет расположено по системе, выработанной учёными. Всё это будет покрыто воском, лаком, глазурью, опущено в спирт и формалин или зажато между спаянными стёклами. Мощные насосы высосут из помещения атмосферу и заменят её гелием, так что через сто лет итальянские мандарины будут так же свежи и ароматны, как и сейчас...

Степан Дмитриевич вспомнил Италию, мандариновые рощи в Карраре, оранжевое на белом. Воспоминание сдулось, как детский воздушный шарик, когда 229 этажей пирамиды нависли над ним всею своей бетонной тяжестью в два миллиона тонн. Плюс 280 тонн на скрепы. Плюс вес 120 000 километров кабелей различных сечений, потребных на электрическую проводку, телефоны, телеграф, лифты и прочее оборудование. Плюс пять гектаров дубового леса на отделку. И полтора кубических километра финляндского гранита на облицовку.

Единственный вход в пирамиду будет защищён от вторжения непрошеных посетителей всеми доступными технике и химии средствами. Не считая заделки «вмёртвую», которая должна быть первым препятствием на пути будущего исследователя, — того ожидают сюрпризы весьма смертельного свойства. Пол первого этажа будет усеян механически действующими люками, совершенно незаметными для непосвящённого, которые внезапно проваливаются и швыряют нечаянно наступившего на люк в стопятидесятиметровую шахту. Стены будут вымазаны ипритом, и в них заделаны баллоны с ядовитыми газами, дифосгеном и хлорпикрином, которые начнут действовать, как только неосторожная рука коснётся того или иного предмета. Все двери будут устроены по образцу стальных камер со сложной комбинацией ключа и будут посылать во вторгающихся град пуль, как только их повернут на шарнирах.

Таким образом, до срока, который будет указан в «Завещании народов», никто в пирамиду проникнуть не сможет. Это «Завещание» будет изготовлено в трёх экземплярах на фарфоровых скрижалях и роздано: Британскому музею, Федеральному резервному банку в Америке и хранителям гробницы Сунь Ятсена в Китае. Четвёртый экземпляр, изготовленный из чистого золота, будет храниться в Академии наук в Ленинграде. Такое ограниченное число экземпляров «Завещания народов» определено потому, что оно будет содержать все указания относительно устроенных опасностей и перечислять способы, как избегнуть их.

На вершине пирамиды надо установить маяк, который будет бросать ультрафиолетовые лучи вниз, на землю, охватывая площадь в 12 000 гектаров. В зоне действия этих лучей будут устроены образцовые огороды для снабжения Москвы земляникой в декабре и молодой картошкой в марте. Термотрубы, проложенные в грунте, должны отогнать морозы и согреть капиллярные волоски морковки, сок которой так необходим для детских садов...

Особенно тронули Степана Дмитриевича эти «капиллярные волоски морковки, сок которой так необходим для детских садов».

Для осуществления идеи маяка и огорода понадобится 80 000 000 000 киловатт электроэнергии в год, и, чтобы не обременять другие электростанции, надо создать «Кивачстрой» на водопаде

Кивач, давно ждущий использования в народных целях...

Долго не мог успокоиться Степан Дмитриевич, одолев безумные повороты мысли неизвестного инженера. Не дай бог, подумал художник, если ночью мне приснится такое чудо с ипритом и стреляющими дверьми, — пристрелит, выест газом все внутренности, и вряд ли уже проснусь и увижу утро.

Да, действительно, смех и грех, но греха больше.

Помнил Степан Дмитриевич этих великих строителей пирамид, ох как помнил. Как все эти провозвестники будущего, творцы нового искусства, выразители художественных стремлений эпохи с маузером на боку атаковали старую школу, будто штурмовали Зимний в семнадцатом году.

Пока земной шар был не в их руках, пока председательствовать на нём не получалось до времени, они шли в председатели на местах. В Витебске Малевич и Эль Лисицкий выперли из города Марка Шагала, в Москве изгнали из Училища живописи, ваяния и зодчества и довели до смерти учителя Степана Дмитриевича, Волнухина Сергея Михайловича, — за реализм. Спасибо, памятник Ивану Фёдорову оставили, не заменили кубом или квадратом. Грех поминать худое, но Рза хорошо помнил, как в 1921 году в Екатеринбург из Москвы приехали кубисты (или как они тогда назывались?) и мало того что отстранили его от должности директора художественной школы, так они ещё и разбили копии с античной скульптуры и школьную библиотеку пожгли. Татлин, понимаете ли, летатлин.

Степан Дмитриевич раскочегарил печку. Выпить чаю — вот что нужно ему было сейчас. Он насыпал в кружку щепоть заварки, от души добавил ломкий брусничный лист, горстку зверобоя для запаха и залил всё это крутым кипятком из чайника. Кому как, а так ему больше нравилось.

Лагерная медчасть, она же, по-простому, больничка, располагалась в двухэтажном бараке с фасадом, сонными окнами глядящим на глухую тыловую стену Физлаборатории. Стояла медчасть на горке в выращенной лиственной роще из полутора десятка деревьев, главврачом здесь был тот самый Титов Александр Андреевич, про которого говорилось выше. Старшину Ведерникова, прежде чем доставить сюда, сняли с дерева, с лиственницы с обломанным верхом, росшей одиноко близ стрельбища. Он сидел на крепком суку, затылок уперев в ствол, и бормотал с полузакрытыми веками слова устава службы конвойных войск, перемежая их тихим плачем, блекотанием козой и лягушкой и какими-то непостижимыми мыслью фразами:

— ...А — провести совещание партийно-комсомольского актива по итогам работы приёма и посадки заключённых; бэ — распределить чтецов-беседчиков по сменам и дать им задание... же — проводить беседы о целях и задачах, методах и приёмах вредительско-диверсионной и шпионской работы иностранных разведывательных органов... Аоа-аоааааа, — следовал переход на плач, старшина тёрся затылком о кору дерева, вниз летела золотистая крошка, а с губ Ведерникова слетало не пойми что: — «Утоли моё одиночество, старшина». — Снова плач и следом за ним: — «Где бабы, там проституция и разврат». — И после недолгого блекотания снова слова устава.

Нашёл его Снегодуй, увидел такое дело и стал уговаривать старшину спуститься с небес на землю, пока не доложили начальству. Ведерников на уговоры не поддавался, тянул свою уставную песнь, лил слёзы и говорил невнятицу. Снимать старшину с дерева мудрый Снегодуй не решился — ну какой лагерный старожил, будучи в нормальном уме, полезет спасать охранника?! А вдруг тот повредит себе что — руку, там, ногу, шею. На тебя же потом и спишут, обвинят в «покушении на жизнь», а это считай что вышка.

В общем, сбегал дядя Стёпа в больничку, ну а там уж санитары подсуетились.

— Мерячение, его циркумполярная разновидность, — поставил главврач диагноз. — Результат нервного срыва. Кто-то ему внушил, а возможно, это самовнушение, забраться с земли на дерево. Пятый случай за этот год. Один на дерево, другой в землю зарылся, третий... тьфу! Прямо эпидемия какая-то, впору объявлять карантин. Ничего, старшина, вылечим. До свадьбы заживёт, обещаю. — И поместили замерячевшего Ведерникова в палату для младшего и среднего комсостава на излечение.

Лечили Ведерникова покоем, то есть не лечили совсем. Раз в день старшину посещал Александр Андреевич, спрашивал, на что жалуется больной:

— Боли, замирание сердца чувствуете? Спазмы в горле? Позывы к рвоте? Страстные позы одолевают? Крики, громкие песнопения?

Всё это, за исключением песнопений, в болезни у старшины присутствовало, в том числе и страстные позы. Но про это говорить он стеснялся. Особенно он мучился по ночам. Снились старшине сны — стыдные, чувственные, больные. Снилась влажная, зовущая плоть, пульсирующая под его пальцами, повторялся и повторялся голос: «Утоли моё одиночество, старшина». Но когда он начинал утолять, появлялся звероподобный образ — не супруги замполита дивизии, а какого-то жуткого человека с резкими северными чертами. Человек был тёмен лицом, мелковатый, в жиденькой бородёнке с разномастными, торчком волосками. Он вырывал их на глазах у Ведерникова и говорил, обнажая дёсны: «Этот я от отца прирастил, этот от матери, этот от оленя, а вот этот, чёрный, от волка». Только хотел Ведерников ткнуть ему пальцем в глаз, чтобы тот вытек на одеяло, как сразу же вместо жидкобородого появлялся образ другой, страшнее и нелепее первого, — мекающий, мякающий, скребущийся, как по стеклу железом. «Гьюлитолы́гл? — спрашивал этот новый. — Вернитухайто́?» И отвечал, не дожидаясь ответа: «Ку́ли мо́бо. Пьюри́ моно́. Рыба. Не хочу рыбу». Потом тыкал в лицо Ведерникова мёртвую рыбью голову с красными обводами вокруг глаз. Старшина хотел проснуться, но ему не давали. Снова подсовывали ему вожделенную супругу Телячелова, снова она просила утолить её одиночество, а когда он начинал утолять, вновь появлялись эти, мекающий с жидкобородым. Они уговаривали Ведерникова отрезать у замполита голову, супруга кивала с ложа и шептала ему: «Отрежь!» Он твёрдо отвечал по уставу: «При эшелонном конвоировании для предохранения глаз часовых от пыли и ветра каждый пост снабжался очками-консервами», а в ответ ему эти двое вытаскивали из мешка голову и трясли ею перед его лицом. Замполитова голова смеялась и спрашивала голосом главврача: «Спазмы в горле? Позывы к рвоте? Страстные позы одолевают?» И зло смотрела на старшину из-под очков-консервов.

Ведерников проснулся в поту.

Над койкой стоял Александр Андреевич и говорил кому-то, заглядывающему в дверной проём:

— Узловатая почесуха с сильной лихенизацией... Хлорэтил и жидкий азот...

Увидев, что старшина не спит, главврач Титов улыбнулся и кивнул проснувшемуся Ведерникову:

— Это не про вас, не волнуйтесь. У вас болезнь камерная, интеллигентная. Хлорэтил здесь не поможет, ваша лечится покоем и отдыхом. Аффект, истерическая реакция, скудная северная природа, однообразные условия жизни... Вам бы в санаторий или на... — Он заметил мокрое пятно на подушке, след вспотевшей головы старшины: — Что-то неприятное снилось?

— Серя-серя-серюшка, херя-херя-херюшка, — пропел в ответ старшина Ведерников на мотив колыбельной.

А что ему оставалось делать? Не говорить же про страшный сон и отрезанную голову замполита.

— Вижу, что поправляетесь, — сказал на это главврач, и буквально в следующую секунду шагами наполнился коридор, и в палату, сипя одышливо, вошёл замполит Телячелов.

— Вон ты где! — сказал он с порога. — Спрятался от меня в больничке? Больным прикинулся, старшина?

Телячелов посмотрел на Титова, бешено посмотрел, зло:

— Как его болезнь называется?

— По разному: мерячение, мэнерик. В Америке называется пиблоктон. А проще — полярная истерия. Пятый случай за этот год. Последний был лейтенант Гугнидзе.

— Доктор, у вас какая статья?

— Пятьдесят восьмая, пункт семь.

— А ещё один пункт добавить к своей статье не хотите?

— Никак нет, — ответил по-военному Александр Андреевич.

— Выписывайте, короче, этого... пиблоктока, к чёртовой матери, нету таких болезней.

Из-за стенки раздался вой — жуткий, со сложной фиоритурой, будто там пытали кого-то.

— Роза Моисеевна зверствует, — виновато сказал главврач, оправдываясь за неприличные звуки. — Зуб лечит у завхозблока Шкуренко из комендантской части.

— Могла бы и полегче лечить, человек всё-таки, не кобыла, — нахмурился замполит. — Титов... Александр Андреевич... освободите палату, мне со старшиной поговорить надо.

— Слушаюсь! — откликнулся доктор. — Уже освобождаю. — Он вышел.

Полковник прошёлся от койки старшины до окна, резко развернулся на каблуках, скорым шагом дошагал до Ведерникова. Криком приказал:

— Встать!

Ведерников, в кальсонах и босиком, мгновенно спружинил с койки и вытянулся верстой перед замполитом. В глазах его, стеклянно поблескивающих, не было ни страха, ни интереса — одно только мёртвое безразличие.

— Омерячённый, значит, — окинул его взглядом Телячелов с головы до ног. — И кто это тебя так омерячил?

Ведерников стоял и молчал.

— Отвечать! — прикрикнул Телячелов.

Ведерников стоял и молчал, только ноги чуть согнулись в коленях.

Замполит встал перед ним вплотную и яростным шёпотом зашептал:

— Сволочь! Думаешь, я не знаю? Всё я знаю, и про жену знаю. Ты, мерзавец, зачем мою жену искушал? Чтобы высмеять меня перед всеми? Вот какой, мол, я, отважный герой-любовник, жену самого замполита жарю?..

— Аоа-аоааааaa, — пропел ему старшина Ведерников сухим поминальным плачем. В стекле его мёртвых глаз появились пузырьки воздуха, знак возвращения к жизни. — Аыа-аыааааaa. — Голос его сделался мягче.

— Отставить песню! — приказал замполит. — Хорош дураком прикидываться! Отлежаться захотел под крылышком медицины? Скормлю тебя, мерина, особому отделу, вот и отлежишься — в могиле.

Он опять прошёлся до окна и обратно:

— В общем, так, старшина Ведерников, слушай внимательно. Меня вызывают в район по поводу твоего сигнала. Возможно, ты им тоже понадобишься. Поэтому, старшина, запомни, заруби себе на носу, на языке, где хочешь заруби, хоть на хере своём геройском: если будешь говорить не по-моему, вспомнишь про Матвеева, про дерево, про стрельбу на третьем посту, то считай, что ты уже жмурик. Уяснил?

Старшина молчал.

— Не понял, уяснил или нет? — Телячелов, сверля его взглядом, прикрикнул: — Отвечать по уставу.

— Так точно! — отрапортовал старшина и, взяв руки по швам, то есть плотно приложив их к кальсонам, прибавил ожившим голосом: — Слушаюсь, товарищ полковник!

— И ещё, — не успокоился на этом Телячелов, — давал я тебе задание найти туземца? Ты мне его нашёл? Или снова свалишь на это своё мерячение? Короче, всю тундру мне перерой, а туземца найди. Карабин возьми себе попристрелянней. Ну, чтобы не промахнуться. Уяснил?

— Так точно, товарищ полковник, — уже без всякой заминки ответил ему Ведерников.

Глава 18

Визит в райотдел ГБ начался для Телячелова с неприятной встречи. На подходе к зданию райотдела, проходя мимо очереди у магазина, где людям отоваривали талоны, замполит наткнулся на Хоменкова. Инвалид обрюзг, пожелтел лицом, был всё в той же нищенского вида одежде с кое-как подвёрнутым рукавом наполовину отсутствующей руки, но на лице его, когда он увидел полковника, через муть, заволакивающую глаза, проступило солнце.

Хоменков бросился к замполиту. Телячелов от него отпрянул и недовольно посмотрел на людей, удивлённо наблюдавших за ними. Ещё бы: один с иголочки, в полковничьей летней форме, с идеальной военной выправкой — и перед ним это чудо-юдо.

— Дали? — прокричал Хоменков так неприлично громко, что народ в очереди примолк, ему интересно стало, что же дали этому однорукому оборванцу и, главное, за *что* дали.

— Сейчас мне некогда, поговорим позже, — очень тихо ответил ему полковник, косясь на очередь и не зная, как отвязаться от Хоменкова.

— Я уже прорисовки делаю. — Художник его не слышал, ему нужен был ответ на вопрос, разрешили ему рисовать Сталина или не разрешили.

От этого зависело его будущее, от этого зависела его жизнь.

Бедняга однорукий не знал, что жизнь его уже ни от чего не зависела.

Полковнику было стыдно — не перед художником, нет, тот был отработанный материал, — стыдно было перед людьми, наблюдающими за этой сценой. Он решительно обогнул Хоменкова и зашагал, ускоряя шаг, по улице Республики к центру.

— Эй, послушайте, — кричал Хоменков в спину удаляющемуся полковнику, — вы же обещали, что сделаете. — Он с одышкой побежал следом, но Телячелов уже входил в здание, куда прохожему был вход воспрещён, если он сюда доставлен не под конвоем.

Кабинет начальника райотдела госбезопасности вид имел самый обыкновенный: канцелярский стол с зелёным сукном и лампой — рабочий плацдарм хозяина, — пара шкафов вдоль стен, несколько стульев для посетителей, портреты руководителей государства. Единственный предмет обстановки, контрастирующий с кабинетной казёнщиной, стоял в проёме между шкафами и выглядел устрашающе. Это была деревянная рама из толстых стоек с перекладиной, установленная на мощной подставке. В верхней части конструкции располагался тяжёлый, грубой ковки, но острый, из стали, нож, застопоренный специальным упором. По внутренней стороне стоек спускались два ровных паза — направляющие для ножа-секиры.

Не надо было историю изучать, чтобы догадаться с одного раза, для чего эта конструкция предназначена.

Войдя в кабинет к Медведеву, полковник сразу прошёл к столу, поэтому её не увидел, гильотина была за его спиной. Тень от досадной встречи, наверное, не стёрлась с лица Телячелова, потому что хозяин кабинета спросил, помахивая замшевой тряпочкой:

— Волнуетесь? Есть причины?

— Так, случайное, не обращайте внимания, — ответил Телячелов капитану.

— Ага, случайное... Что ж, бывает. — Капитан Медведев замшей протёр очки и приладил их к переносице. — У меня есть вопросы в связи с донесением вашего старшины... Ведерникова.

— Спрашивайте, готов ответить на все вопросы.

— Хорошо. Вопрос первый, даже не вопрос, а как бы это сказать... удивление по поводу, что ли. Ефрейтор Матвеев, дежуривший тогда на посту, в процессе следствия показал, что никакого туземца не было и в дерево стрелял сам Матвеев, якобы по уговору старшины Ведерникова и в присутствии старшины Кирюхина. То есть, полковник, неувязочка получается. Был туземец, не было туземца. Это как? Может, пьян был ваш Матвеев и действительно уснул на посту? Я слышал, ваш командир *дивизии*, — (и опять, как тогда, в тундре, почудилась замполиту усмешка, промелькнувшая на лице Медведева, когда он произнёс это слово), — падок до зелёного змия. Как считаете, товарищ полковник?

Телячелов попал на крючок. Скажешь «да», и твоё «да» дойдёт до комдива — угодишь под его огонь, а у комдива сильная артиллерия. С Лаврентием Берией во главе. Скажешь «нет» — может, и выиграешь, если капитан не лукавит и не ведёт собственную игру.

Надо было решать немедленно, решительно, не откладывая, сегодня, и замполит решил:

— Падок, есть за ним такой грех.

Начальник райотдела ГБ посмотрел внимательно на полковника, звания в его кабинете не играли никакой роли. Поизучал его с интересом, потом сказал:

— Пьянство, конечно, грех, но грех для человека простительный... — Помолчал, а затем продолжил: — Для героя тем более. Но, — палец его вознёсся, — личный героизм в наше время не приравнивается к героизму народному. Понимаете, товарищ Телячелов?

Телячелов сказал:

— Понимаю.

— Вот и славно, — сказал Медведев. — А что там с этим футбольным матчем, который ваш генерал-полковник готовит лично для замнаркома товарища Завенягина Авраамия Павловича? — Он достал из выдвижного ящика письменного стола газету, повернул её первой полосой к замполиту. — Газета «Красная Скважинка» в вашем ведомстве? Она вот здесь, — ткнул он пальцем в напечатанный текст, — объявила о предстоящем футбольном матче между сборной командой заключённых и командой работников лагеря. Это как?

— Готовимся, — вздохнул замполит. Он подумал: на Завенягина в заметке не было и намёка. — Трибуну ставим. Спартаковцы тренируются, с общих работ их сняли...

— Это хорошо, что готовитесь, — кивнул капитан вяло, убирая газету в стол. — Но вы же знаете, товарищ полковник, — думаю, что, конечно знаете, вы же замполит, вы же в курсе, — был ровно год назад матч в осаждённом Киеве, наши принципиально выиграли, их потом расстреляли. И в блокадном Ленинграде был матч. Там и там на стадионе «Динамо». Там и там играли динамовцы. У вас спартаковцы, да. Братья Младостины. Это, конечно, меняет дело, но не совсем. Понимаете, надеюсь, о чём я?

Телячелов сказал:

— Понимаю.

— Понимаете, но как-то не сильно, — глубокомысленно продолжил Медведев. — В Киеве футболисты из заключённых. Ленинград в немецкой блокаде. А теперь и у вас, на Скважинке. Очень долгое получается многоточие...

— Я был против, — отрапортовал Телячелов, — я был против, но против товарища Дымобыкова... — Телячелов попёр напролом. — Ему, товарищу Дымобыкову, только Господь Бог может перечить. Для него власть единая — только лично он, не партия, не товарищ Сталин...

— Товарищ Сталин? Вы отвечаете за свои слова, товарищ полковник?

Телячелов перекрестился мысленно, три раза, как положено, и сказал:

— Отвечаю.

Капитан Медведев заёрзал, снял очки, протёр их замшевой тряпочкой, посмотрел стёкла на свет, нет ли пятнышек, препятствующих свободе зрения. Оных не было.

— Отвечайте, — сухо сказал Медведев.

Телячелов встал со стула, выправился, надел фуражку, посмотрел в зоркие глаза Сталина на портрете за спиной капитана, сглотнул комок, застрявший в сухом горловом проходе, снял фуражку и снова сел.

АЛЕКСАНДР ЕТОЕВ

— На девятнадцать целых семнадцать десятых сантиметра, — одним духом выпалил он. — Мания величия, я подумал вначале, когда измерил портняжным метром — взял у супруги, — а после сообразил. Это же одна тысяча девятьсот семнадцатый год! Понимаете? Семнадцатый год! Год нашей революции! Вы понимаете, как это понимать?

— О чём вы? — посмотрел на него капитан тревожно. — Какие сантиметры? Какой семнадцатый год? Футбол при чём здесь?

— Товарищ капитан! — Телячелов лёг на стол: не весь, лишь головой и плечами. — Товарищ генерал-лейтенант, товарищ Дымобыков, мой командир дивизии, делает статую сам с себя. То есть не сам делает, делает статую товарищ Рза, он его, товарища Рзу, лауреата Сталинской премии, специально поселил в лагерной зоне, чтобы он, то есть товарищ Рза, статую с него делал. Так вот, я портняжным метром, который взял у супруги, измерил высоту статуи и обнаружил, что она на девять сантиметров выше памятника Сталина, который в нашем посёлке перед домом культуры, и на девятнадцать целых семнадцать десятых сантиметра выше Сталина в Салехарде, что в городском саду. Как это понимать? — торжествующе воззрился Телячелов на капитана Медведева.

— Интересный поворот дела, — сказал Медведев. — Кстати, — спросил он вдруг, — а товарищ Дымобыков обо всём этом в курсе? — Капитан показал на листы бумаги, исписанные почерком старшины Ведерникова. — Вы ему доложили?

— Виноват, — сконфузился замполит. — Не успел, работы было по плечи — политзанятия, футбол этот, Горький, пьеса «На дне»...

— Плохо. — Лоб Медведева сложился в гармошку. — То есть хорошо. — Лоб разгладился, музыка сдулась, не прозвучав. — То есть, говорите, год революции в сантиметрах и миллиметрах? Ловко. Ваш старшина Ведерников упоминает в докладе про связь товарища Рзы и туземца. А известно ли вам, товарищ полковник, что на товарища Рзу поступали уже сигналы. Этот товарищ, ещё не будучи лауреатом премии, когда вернулся из Аргентины на родину на собственном... — заметьте — *собственном* пароходе, купленном, как он утверждает, на деньги от продажи своих работ... — Медведев поднялся, вышел из-за стола и мелко-мелко засеменил туда-сюда вдоль стены. — Пароход он подарил государству, а ещё он привёз из-за границы голову Ленина из аргентинского дерева. Она стояла на Арбате, у него во дворе, в сарае, и предположительно, по нашим косвенным данным, в ленинской голове спрятан был передатчик для связи с иностранной резидентурой. Голову потом тщательно простучали, никакого передатчика не нашли, но ведь не бывает дыма без спичек, вы как считаете?

— Считаю, — согласился Телячелов, — ещё как считаю, очень даже считаю.

— Это хорошо, что считаете, — одобрил ответ Медведев. — Кстати, о передатчике. В результате обыска в доме у гражданина Майзеля передатчик также не обнаружен. Обнаружен швейный аппарат «Адлер» для ремонта обуви на дому. Но ведь дыма не бывает без спичек. Время военное,

АЛЕКСАНДР ЕТОЕВ

Майзель — немец, хотя и русский, ну — вы понимаете...

— Понимаю, — сказал полковник, обернулся и наткнулся взглядом на гильотину. — Интересная вещица у вас имеется. Откуда такая?

— А пёс знает откуда! Изъяли в каком-то чуме в Щучьереченской тундре вместе с другим оружием. При царизме за песцовые шкурки какое только барахло не сбагривали туземцам, — наверное, с тех времён и осталась. Пока стоит у меня, потом отдадим кому-нибудь в хозяйство. Или в местный дом культуры подарим для экспозиции «Предтечи Великого Октября», послужит как экспонат по теме «Французская революция», палачи французского народа и их орудия. А хотите, вам подарю, будете там, у себя, гусям и уткам головы отрубать на кухне, или можно дрова колоть. Забирайте, пока я добрый, транспортным средством обеспечим, доставим прямо на Скважинку первым завтрашним гидропланом.

— Спасибо, товарищ капитан. Я найду, куда её приспособить, хозяйство у нас большое. Спасибо.

— А что это у вашего товарища Дымобыкова за комедия с зеркалами? На всех постах зеркала. Не зона, а какое-то зазеркалье.

— Это до меня было. Это заключённый Макар Смиренный пытался бежать из лагеря при помощи зеркала, украденного в бытовке. Залёг в тундре за кочкой, прикрылся зеркалом, думал, что его не найдут, нашли, а товарищ генерал-лейтенант ему за побег ещё и поблажку дал, перевёл с тяжёлых работ на лёгкие. После этого случая товарищ Дымобыков очень зеркалами заинтересовался и даже наплечные зеркала приказал носить в карауле, чтобы караульные видели, что у них сзади, за спиной, как в машине.

— Ну... — капитан Медведев задумался, — с точки зрения политической идея, пожалуй, нужная. Караульный-невидимка — это хорошо. И заспинное наблюдение — правильно. Но... — он сверкнул глазами, — зеркала зеркалами, а что это за вольницу развёл ваш комдив у себя в *дивизии*, — Медведев снова, теперь уже явно, разбавил слово «дивизия» сатирической интонацией, — в лагере, я имею в виду. Парашютист этот ваш, Котельников, изобретатель. Парашют, понимаете, вертикального взлёта. Это как? То есть это куда? То есть куда он на нём собрался? На Луну? В стратосферу? А может, в Японию? Может, к фрицам? Вот-вот... может, и к ним. И теперь Рза, лауреат-академик, почему он допущен в зону, где производят секретнейший стратегический продукт, радий, да ещё в такой трудный политический момент, когда антисоветское подполье поднимает голову на Ямале? Где вы были, товарищ Телячелов, политический руководитель вверенной вам дивизии, когда он, Рза, заселился у вас? Почему не упредили момент его, Рзы, заселения? Не предотвратили. Не обезвредили. Вы, товарищ Телячелов, это или то? То или это, а, товарищ Телячелов?

— Я был категорически против, — засуетился замполит в оправдание. — Категорически! Но это же Дымобыков... он же царь и бог, так сказать. Он в меня пресс-папье мраморным бросил... — Полковник сглотнул слюну. — Дважды.

— Попал? — равнодушно поинтересовался Медведев.

— Не попал, — ответил полковник. И почему-то повторил: — Дважды.

— Стареет ваш товарищ комдив. Маршала ему, видите ли, не дали, задвинули по приказу на Скважинку. Да, важное производство, ответственное. Но таких по северам сколько хочешь... Воркута, Норильск... — Медведев махнул рукой, потом зло посмотрел на гильотину между шкафами. — Товарищ Завенягин Авраамий Павлович тоже не святой... — Он почесал нос. — Авраамий, да... Норлаг, да... производство сложное. Но где сложно, там всякое бывает. Понимаете, товарищ Телячелов?

— Понимаю, — согласился полковник и зачем-то подмигнул капитану.

Тот на это не обратил внимания, мысль его тянулась извилисто, как по кочкам среди болотной трясины.

— Вы знаете о приказе по усилению охраны всех специальных рабочих зон и лагерных производств?

— Так точно, знаю.

— И знаете, с чем это связано? Немецкий разведывательно-диверсионный центр «Цеппелин» резко усилил свою деятельность в северных регионах страны. По данным нашей разведки, фашисты готовят особые диверсионные группы, базирующиеся во временно оккупированном врагами Петрозаводске, и цель их ударов — высадка с воздуха на территории советского Севера, захват лагерей и мест поселений ссыльных, вооружение их и привлечение на свою сторону для последующей повстанческой деятельности. Ближайший пример: месяц назад, в мае, в районе сельхозлагеря НКВД в посёлке Кедровый Шор Кожевинского района Коми АССР вражеские десантники, одетые в форму НКВД, сдались охране, чтобы внедриться в лагерную среду и агитировать заключённых вести антисоветскую деятельность. Начальник УНКГБ по Омской области полковник госбезопасности товарищ Дмитрий Ромуальдович Быков лично освободил начальника Ханты-Мансийского окружного отдела НКГБ майора госбезопасности Куликова от всех прочих занятий и приказал сосредоточиться на выявлении и пресечении повстанческой деятельности. И меня освободил тоже. Лично. О чём я вам и заявляю и требую с вас того же. Вон, в Оби немецкие кригсмарины ходят как у себя дома. Диксон расстреляли, так теперь до Салехарда добрались уже почти. Плюснин этот, опять же, гидрограф засланный...

— Помню Плюснина. — Телячелов посмотрел внимательно в глаза капитана. — Был он у нас на Скважинке. Товарищ Дымобыков сам его водил по объектам. Потом заперлись с ним у себя, посудой звенели. О чём говорили, не знаю, заперлись.

— Заперлись, говорите? — Медведев хохотнул коротко. — И надолго?

— Часа на два. — Телячелов хохотнул в ответ и посмотрел на время. — Я могу быть свободен, товарищ капитан? Мне ещё в магазин успеть бы, покрышки для мяча купить надо. Скоро матч.

— Свободны, конечно свободны, товарищ Телячелов, почему не свободны. Но помните про наш сегодняшний разговор. Что там насчёт мяча? Покрышки, говорите, купить? Есть у меня такие, покрышечки будь здоров, правда великоваты, кажется. — Медведев сунул руку в ящик стола и выудил из него жёлтую, как связка бананов, гроздь новеньких футбольных покрышек. Сладко запахло кожей. — Сам гражданин Майзель пошил на изъятой у него швейной машине «Адлер», хотя упомянутый гражданин и числится шофёром у председателя окружного суда. С товарищем председателем мы отдельно разберёмся, посмотрим, что он из себя за судья и кого он судит с такими шоферами, как Майзель. А что у вас, у спартаковцев, все мячи враз прохудились перед визитом товарища Завенягина?

— Камеры для мячей есть, и шнуровка есть, а с покрышками накладочка получилась. Нету их на складе, покрышек. Те, что были, давно сносились, а новых не заказывали за ненадобностью.

— Что же, у вас футболисты тряпичным мячом играют?

— Они у нас на равных правах с прочим лагерным *контингентом*, — вставил Телячелов в речь трудное иностранное слово. — Работают, одним словом.

Капитан кивнул понимающе. Потом подошёл к полковнику и посмотрел сквозь него на гильотину:

— И всё-таки, товарищ Телячелов, со спартаковцами вопрос не простой, политический, я бы сказал, вопрос. С одной стороны, надо бы вашим спартаковцам проиграть... Понимаете почему, надеюсь?

Ещё бы замполиту не понимать, если сам нарком внутренних дел Лаврентий Павлович Берия, почётный председатель общества «Динамо», считай что лично отправил полкоманды «Спартака» с братьями Младостиными во главе на десятилетнюю тренировку в зону.

— С другой стороны, — продолжил собеседник Телячелова, — нарком госбезопасности товарищ Меркулов сильно болеет за «Динамо». А слухи до Москвы доходят быстро, знаете ли. Так что думайте, соображайте. Правильно думайте, правильно соображайте.

«Правильно — это как? — думал-соображал Телячелов. — Если на одну чашу весов поставить, скажем, два „кадиллака“ и один „бьюик“, закреплённые за наркомом внутренних дел, а на другую — два „бьюика“ и один „додж“, закреплённые за наркомом госбезопасности, то чья чаша перетянет, так, что ли?»

Он спросил:

— Намекаете на ничью?

— Я что-нибудь сказал про ничью, товарищ полковник? — хохотнул Медведев.

Телячелов хохотать не стал. Убрал покрышки под мышку, отдал честь капитану и вышел из кабинета.

Хоменков плюнул со злости в спину какой-то тётки, топавшей по улице вниз. Он их всех ненавидел: женщин любого возраста; мужчин, здоровых и инвалидов; наглую уличную шпану — безотцовщину, сплошь ворьё, — норовящую, отвлечёшься только, вволю поиздеваться над одноруким; малиновые канты фуражек; спецпереселенцев тупых; улыбчивых дикарей-туземцев; город этот весь ненавидел, куда его прибило войной; Рзу со всеми его художествами, откупившегося лауреата, суку; полковника этого, тоже суку, наобещавшего чёрт-те что и сбросившего его с подножки. Всех, всё ненавидел! Но он им ещё покажет, грозил Хоменков в пространство. Сам нарисую, не буду ни у кого просить. Сталин мудрый, Сталин меня поймёт. Посмотрит на себя на картине, скажет: «Художник — гений! Посильнее „Фауста“ Гёте картина, — скажет. — Гёте — пигалица, червяк по сравнению с этим титаном кисти».

— Эй! — сказали со стороны ему. Тихо сказали, он почти не услышал, так был занят пронзительными своими переживаниями. Потом повторили громче: — Эй! Эй, Хоменков, — сказали, — деньги где, мухоморы где? Пойдём поговорим, если честный.

— Темняк, ты? — Хоменков спросил. Увидел рядом Собакаря, опять спросил: — Собакарь зачем?

Взгляд Собакаря был печален. Смерть была во взгляде Собакаря. Добрая печальная смерть. Скорая, как «скорая помощь».

— Речка идём гулять, — коверкая словесные связи, сказал однорукому Собакарь. — Птичка поёт красиво. Рыбка, раки, идём.

Темняк возложил длань на левое плечо Хоменкова, Собакарь возложил на правое. Хоменков очнулся, сказал:

— Не до речки мне, рисовать мне надо. «Сталин читает письмо детей». А вы, олухи, уходите. — Однорукий сбросил чужие длани с плеч своих и нахмурился.

— Мы, олухи, — ответил ему Темняк, — хочем, чтоб ты, не олух, заплатил нам, что обещал.

Деньги и мухоморы. Деньги можно талонами, — показал он пальцем на очередь, выстроившуюся у дверей магазина, — хлеб, мыло, вообще...

— Изыдьте, — вспомнил однорукий художник редкое старинное слово, слышанное невесть когда.

Собакарь достал из штанов дощечку, в неё была продета петля из грубого оленьего сухожилия, он стал растягивать руками петлю, скручивать её и раскручивать, и дерево вдруг запело заунывно и протяжно, как ветер.

Хоменков посмотрел на Собакаря и увидел, что это не Собакарь, а смотрит на него, Хоменкова, мёртвая голова рыбы с красными обводами вокруг глаз и улыбается по-рыбьи ему.

— Речка гулять идём, — рыбьим голосом сказал Собакарь, подыгрывая голосу на дощечке. — Шайтанка гулять идём.

Хоменков кивнул и пошёл.

Так они шли под музыку, долго шли, очень долго, пока не встали возле чёрной воды, где напротив, на другом берегу Шайтанки, торчали сваи разрушенного моста, чёрные, как головешки на пепелище. На них сидели неподвижные чайки, белые над чёрной водой, и подпевали голосу инструмента: каха кахавэй, — радовались человеческой смерти, потому что, когда много смертей, больше ставится могильных шестов, на которых им удобно сидеть.

Собакарь перестал играть, убрал инструмент в штаны, достал из штанов другой — большие, страшные плоскогубцы.

— Рот открой, — попросил он однорукого Хоменкова.

301

Раз просили, тот открыл рот. Собакарь под ухмылочки Темняка залез в рот послушному Хоменкову. Залез, выдрал из пасти его отверстой самый главный, коренной зуб — последний, остальные были выбиты в драках, — а потом, выдрав, сказал:

— Ты, — передавая очередь Темняку.

Кровь обильно текла из раненого рта Хоменкова. Темняк сложил из пальцев рачью фигуру, омочил её в крови однорукого, приблизился к кромке берега и поболтал фигурой в воде. Прошло секунды четыре-три, и бурая большая клешня вылезла из чёрной воды и протянулась к шее художника.

«Мир праху его», — сказали на небесах ангелы.

«Смерть духу его», — подумали некоторые из них.

Солнца не было, гулял ветерок, обещая перемену погоды. После нескольких дней жары в тундре приятно похолодало. Небо обнесло пеленой, края его обложили тучки, не набрякшие ещё избыточной влагой, в тесные серебряные прорехи на северной стороне горизонта на землю слетали стрелы белого небесного света, падали бесшумно на тундру и гасли в её воде.

На берегу древесного острова, одиноко возвышающегося над тундрой, на кочках сидели двое, Собакарь и Темняк. Перед ними тлел костерок, над его малиновыми углями была прилажена солдатская каска, в ней что-то лопалось пузырями, распространяя по тундре запах такой могучей убойной силы, что встань по ветру человек или зверь, пролети над костерком птица, так упали бы тут же замертво и из живого превратились бы в вечное.

На мухоморов этот запах не действовал, наоборот — прибавлял им силы. Они зачерпывали из каски пойло маленькими деревянными плошками, бережно отхлебывали из них, чтобы не разбрызгать и не пролить, и в блаженстве закрывали глаза. Собакарь брал в руку свою дощечку и медленно начинал играть. С каждым сделанным из плошки глотком пальцы его двигались всё проворнее, звук усиливался, крепчал, потом слабел и превращался в дыхание; мухоморы раскачивались на кочках, дожидаясь того момента, когда ветер, призванный звуком, наконец обретёт силу, оторвёт их от голодной земли и унесёт на третье небо, на западную его оконечность, в мухоморское царство Улуу-Тойона, их владыки и покровителя.

Собакарь призывал ветер, недоросток-перелесок, притихший, терпеливо ему внимал. Деревья, сосны и лиственницы с худыми, облупленными стволами, были неестественно загнуты и верхушками повёрнуты на восток. Между деревьями торчали шесты с насаженными на них оленьими черепами, их глазницы, исклёванные стервятниками, тоже были устремлены на восток.

Голос ветра вдруг оборвался, Собакарь отпустил петлю.

«Слышишь?» — спросил он у Темняка на гремучем языке кашля, тайном языке мухоморов.

Тот прислушался к голосам тундры и кивнул, услышав чужой.

Чужой голос имел много оттенков — в нём звучал и собачий хрип, и ленивый замах хорея, и скользящий звук полозьев из ели, и ещё что-то горькое и больное с дрожью ненависти и кипением ярости, это шло от человека на нартах.

«Наш, — прокашлял Собакарю Темняк. — Зачем едет?»

Собакарь отхлебнул из плошки, чтобы увидеть, зачем едет Ведерников. Увидел, засмеялся, сказал на языке кашля: «Затем едет, что помощник тебе и мне, Ванойту-дурака ищет. Поможем найти ему дурака Ванойту. Один зуб однорукого дурака-утопленника есть у нас, второй будет зуб дурака Ванойты, потом будет ещё один, и обрадуется Улуу-Тойон, чум Улуу-Тойона далёко, три жизни человеческие путь до него, одна жизнь — зуб однорукого, вторая жизнь — зуб дурака Ванойты, третий зуб скоро сам придёт, он не этого, который Ванойту ищет, этот помощник наш, а другого, который этого ехать сюда послал».

Темняк встал во весь свой вершковый рост, заглянул за ближний край тундры и углядел железные нарты, похожие на самолёт на картинке в красном уголке Дома ненца, откуда он сбежал навсегда, — только без пропеллера и без крыльев, ещё углядел упряжку, не из лаек, а из хмурых овчарок, и ещё увидел он человека, молодого, в военной форме, свесившего голову долу и скучно помахивающего хореем.

На душе у старшины было мерзко. Пойди туда, не знаю куда, но найди неуловимого ненца. Тундра бесконечна, как Бог, в которого старшина не верил. Попробуй отыскать в бесконечности невидимую человеческую иголку. Он гнал аэросани вперёд, зная, что поиски бесполезны. Четвёрка его друзей, тундровых циркумполярных овчарок, поворачивалась к нему мордами, явно не понимая цели этого бессмысленного похода. Заблудиться он не боялся, хотя тундра — коварное существо: однообразно повторяющиеся картины, все эти болотца и озерца, прячущиеся во мхах и осоках, кольца и многоугольники из камней, щедро разбросанные по тундре и опасные для бега аэронарт, низкие, приплюснутые возвышенности то в оплётке корней растений, живых и уже отмёрших, то покрытые высокой травой, красующиеся пёстрыми камнеломками, фиолетовыми зевами остролодочника, жёлтыми полярными маками или облитые узором лишайников — всё это разнотравье и разноцветье могло запутать восторженного пришельца, очаровать его цветами и запахами и завести в такие болота, где обитают местные демоны, наводящие чары на чужаков, откуда выход был только в смерть.

Ведерникова вывели бы собаки, в какую бы гибельную трясину ни заманила его подлая тундра. А в демонов не верил он, как и в Бога.

Уже несколько тягучих часов старшина мотался бестолково по тундре, отдаляя, отдаляя и отдаляя своё позорное возвращение в часть. Аэронарты обогнули пригорок, и собаки погнали дальше, держа путь на тёмную вертикаль, поднимавшуюся над зелёной горизонталью, на оазис из древесных стволов, странно загнутых на одну сторону и нарушающих привычный порядок. Чем ближе они к нему подъезжали, тем сильнее бил старшине по лёгким удушающий запах смрада. Ведерников уже думал, не отвернуть

305

ли в сторону, но тут его посетила мысль: а вдруг туземец именно там, прикрывается мерзким запахом, этаким колпаком из вони? Он погладил рукой винтовку и погнал упряжку на запах.

Зрелище его поразило. У костра на краю леска сидели два уродливых чёрта, какие-то злодеи из Лукоморья, вроде местные, вроде тундровые, одетые в нищенские лохмотья, только без оленей и нарт. Ведерников посмотрел на лес, прореженный и просвечивающий насквозь, но в широких просветах между деревьями не обнаружил ни оленьей упряжки, ни товарищей двух этих страшил.

Один, пониже, тёмный лицом, с торчащей клочьями, как будто крашеной бородёнкой, наполнил воздух утробным кашлем — то ли прочищал лёгкие, то ли болел чахоткой. Второй, подбитый его примером, закашлял тоже, утробно и с хрипотцой.

Ведерников молчал выжидающе, не вылезая из своей крепости на полозьях, а эти двое всё кашляли, переглядываясь, и косили глазами на старшину. Потом они перестали кашлять, и тот, что был с собачьим лицом, бесноглазый и какой-то весь перекошенный, заулыбался и сказал старшине:

— Наш, наш, вылезай, помнишь? Помнишь, помнишь, ку́ли мо́бо, сюда иди.

И старшина вспомнил. Это были те двое из снов-кошмаров, мучавших его ночами в больничке. Там была ещё какая-то рыба и эти вот нечеловеческие слова, которые ему повторили только что. Они уговаривали его отрезать у замполита

голову, и, кажется, он её отрезал, и голова Телячелова смеялась и говорила ему что-то такое,
о чём он уже забыл.

— Ага, вспомнил, гьюлитолы́гл? Иди отведай
нашего чифирку.

Старшина вылез на сырой мох, карабин остался на сиденье в кабине.

«Удивительно, — подумал Ведерников, — что
собаки ни лаем, ни рыком не встретили появление чужаков. Как будто это не люди вовсе, а что-
то вроде дерева или камня, что-то мёртвое и только кажущееся живым».

Он стоял на заболоченной почве и чувствовал,
как земля под ногами начинает медленно проги-
баться, засасывая его в себя. Сапоги увязли почти по щиколотку, нужно было либо идти вперёд,
либо возвращаться в кабину. Он выдернул сапоги из болота и захлюпал к этим двоим чертям.

— Наш, — сказал чёрт собачий.

— Ваш? — переспросил старшина, потому
что сказавший «наш» это слово не проговорил,
а прокашлял.

— Наш, — согласившись с собачьим чёртом,
утвердил чёрт мелкий, пестробородый.

— Ваш? — переспросил старшина, словно
перепроверял правду.

Он вдруг понял, что понимает их речь, этот
кашель, эту дохлятину, эту со слюнями и смра-
дом исходящую от них силу — опасную силу,
страшную, чужую и почему-то близкую.

У бесноглазого с собачьим лицом заиграла
в руках дощечка, она пела голосом ветра, и старшине сделалось легко и спокойно. Он уже приблизился к костерку и стоял теперь, прислушиваясь к себе и не обнаруживая внутри ни отчаяния,

ни гнилостного привкуса страха. Сама мысль о гневе полковника была глупой и до смешного нелепой — что есть гнев и страх перед наказанием, когда здесь, сейчас, перед ним льётся в воздухе волшебная песня и, проникая в каждую клетку тела, наполняет её воздушной лёгкостью.

Черти тоже были уже не черти, а два добрых тундровых старичка — один добрый играет на деревяшке, другой кивает старшине, как товарищу, и протягивает ему питьё; тот пьёт что-то удивительное и лёгкое, и от выпитого яснеет его голова.

— Небом пахнет, — говорит старшина и начинает болтать без умолку о своём довоенном детстве, о маме, о землянике в сметане, о первой своей школьной любви, о бросившем их с мамой отце, о том, как он просился на фронт, а военкомы сказали «нетушки» и сюда его, на Скважинку, в лагохрану, а он курсы миномётчиков кончил, и ему бы фашистов бить, а он ещё ни одного фрица не укокошил. Рассказал про суку Телячелова, как замполит ему грозит трибуналом, про стрельбу на третьем внешнем посту охраны, про полковничью жену рассказал, про Ванюту рассказал и про то, что приказано ему туземца убить, а он лучше привезёт его в лагерь и сдаст на руки сволочи замполиту. Только где его, туземца, найдёшь, он же в тундре знает каждую тропку.

— Это да, комариного человека в тундре найти непросто, он как хамелеон-зверь, по какому месту идёт, такого цвета бывает, — отвечали ему в два голоса добрые старички-приятели, — но ты же друг, а не помочь другу — это как помогать врагу. Ой, обидели тебя, — говорили ему приятели, подливая и подливая зелье из старой солдатской каски, — ой, сильно обидел тебя негодяй начальник, убить тебя хочет, трибунал-расстрел тебе хочет. Ты наш друг, мы тебе Ванюту найдём, хочешь — его убей, хочешь — вези к начальнику, мы поможем, мы своим помогаем. А то хочешь, мы сами его убьём?

Потчевавший старшину старичок прислушался к поющей дощечке и сказал, опустив веки:

— Слышу, добрый ветер мне говорит: убьёшь ты комариного человека, привезёшь ты его к начальнику — злой начальник тебя всё равно обманет. Он твоей смерти хочет. Надо смерть опередить, обогнать её, убить её, твою смерть. Мы друзья твои, мы тебе поможем. Вот скажи мне, я давно думаю. В Салехарде на стадионе гоняют мячик... как это по-русски, футбол? Мячик бьют, пинают его ногой — ты скажи, мячику больно? Он живой? Мёртвый? Что у него внутри? Он как голова, круглый. Может, он и есть голова, только спрятанная в мешок из кожи? Мёртвая голова, живая. Лучше мёртвая, ей не больно...

На дне каски жидкости почти не осталось, только ржавая, нечистая муть. Собакарь спрятал свой инструмент, выпил одним махом остатки, и все трое зашагали на островок из повёрнутых к востоку деревьев. Выбрали поляну поглаже, Темняк обошёл её всю, развернул черепа оленей, насаженные на покосившиеся шесты — останки капища самоедского. Теперь они смотрели на запад и не мешали его важным приготовлениям. Темняк глянул на безусого старшину, на его голую, обритую голову, потом — безнадёжно — на лишаи, обложившие череп Собакаря, и обречённо провёл ладонью по своей прореженной бороде.

Морщась и покрякивая от боли, он вырывал из подбородка по волосу и выкладывал из них неширокий круг — на широкий не хватило бы материала. Закончив с этим, он отыскал камень, круглый, как костяной шар, установил его в центре круга и сверху положил на него гладкий кусок железа, обточенный морем или рекой. После этого стал ходить кругами, легонько притопывая подошвами и в такт им прихлопывая сухими ладонями. Так учил его дальний родственник, великий шаман Байыр, пришедший когда-то в тундру с берега реки Чадаан и побеждённый Ябтиком Пэдарангасавой в шаманской битве. Ябтик — родич Ванойты, и теперь настала пора расквитаться за поражение. Он, Темняк, это сделает.

Ровно на девятом круге кусок железа свалился с камня и чуть откатился в сторону, не пересекая волосяной границы.

— Там он, туда нам, — лбом указал Темняк в направлении, куда откатился кусок железа. — Едем, нарты у тебя быстрые, как стальная птица. Как они, по-вашему, называются, по-русски? «Мессершмитт», «юнкерс»?

Юноко, олень-двухлетка, слизывал влагу с мелких листьев стелющейся по почве ивы и карим глазом поглядывал на хозяина. Нарты с походным скарбом — лёгкий чум, покрытый одним поднючьем, старый, ещё отцовский, американский охотничий «ремингтон» да кое-что из малых вещей, необходимых в кочевой жизни, — Ванюта спрятал в кустах на безымянном ручье —

для чего, Юноко не понимал, но раз хозяин так сделал, значит знал для чего.

Ванюта сидел на корточках, нюхал ветер, его оттенки, улыбался, когда ветер был сладок, хмурился, когда тот был с горечью — не привычной тундреной горечью, которая исходит от трав и добавляет воздуху остроты, а той, что идёт от горя или от злого замысла. Он ждал.

Скоро появились они. В светлом мареве, наполнявшем тундру, их торчащие поверх нарт головы походили на головы людоедов парнэ из маминых сказок, которые она рассказывала Ванюте долгими и вьюжными зимами. Матово отсвечивал корпус железных нарт, переднее стекло было мутным, словно на него надышали. Собачьи морды с оскаленными клыками смотрели настороженно и недобро.

Аэронарты сбавили бег, хорей направил собак к Ванюте.

— Йе-хе-хе, — хехекали в траве куропатки и, смеясь, разлетались в стороны. Они чувствовали, кто здесь побежденный, кто победитель.

Ванюта встал.

Аэронарты остановились в трёх-четырёх хореях от них с Юнако. Темняк сполз по гладкому боку аэронарт на землю.

— Куда идёшь, Ванойта, ступающий по корням? — спросил Темняк, пританцовывая на влажном мху.

— Куда иду, в землю Царя-Ветра иду, — ответил ему Ванюта, вспомнив рассказ отца о мёртвой старухе Пухутякои и отцовские слова об обмане, который грехом не считается, если обманываешь смерть.

АЛЕКСАНДР ЕТОЕВ

— Знаешь, где лежит земля Царя-Ветра? — Темнолицый покачал головой.

— Знаю, не знаю, иду, и всё.

— Думаешь, до земли Царя-Ветра легко добраться?

— Иду всё же.

— Как собираешься жить дальше?

— Не знаю.

— Как же ты не знаешь? Я думал, ты умный, у твоей мысли путь есть. — Темняк вёл пустой разговор, а сам, шажок за шажком, уверенно приближался к Ванюте.

— Хороший олень у тебя, красивый, — говорил он с притворной лаской, — сладкий, я бы такого съел. Отдай мне его, Ванойта, зачем тебе твой олешек? В земле Царя-Ветра — ты же туда идёшь? — он тебе уже не понадобится. Отдай. Я оленьи глаза люблю. Вынул бы ножом левый, положил в рот, покатал языком, как шарик, потом сдавил бы языком и зубами... — Лицо его расплылось в улыбке, из углов беззубого рта закапала жиденькая слюна. — Потом правый, ах хорошо! Печёнки бы поел тёплой, крови бы попил, кости бы его расколол, мозг бы из костей высосал... Ванойта, отдай олешка, ты всё равно умрёшь, он тебе уже не понадобится.

Темняк остановился в нескольких шагах от Ванюты. Лицо его, и без того тёмное, потемнело ещё сильней.

— Знаешь, для чего я пришёл к тебе? Помнишь, Ябтик, твой родич, победил Байыра, моего родича? Теперь, комариный человек, мой род должен победить твой. Это будет справедливо, ведь так? Скажи, ты готов сразиться?

Ванюта сказал:

— Готов.

— Честный человек, уважаю. — Темняк обернулся к аэронартам и крикнул: — Эй, Собакарь, иди сюда, сыграй нам, пока мы будем сражаться. «Помирать, так с музыкой» — так русские говорят? А ты, военный человек, — обратился он к старшине Ведерникову, — сиди сторожи железную птицу.

Собакарь вывалился из кабины на землю, вынул свою дощечку и дёрганой, прыгающей походкой поковылял к ним.

С полчаса уже как, сцепившись, они катались в траве и мху, кулаки и лица были у обоих в крови, руки тянулись к шее то Ванюты, то Темняка, но победа не давалась ни одному. Собакарь играл на своей дощечке унылую песню ветра, но на Ванюту, комариного человека, голос ветра не действовал. Он сражался с темнолицым противником, зная, чем закончится бой. И, сражаясь, он думал не о сражении. Ванюта думал о светлом дереве, яля пя, которому он должен помочь, чтобы не умирали люди, чтобы не болели олени, чтобы в тундре наступил мир. Он обманет этих обманщиков, ведь обманщиков обманывать не грешно.

Ванюта сделал вид, что отвлёкся, скосив глаза на дощечку Собакаря, и сразу же крепколобый Темняк ударил лбом ему в зубы. Ванюта вскрикнул, оттолкнул Темняка, вскочил на ноги, закрутился на месте и стал гладить ладонью челюсть, будто успокаивал боль. Потом отнял ладонь от лица и выплюнул на ладонь зуб.

Темняк поднялся вслед за Ванютой, жадным оком глянул на зуб, на струйку крови, сбегающую у Ванюты по подбородку. Ванюта, чтобы выглядело правдивей, ещё сильней надкусил изнутри щеку, и кровь потекла обильней.

— Дай, — сказал ему темнолицый и протянул руку. — Тебе он больше не нужен.

Ванюта посмотрел на ладонь. Зуб светился золотой желтизной, это золото было гордостью комариного рода, его благословением и защитой. Когда-то сам владыка Вавлё Ненянг потерял зуб в битве под Саля'хардом, русские называли его Обдорск, но тот вернулся в род в чреве рыбы с красными обводами вокруг глаз. Дед Ванюты её поймал.

— Дай зуб, — повторил Темняк.

— Возьми, — ответил ему Ванюта. Он знал, что святыня к нему вернётся, но сначала сделает своё дело. Потом добавил: — Мои зубы скоро растут, один выбил, уже другой его место взял. — И улыбнулся, чтобы они увидели.

Темняк взял зуб и спрятал его в одежде, в тайном месте, где лежал зуб однорукого. Путь до чума Улуу-Тойона стал на две жизни короче.

— Теперь надо тебя убить, Ванойта. Ты не бойся, одного мы уже убили. — Темняк обернулся к Собакарю и ему подмигнул. — А потом олешка съедим твоего, чтобы он в мёртвом царстве к тебе вернулся. Эй, собачий начальник, — крикнул он старшине Ведерникову, — стреляй, только метко, нас, смотри, не убей, мы же друзья твои, да, начальник?

Старшина шевельнул хореем, и послушная четвёрка собак подвела железную птицу близко к Ванюте и мухоморам.

— Залезай, — сказал он туземцу.

Темняк и Собакарь расступились. Ванюта прошёл между ними и молча забрался в аэронарты.

— Добрый ты человек, собачий начальник, — покачал головой Темняк, — не убил, пожалел Ванойту.

— Надо ехать, — сказал Ведерников и дал овчаркам знак разворачиваться.

Ванюта махнул Коньку. Юноко легко подпрыгнул, и скоро его маленькая фигурка растворилась в пространстве тундры.

Собаки развернули аэронарты, и, прежде чем упряжка набрала скорость, Темняк крикнул старшине весело:

— Начальнику своему привет передай. И про мячик не забывай, про мячик. Помни: он как голова, круглый. И что если он мёртвый, ему не больно...

— Сам сдался, — доложил старшина Ведерников.

Полковник посмотрел на него недобро:

— То есть весь лагерь видел, как ты его доставил сюда?

— Не весь, — ответил Ведерников. — Старшина Кирюхин не видел. И... многие.

— Что ты сейчас сказал? — Лицо Телячелова покрылось сыпью — крупной, жёлтой, как зёрна жгучего стручкового перца. — «Многие»? Ты издеваешься надо мной, старшина? Ты оружие брал с собой?

— Так точно, — сказал Ведерников. — Не понадобилось, он сдался сам. Сопротивления не оказал, сдался.

— «Идиот» — знаешь такое слово? Или у вас там, откуда ты взялся, таких сложных понятий не проходили?

— Так точно, товарищ полковник, знаю такое слово, читал роман Достоевского «Идиот». Издание дореволюционное, с ятями, брал в районной библиотеке. Понравилось.

— С ятями, говоришь? Понравилось? — Телячелов приблизился к старшине вплотную и посмотрел вглубь его зрачков. Там клубилась лишь пыль мерячечная и таилось мало выраженное страдание. Но этого Телячелов не заметил. Он заметил лишь пустоту сквозную, куда и устремил свою ненависть. — Где он сейчас? — спросил замполит. — В карцере, знаю, — ответил он на свой же вопрос. — Убей! — приказал Телячелов старшине голосом писателя Эренбурга. — Или тебя убьют. Понял? — сказал Телячелов. — Или не понял, гадина?

Замполит дивизии не сдержался. Слово «гадина» было лишним.

Глава 19

— Авраамий, дорогой, почему? Я же тут тебе и футбол, я же тут тебе и «На дне» Горького, я же тут тебе и пианино привёз для музыки, через тундру на нартах из Салехарда ребята пёрли, и стол приготовил с раками — всё как ты любишь... Помнишь, как мы на Урале раками колхозниц пугали?.. Да, понятно, Лаврентий — мужик серьёзный... Есть такое... Да, понимаю... Как же, никель... руда... А помнишь, как ты, дорогой Авраамий Павлович, в Москве, на семнадцатом съезде партии Молотову в буфете сметаной на штаны капнул?.. Некогда говорить? Понимаю... Сам такой, киплю на работе... Москва?.. Да, понимаю... Москва она есть Москва, не наше северное болото... Ну как сможешь, так заезжай, ждём... Сколько уже не виделись? Год? Два? А помнишь, как на Магнитке Налбандова с навозом смешали? Он тогда не поверил, что мы харьковский рекорд перебьём. Некогда говорить?.. Понимаю. Лаврентий — мужик серьёзный. Да, до связи, пока, товарищ!..

Комдивизии прикусил губу и положил трубку на телефон.

— Да и хрен с тобой, — сказал он невесело и крикнул лейтенанту за дверью: — Петренко, поди сюда.

Явился на крик Петренко.

— Николай Младостин сегодня на тренировке?

— Никак нет, не знаю, возможно, да, — по-боевому отчеканил Петренко.

— Гони срочно в шестой барак, приведи сюда Николая Младостина.

Лейтенант Петренко ушёл.

Младостин Николай Петрович притопал в арестантской одёжке и громко отрапортовал на входе:

— Заключённый Николай Младостин по вашему приказанию прибыл!

— Ладно, Коля, какое «прибыл»... Сейчас главное, чтоб не «убыл». А «прибыл» — ныне это почётно. — Дымобыков подул в усы. — Мои как, на подъёме? Сделают вас, Младостиных, братишек?

— Не знаю, — ответил старший из братьев Младостиных. — У ваших форвард — как его... Шарамыгин? — играет вровень. Остальные пыжатся, не играют.

— Сыграют, Коля! Наши с вашими сыграют, да ещё как! Я же Щукина выписал с Амурлага. Щукин — ас, ты же видел, знаешь. И Аркадия Гофмана вместе с ним, бывший центрфорвард сборной Румынии, будет и у нас центрфорвардом.

— Володя Щукин игрок хороший. В волейбол, правда, а не в футбол. В футболе бегать надо, а он прыгун. Гофман — да, Гофман — это опасно. Удар не очень, но хорошо играет на передачах. Было бы кому передавать.

— Ладно, Николай, не засрянься — «удар не очень», «передавать»... Вы, наверное, выиграете... не знаю. Со мной вчера из облцентра связывались... Ну, короче... Нет, не короче. — Дымобыков почесал шрам. — Тут такая ситуация намечается. Могут матч вообще отменить. В верхах бурление какое-то происходит. Те звонят, потом эти. Думают одно, говорят другое, делают третье. Слушай мысль. Отменят, не отменят, а игра будет. Столько нервов вложено в это дело. Сыграете на день раньше, чем намечалось. Чтобы без начальства из облцентра. И по-честному, без подхалимства и поддавков, в полную силу. Как мысль, гражданин Младостин?

— Мы сыграем, отчего не сыграть. Насчёт выиграем, сказать не могу. Может, выиграем, а может, не выиграем.

— Выиграете, талант не пропьёшь.

— Талант — да, не пропьёшь, а ноги... — Младостин усмехнулся косо. — Ноги требуют тренировок. Мяч — для ног, лопата, кирка — для рук. Наши тренировки сами знаете где, в основном по пересечённой местности. Поэтому за результат не ручаюсь. А ваши лбы тренируются только так.

— Тренируются, — сказал Дымобыков. — И твои тренируются, начали тренироваться, позавчера, на нормальном поле. И до этого пару раз сыграли. Разгромили наших со страшным счётом. Слушай, Младостин, — Дымобыков аж засветился весь, — а может, братьями своими поделишься? Один у тебя, другой у нас, вас же много у меня, Младостиных. Два на два, например? Как?

Младостин Николай Петрович хмуро глянул на Дымобыкова.

— Шутю я это, шуток не понимаешь? Оставляй себе своих братьев. — Дымобыков почесал шрам. — Насчёт формы... А одену-ка я вас в красное, в родные ваши цвета, с белой полосой на груди. А наших в цвета «Динамо». Хохотуев говорит, что запас в его хозяйстве имеется. У Хохотуева чего только нет, даже хомуты для слона, а откуда, даже мне неизвестно. Тебя лично к нему пошлю, сам выберешь всё, что нужно. Бутсы, гетры, щитки, трусы... Чтобы блеск был и красота на поле.

Старший Младостин вдохнул глубоко и как-то робко затоптался на месте. Потом сказал, не глядя в глаза комдиву:

— Меня сегодня сняли с утренней тренировки и под конвоем доставили к замполиту, так он нам вничью приказал сыграть. Иначе, сказал, нам срок увеличит, а то и вовсе организует вышку. Государство в нашей жизни не заинтересовано, он сказал.

— Так! — Командир дивизии бухнул кулаками об стол; шрам его стал багровым. — Вничью, значит!.. Полковник Телячелов!.. Приказал!.. Приказчик, значит, растудыть его в кочерыжку! — Дымобыков схватился за телефон, сорвал трубку и накрутил номер. — Иди, Младостин, тренировки не отменяются. Завтра с нашими сыграешь, пристрелочную. Щукин с Гофманом тоже будут играть. А с полковником я сам разберусь. Государство не заинтересовано, он сказал? Вышку организует, сказал? Иди, Младостин, не бойся, не будет вышки. Братьям-футболистам привет! Лейтенант, Петренко, ты где? — крикнул он за дверь лейтенанту. — Своди гражданина центрфорварда Николая Младостина к нашему разбойнику Хохотуеву, сейчас он как раз на складе. Если что, скажи, я разрешил.

— Объясните мне, товарищ полковник, что за игры у меня за спиной? — начал Дымобыков с усмешкой, когда Телячелов явился по его вызову. Он намеренно говорил на «вы», чтобы этим казённым местоимением указать Телячелову на место, которого тот заслуживает. С равными и уважаемыми людьми комдивизии общался на «ты», даже с олимпийскими небожителями из высшего эшелона власти. Кроме, разумеется, одного. — Это что же такое получается, что вы лично, без моего участия, преступаете советский закон и решаете судьбу заключённых. Их судьбу уже суд решил, справедливый советский суд. Понимаете, надеюсь, о чём я? О Николае Младостине и его братьях. О предстоящем футболе. О том, что вы грозились применить к нему высшую меру, если его команда выиграет матч. Было такое? Отвечайте!

— Ложь, — ответил замполит, не раздумывая. — Лжёт заключённый Младостин. Да, я его вызывал сегодня, но разговор шёл исключительно о футболе. Никаких угроз с моей стороны не было.

— Не было, говорите? Ну-ну. А если разговор о футболе, то скажите мне, товарищ Телячелов, какого чёрта вы суёте нос не в своё дело? Футбольный матч моя задумка и забота тоже моя. Откуда это у вас, чтобы матч сыграли вничью да ещё в приказном порядке? Вы это придумали сами? Зачем? Чтобы задницу свою не подставить? Или кто-нибудь нашептал оттуда? — Дымобыков воздел брови горé, в невидимые божественные чертоги, глазами же всверливался в Телячелова.

— «Оттуда» — это откуда? — Телячелов сделал вид, что не понял.

Комдивизии подошёл к двери, приоткрыл, выглянул за порог, нет ли посторонних ушей, закрыл дверь и медленно, грозно, страшно, выставив вперёд лоб, беззвучно стал надвигаться на замполита.

— Сейчас узнаешь откуда, — нарушил он зловещую тишину. — Говори, кто ничью придумал? — Лоб его раздулся в полголовы, надбровья выперли буграми наружу, и сделался Дымобыков страшен, как объятый яростью Зевс, маскирующийся под быка.

Телячелов пятился, отступая. Комдивизии дёрнул вверх кулаком, и замполит, подумав, что тот его начал бить, заголосил каким-то жутким бабьим фальцетом:

— Не имеете права. Поднимать руку на политического работника — преступление. Где ваша генеральская честь... — Голос замполита дал трещину, когда он упомянул про честь, потом помягчал, стал жиже. — Я покрышки привёз футбольные, как вы просили, — вспомнил он про покрышки. — Хорошие такие, справные, жёлтенькие... Пятый размер, меньше не было.

Дымобыков разъял кулак и ладонью пригладил голову.

— У тебя зеркало дома есть? — неожиданно спросил он Телячелова.

— Есть, как же без зеркала. Ни побриться, ни голову причесать...

— А я вот гляжу на тебя и думаю: то ли мой замполит Телячелов не держит у себя дома зеркало, то ли не смотрит в него, то ли не отражается в нём. Посмотри на себя, полковник. — Дымобыков развернул его кивком головы к зеркалу, встроенному в служебный шкаф. — Посмотри, какой ты есть чирей на мою задницу, какой ты есть мутный синяк под глазом Господним, ядрёна каша. Какой ты есть пакостный человек-червяк... А ещё полковник славных советских органов внутренних дел называешься! Мы с Окой Городовиковым в Крыму под Чонгаром таких, как ты, гнилых человеков в землю закапывали по яйца, чтобы те наружу торчали, крепко посыпали их солью и давали лизать коням. Воспитывали. Помогало. Может, и тебя так?

— Никак нет, товарищ генерал-лейтенант, не надо, — испугался Телячелов за свои яйца. — Я больше не буду.

— То-то, — сказал комдив. — Так что ты там про покрышки? Жёлтенькие, говоришь, справные? Где достал?

— Есть места, — замялся Телячелов и добавил туманно: — Кооперация.

— Хорошо, иди занимайся политическими делами, а в мои не суйся, усвоил? — Дымобыков кивнул на дверь. Потом — Телячелов был уже у двери — хлопнул себя по лбу, сказал: — Да, полковник, не хотел говорить, но надо, раз уж такая пьянка. На твою благоверную, то есть на Зою Львовну, сигналы поступают от офицерских жён. Якобы на некоторых ихних мужей она глаз положила. Смотри, полковник, как бы чего не вышло. Женщины — народ нервный, не посмотрят, кто ты, замполит или зэк последний, волосья-то твоей повыдёргивают кое из каких мест. И на тебя опять же падает тень: что это за политический руководитель такой, если он даже своей супругой руководить не может? Что ответишь, полковник, на всё это баобабство?

— Поклёп, — нахохлился замполит. — Откуда такие сведения?

— Откуда ни откуда, но сведения. Боец старшина Ведерников даже болезнь схватил через твою благоверную Зою Львовну. Мне главврач, товарищ Титов, докладывал, а ему рассказал сам старшина в больнице, что, мол, будучи в омеряченном состоянии... он... она... в общем, плохо. Следи за женой, полковник. У меня всё, иди.

Складское хозяйство Хохотуева поражало, как пещера Али-Бабы. Чего только не было здесь. Полки, стеллажи, ящики, запертые на замки и открытые, лесенки, ведущие в небеса, перекрещенные толстыми балками, где под плоской тесовой крышей тоже что-то тёрлось, гнездилось, выпирало рёбрами и углами, норовило пнуть и обидеть. Жёлтые лендлизовские ботинки связками свисали с крючков, прибитых к балкам и деревянным стенам, — будто в Африке по джунглям идёшь, задевая башкой бананы. Какие-то жестокие механизмы — пыточные ли, швейные ли, неясно — глядели из прохудившейся упаковки, запоминали. Был здесь даже скелет из какого-нибудь учебного кабинета, своим ли ходом сюда пришедший или сосланный в Сибирь по этапу, а возможно, здесь же и изготовленный местными специалистами по скелетам, — было ведомо ему одному.

Владыка склада, бесконвойный Пинай Назарович, принял заключённого Младостина у сопровождавшего его лейтенанта, угостил Петренко пачкой презервативов «Юнгс раббер» и повёл центрфорварда по своим владениям. Шли долго, петлями. Младостин на складе был первый раз и удивлялся всему увиденному. Гуттаперчевым ваннам американским: для белых — белым, для чёрных — чёрным, для всех прочих — цвета хаки-шанжан, болотного. Они лежали на полке сложенные, и лишь одна, видимо для наглядности, демонстрировала образ жизни американцев: хоть чума, хоть война, хоть что — а ванну принять обязан.

— Я пробовал, в ней размаху нету, — увидев удивление Младостина, небрежно сказал Пинай. — По сравнению с нашей баней — говно. У них, у этих американцев, ещё в ухе не кругло супротив нас.

Он провёл старшего Младостина тайными дорожками в место, отгороженное от складских лабиринтов крепкой фанерной перегородкой.

— Осторожно, — сказал Пинай, когда Младостин зацепился ступнёй за ногу деревянной кобылы, раскорячившей нагло свои копыта едва не во весь проход. — Прибыли в спортивную секцию. — Хохотуев включил подсветку. — Коля, ты не тушуйся, набирай чего надо на всех своих, ну а чего не надо — не набирай.

Старший Младостин осмотрелся. И удивился в который раз. Ощущение было такое, что попал он не на лагерный склад, а в недоступные для простого смертного закрома спортивного магазина — мирного ещё, довоенного. Грудами лежали по полкам, стояли в тупичке и вдоль стен лыжи и палки к ним, рапиры и эспадроны, маски фехтовальные и ракетки для тенниса настольного и большого, гантели, штанги, бильярдные шары и кии. Чего только здесь не лежало, не висело и не стояло — хоть сборную по всем видам спорта снаряжай на Олимпиаду.

Для матча нужно было много чего. Фуфайки, бутсы, гетры, вратарские перчатки, наколенники, налокотники, трусы, стёганные по бокам и в шагу...

Младостин ходил в отгородке и нужное откладывал в кучки.

Хохотуев ходил за ним и отвлекал его неделовыми беседами.

— Я бы на вашем месте назвал команды по-своему. Вашу я назвал бы «Хвосты», другую назвал «Хранилища». От хвостохранилища потому что. Как команду назови, так она, слава радио, и сыграет. Твой «Спартак», к примеру, возьмём. Кто был этот Спартак? Раб. Что такое хвосты? Отходы радиевого производства. Кто ты? Кто я? Те же, считай, отходы. А охранники — те хранилища. Они себя от нас охраняют.

— А «Динамо»? — спросил Младостин-старший.

— Что «Динамо»? Оно динамит. Ударение на втором слоге. Если на последнем, то очень взрывоопасно.

Старостин прикидывал бутсы, морща лоб и вспоминая размер ноги своих игроков. Пару отложил лишних, на всякий случай.

— Ты мне, Коля, скажи, это правда, что у тебя на правой ноге череп нарисован с костями и синяя наколка «Смертельно!»?

— Шутят, — улыбнулся спартаковец, — я не электрический столб.

Младостин отложил фуфайки, спартаковские, настоящие, цвета родного флага с белой полосой на груди. Рядом положил гетры с аккуратной красно-белой полоской. Придирчиво отобрал трусы.

Хохотуев не удержался:

— А знаешь, товарищ дорогой, почему твой непобедимый «Спартак» продул в четвертьфинале Кубка Москвы? А перед войной в чемпионате СССР откинулся на третье место?

— Почему же? Интересный вопрос.

— Всё просто. Как сменили белые трусы на чёрные, так и пошла непруха. Сила футболиста в трусах. В белых трусах в тридцать девятом году кубок СССР взяли? Взяли. Чемпионат выиграли? Выиграли, первое место ваше. А в чёрных вас даже Жмельков не спас, на что был великий гольман.

— Почему «был»? Он вроде вполне живой.

— Так, говорят, был скандал, когда его в сороковом к себе ЦДКА взял. Армейцы потом Жмелькова куда-то в воинскую часть сунули, чтоб не светился, воюет сейчас небось, родину защищает. А Хома? Что про Хому скажешь? Говорят, что он, когда играл в дворовой команде, сестрёнку заворачивал в одеяло и вместо штанги на землю клал. Она спала, а Хома стоял, и под ту руку, где сестрёнка лежала, забить было невозможно ну никому: сестрёнка — это святое.

— Может, врут, а может, не врут. Я с Хомичем не играл, он за «Пищевик» выступал.

— А в ворота кого поставишь? Акимова Толю? Понял, понял, прости дурака за то, что глупость сморозил. Конечно Толю, кого ещё? А на другие, будь моя воля, я поставил бы бывшего «красного дьяволёнка», а теперь считай что уже и дьявола товарища эфиопа Тома Джексона Кадора Иваныча Бен-Салиба, чтобы рожей своей африканской ваших форвардов и беков пугал, слава радио.

Степан Дмитриевич открыл дверь клуба и вздрогнул.

Клубную сцену было не узнать. Из предметов неколебимых по своей сути остались два: портрет Сталина и транспарант с лозунгом «Радий — родине». Остальное было заставлено фанерными треугольниками, кубами, плоскими человеческими фигурами, крашенными в чёрный и белый. Сверху свисали на лохматых верёвках какие-то тряпичные груши, а может быть, огурцы, но сильно увеличенные в размерах и почему-то розовые.

Перед сценой бегал, схватившись за голову, Гнедич-Остапенко. Увидев скульптора, он воздел руки горе́ и издал театральный стон, чисто по Станиславскому:

— Нет, Стёпа, ты посмотри, что этот утопист сделал? — Он уже кричал в глубину сцены, видимо, автору композиции. — Ты бы ещё рыбок на верёвках развесил, раз играем «На дне». Себя тебе не жалко, так хоть меня пожалей. Это ж пятерик к сроку. Это ж ты нашего буревестника опошлить задумал, морда антисоветская. Хорошо, из начальства не было пока никого. — Он потряс кулаком, направив его на сцену. — Опустите мне веки, не могу на это смотреть.

Одна из плоских человечьих фигур неожиданно ожила и, раздвигая головой груши, вышла на авансцену. На человеке была чёрная роба, сам он был невелик ростом, страшно худ, должно быть от недоедания, щёки впалые, лицо измождённое, взгляд гордый, голова поднята.

Рза внимательно посмотрел на него. Что-то было в человеке знакомое. Где-то, когда-то, в какой-то из прежних жизней он с этим человеком встречался.

— Не хочешь меня узнавать, господин лауреат? Стыдно? — В глазах человека на авансцене загорелись красные угольки. Он жёг взглядом мало что понимающего Степана Дмитриевича, а тот всё пытался припомнить, кто перед ним такой и откуда у этого человека такая злоба в глазах, такое яростное бессилие. — Тоже сюда умирать пришёл? Не выдержал своего предательства? Совесть заела?

— Но-но, разошёлся, гений, — осадил человека на авансцене Гнедич-Остапенко. — Стёпа, не слушай этого дурака-еврея, видишь, он даже на свету светится. А ты, Давид, вместо того чтобы на человека кидаться, разбирай, к чёртовой матери, это своё убожество. Надо же, такое за ночь наворотить! И эти груши тебе зачем?

— Убожество? Ты на него посмотри, — ткнул тот, кого назвали Давидом, пальцем в Степана Дмитриевича. — Он художник? Он предатель, он предал свободу творчества. Сталин на скале! Как низко надо пасть! Конёнков, Вучетич, Мельников, Рза... о, какие мы мастера! За тридцать сребреников продадим мать родную.

— Тише, ты, идиот! Голос убавь, — прикрикнул на него Гнедич-Остапенко. — Хочешь подыхать — подыхай, а других с собою в гроб не тяни. И на кой ляд я связался с тобой, Мошнягер?!

Вот тут Степан его вспомнил. Ну конечно! Давид Мошнягер. Помнится, всегда был горласт, вещал красиво, как Троцкий, и так же пафосно, мозги запудрить умел, кричал об искусстве будущего, одно время был дружен с Татлиным, вместе пели что-то под татлинскую бандуру, потом с ним раздружился, вроде бы украл распорку от крыла его аппарата. И не зря он упомянул Мельникова. Мошнягер был вначале во ВХУТЕМАСе, позже, когда Мельников пошёл на подъём, особенно после павильона «Махорка», ходил в учениках архитектора, потом, когда учителя душили конструктивисты, братья Веснины и Моисей Гинзбург, быстро переметнулся к ним, всплывал в Париже у Корбюзье. Больше он о Мошнягере ничего не слышал, крупных его работ не знал (да и некрупных тоже), тот, похоже, в искусстве не преуспел, кроме как в искусстве гордыни. И вот — здрасьте-пожалуйста, вот он я — объявился на Скважинке. Что, в общем, неудивительно, с его-то горловыми способностями. Горлом — не руками работать. Как там говорил один мудрый писатель: «Чем горластее человек, тем поганее его совесть».

— Давид Семёнович, здравствуйте! Я сразу вас не узнал...

— Мы уже на «вы»?

— А мы были на «ты»? Запамятовал. Вот вы упрекнули меня в предательстве. Что я Сталина изобразил на скале. Но мне с любого человека интересно делать портрет, и чем человек сложнее, тем больше у меня интерес.

— Знаем этот твой интерес. Оттереть нас, загнать в нечеловеческие условия, отравить этим вашим радием, расстрелять, заключить под проволоку, чтобы хапнуть себе побольше.

— «Нас», Давид Семёнович, если не секрет, это кого?

— А то ты не знаешь. Вы, антисемиты, все как один, только притворяетесь да болтаете, что у вас всеобщее равенство. Мы — мы! — вашу революцию сделали, мы первыми кровь пролили, мы косную, лапотную страну повернули лицом к цивилизации, к Америке, к Европе, к культуре. И нас за это вы... этот... ваш... на которого вы все молитесь... нас сюда, в кандалы, в путы, нам кирку и лопату в руки... Конечно, вам... ему... не нужны скрипка, виолончель, у вас главный инструмент балалайка...

Степан Дмитриевич перекрестился мысленно. Сколько он переслышал на долгом своём веку этих плачей сирот Израилевых, сколько перевидел таких вот Давидов Семёновичей, единственно что умеющих хорошо, так это переливать из пуста в порожнее желчь свою и обиду. Впрочем, и в русском племени своих Давидов Семёновичей хватало.

— То есть, — заметил скульптор, — антисемит Лисицкий... кстати, Лазарь Маркович был вроде как ваш приятель, вместе с антисемитом Малевичем, тоже вашим бывшим приятелем, пнули под зад и вытурили еврея Шагала из основанного им же художественного училища в Витебске по злому антисемитскому умыслу?

— Комиссар Шагал... Ты ещё Натана Альтмана вспомни. А Шагал — та ещё была штучка твой комиссар Шагал, в Америке сейчас отъедается. — Мошнягер пробежался по сцене, саданул кулаком по груше. Груша ничего ему не сказала, поболталась на верёвке и успокоилась. Но Мошнягер успокаиваться не стал. — Там нас Гитлер, чтоб он сдох, изувер, здесь нас Сталин...

— Что ты сейчас сказал, морда жидовская? — схватил Мошнягера за грудки хохол Гнедич-Остапенко. — Повтори!.. Нет, повторять не надо, — вовремя спохватился он. — За такие твои слова знаешь что полагается сделать мне, советскому человеку? Знаешь?

— Стучи на меня, стучи. Стучать — это у вас в крови, — огрызнулся Давид Мошнягер. — Стучи, мне терять нечего, я и так умру. Раньше, позже, какая разница! — Он закинул правую руку себе за плечо, подбородок нацелил в лампочку, которая освещала сцену, и начал читать святое:

Я быть устал среди людей,
Мне слышать стало нестерпимо
Прохожих свист и смех детей...
И я спешу, смущаясь, мимо,
Не подымая головы...

Мошнягер оборвал чтение и ткнул пальцем одновременно в Рзу и предреперткома:

— Я — смертник, я человек потерянный с улицы Расстрельной. А вы — ты и ты, — показал он на них обоих, — живите и предавайте дальше. Возвращаю вам свой билет в вечность, в такой вечности я не желаю жить.

— Вот как заговорил, иуда. — Гнедич-Остапенко аж присвистнул. — В такой вечности он жить не желает... А кто поддельным золотом торговал? Я? Знаешь, Стёпа, за что этот чмырь срок здесь мотает? — спросил предреперткома у скульптора. — Они на воле дробили мелко чугун, покрывали его сусальным золотом, закрепляли железным купоросом и выдавали это говно за натуральный продукт, за золото. Он же сам потом, когда его повязали, всю свою воровскую шайку сдал. Сел сам — посади товарища, такой принцип. А нас с тобой в предательстве обвиняет, сука. А ну вали в свой барак, пока тебе руки-ноги не обломали. Сами твои художества уберём...

«Стол, табурет — вещи простые, но нужные всем и каждому. Когда они делаются халтурно — стол шатается, одна ножка длинная, другая короче, табурет разваливается под тобой, — тогда ругают того, кто эту халтуру сделал. В искусстве же вам подсунут халтуру, кое-как сделанную работу, и скажут, таков, мол, замысел, плюс к тому подпоенные автором критики будут ахать, восхищаться и говорить: „О шедевр!“ — тут вы и опустите руки, задумаетесь. „Наверное, — скажете вы, — я дурак, в искусстве не понимающий“. А в искусстве и понимать нечего! Его нужно принимать или не принимать. Когда вам, чтобы его понять, его объясняют, — это халтура, а не искусство. С инструкцией к картине, скульптуре не подойдёшь, как к какому-нибудь механизму или прибору. Да и к прибору не подойдёшь, пока не узнаешь смысл его работы и назначение. В практике красота значит меньше, чем внешний вид. Хотя паровоз — механизм красивый».

Степан Дмитриевич вымеривал шагами ШИЗО, временную свою стоянку, новообретённую, ненадёжную, как палатка на горном склоне, и думал теми словами, которые воспроизведены выше. Эти его слова шли вразрез с тревожными мыслями, а мысли его тревожные подпитывались тревожными слухами.

Тревожный день вторые или третьи сутки утюжил тревожным светом лагерную зону Циркумполярья. Свет был мёртв и колюч, свет затекал под веки, выедал яблоки глаз до самого их плотного основания, свет тёк ядовито в мозг, но Степан Дмитриевич справлялся с этим вторжением. *Пока* справлялся.

Утром ни с того ни с сего к нему заскочил Телячелов. Почему, зачем? — непонятно. Сказал, вроде бы между прочим, что в Салехарде в Доме ненца («Знаете про такой?»), откуда Степан Дмитриевич *вовремя* (или не вовремя?) *вдруг* (не вдруг?) переместился сюда, — великие перемены. Что там, как выяснилось при следствии, был чуть ли не центр антисоветского заговора. Что мандалада идёт оттуда. Что под следствием сам начдома и много кто из работников. Что арестованы (Телячелов, припоминая, наморщил лоб) некто Калугин — или Калягин? — Ливенштольц, Свежутин — или Свежатин? — кто-то ещё. Поблагодарил за помощь в оформлении сцены («Это вы хорошо придумали — узор в шашечку. В чём смысл только, не понимаю»).

«Какой узор? В какую такую шашечку? — удивлялся Степан Дмитриевич после его ухода. — Гнедич-Остапенко, что ли, там намудрил сдуру?»

Сцена, Горький, «На дне» его не занимали совсем. Печалился он о тех, на кого пала дубина власти. Особенно о Косте Свежатине.

«Господи, мальчика-то за что? Из блокады выбрался чудом, голод его не съел, чистый, как ангел Божий... Как Василий Мангазейский, великомученик...».

Рза покрестился молча на пресветлый лик Богородицы, на Марию, изображённую в дереве, щекой прижимающуюся к младенцу и улыбающуюся ему улыбкой печальной. Ничего, что фигура неосвящённая, кусок лиственницы он подобрал в зоне, а храм в зоне — это небо над головой, священник — Отец Небесный. «Материнство» — так он назвал скульптуру, чтобы не придрались надсмотрщики.

Мария. Свет её шёл из дней, когда Рза, простоватый, как вся мордва, увидел эту молоденькую курсистку на Мясницкой во ВХУТЕМАСе на факультете живописи. Она спорила с маститым Кардовским, доказывала ему, что цвет не есть главное в книжной графике и Сомов, раскрашивавший свои рисунки, только портил их на потребу книжных коллекционеров. Потом они встречались в компаниях, потом он встретил её в Париже, а Париж — он и есть Париж, город любви и близости, голубей и самоубийц. Потом родился их сын. Родился и скоро умер. Потом их разлучила судьба — она вернулась в Россию, он подался в Аргентину на заработки. Потом...

— Ну и кем, гражданка-гражданочка, тебе приходится гражданин Рза?

От Дома ненца, куда ей посоветовала пойти строгая окрисполкомовская старуха, до места, в которое препроводили Марию два солдатика в форме войск госбезопасности, расстояние было короткое, минут десять.

Мария смотрела на этого человека-нечеловека и удивлялась: с Марса, что ли, таких привозят

АЛЕКСАНДР ЕТОЕВ

на нашу Землю? Что-то было в нём недоброе, неземное, взятое с картинок из фантастических книг, которые в двадцатые годы иллюстрировала она по заказу «Земли и фабрики».

— Муж он мне, — сказала она марсианину.

— Муж? Почему ж муж? — в рифму пошутил Индикоплов. — У нас сведения иные. Нет у него жены, гражданочка, с тысяча девятьсот двадцать пятого года нет. Ну так кем же ты ему приходишься, коли не жена ты ему?

Марсианин торжествовал. У них, на Марсе, всё справедливо — нету записи в марсианской метрике, значит нету у тебя мужа. Марс — он Марс, даже в СССР.

— Потому что муж, у него самого спросите, — ответила Мария малоречиво.

— Билетики вот у тебя изъяли — от Вологды, значит, до Чума ехала?

— Ехала.

— Ехала, ага. И через Ухту ехала, значит.

— Ехала.

— И ничего такого, пока ехала, не припомнишь?

— Было разное, — ответила Мария ему.

— «Было разное» — хороший ответ. А среди этого «было разное» такого человека ты не встречала? — Индикоплов бросил на стол увеличенную фотографическую карточку.

На ней был тот, из поезда, чёрненький, редкозубый, с нервно дёргающейся щекой, на которого она надела ведро.

— Встречала, — сказала ему Мария.

— А вот это уже признание, — по-марсиански, одно о другое, потёр щупальца Индикоп-

336

лов. — Он, — Индикоплов показал на фотопортрет, — агент германской разведки, засланный сюда с целью вести в нашем тылу шпионско-диверсионную деятельность и вербовать в свои ряды таких вот, как ты, гражданка.

— Его арестовали при мне, — сказала Мария холодно. — Меня он не вербовал.

— При тебе, ага, извернулась. Эй, там! — крикнул лейтенант в дверь. — Давайте сюда Плювако.

Прошла минута, может быть две, дверь открылась, и в кабинет, где они сидели, заявилась фигура странная. Лицо как груша, вытянутое и расширяющееся книзу, глаза незрячие, взгляд больной, вместо одежды какая-то заплатанная дерюга, босые ноги, ногти на них нестриженые, с жутким звуком царапающие пол.

Индикоплов вынул из-под стола грубую алюминиевую кружку.

— Плювако, плюй! — приказал он позванному.

Позванный схватил кружку и за минуту наплевал в неё столько, что капли его жёлтой слюны потекли по стенкам снаружи. Мария опустила лицо, чтобы выдержать и не захлебнуться от тошноты.

— Уведите, — скомандовал лейтенант, и человека скоренько увели.

Индикоплов посмотрел на Марию, поболтал в кружке слюну, понюхал и улыбнулся сладко.

— Будешь? — спросил он у неё.

Мария не ответила, смотрела себе под ноги, ей было гадко видеть эту нечеловеческую картину.

— Пей, дура, пока не выпьешь, никуда отсюда не денешься. — Индикоплов с милой улыбкой протянул Марии грязно-жёлтый кисель в кружке. — «Жуан мой спал, а дева наклонилась...» Любишь стихи, хи-хи?

Чем-то этот актёришка походил на артиста Ильинского — чёлкой, что ли? бровями? — походил чем-то. Марии он представлялся мерзким, белёсым, склизким, как глист, Урией Хипом, выползшим из диккенсовского романа и каким-то непредставимым образом оказавшимся здесь, в Циркумполярье, в Салехарде, на краю мира. Она представить себе не могла, что сейчас, сегодня, в советском обществе, в стране Ленина, Сталина, в справедливейшем из всех государств водятся такие, как он, — мерзкие, белёсые, склизкие нелюди и уроды. Те, в поезде, — с ними ясно. У них один конец — тюрьма, трибунал, расстрел. А этот в лейтенантских погонах да плюс к тому — из органов безопасности... Нет, такого не может быть. Потому что не может быть.

— Я вам нравлюсь? — спросил Урия Хип, скаля зубы и подведя к её носу свою поганую кружку.

— Вы мне мерзки, — ответила Мария этому глистоподобному существу.

— Сколько тебе лет? — спросил Индикоплов.

— Пятьдесят, — сказала Мария.

— Ложись. — Индикоплов кружкой показал на кровать, горбящуюся возле стены. — Пятьдесят... Интересно. Расскажу потом приятелям, будет весело. Твоё здоровье! — Лейтенант запрокинул голову и одним махом влил в себя половину содержимого кружки.

Недопитое поставил на стол. Потом долго возился со сложной свой мотнёй, а когда мелкий индикопловский червячок затрепетал на сквозняке кабинета, Мария схватила со стола кружку и, как тогда, в поезде, но только в других масштабах, выплеснула то, что осталось в ней, в морду лейтенанта госбезопасности.

— Да, Всеволод Николаевич, непременно, конечно сделаем. Обязательно примем меры... — Капитан Медведев вытянулся в прямую линию перед аппаратом связи с Москвой. На том конце, который московский, должно быть, молчали, ждали чего-то или, может быть, отвлеклись, поэтому начальник райотдела госбезопасности произнёс предупредительно-вопросительно: — Товарищ Меркулов, как вы смотрите на то, чтобы мы... то есть своими силами?.. — Он не договорил, на другом конце провода, на московском, ему ответили что-то, и капитан Медведев наморщил лоб от досады. — Понял, так точно, старший по операции подполковник Гаранин. — «Плохо, Быкова отстранили». В сердце ему кольнуло. — Усиление из Воркуты и Архангельска? Соломбальские стрелки? Слушаюсь. Активизировать? Так точно, активизируем. Сроку сколько? Два дня? Так точно. На сегодня ситуация? Сложная. Но ничего, справимся. Участники антисоветской организации, действовавшей при Доме ненца, под напором неопровержимых доказательств начали давать показания...

Человек со вздёрнутыми бровями и с рыжеватой чёлкой-вьюнком, похожий на артиста Ильинского, то смешливо, то пугающе въедливо взглядывал на Костю Свежатина, недавнего командира кинобудки. Назвался он фамилией странной —

АЛЕКСАНДР ЕТОЕВ

Индикоплов, имя Кузьма, отчества Костя не разобрал. Две бледные звёздочки и бутылочные погоны под ними ничего Косте не говорили.

Когда Костю доставили к Индикоплову, тогда ещё для юноши безымянному, тот стоял возле деревянной скульптуры работы Степана Дмитриевича, которую скульптор сделал для антирелигиозного кабинета, — стоял, раздувая ноздри, видимо принюхивался к чему-то. Почему здесь оказалась скульптура святого Василия Мангазейского, этого Костя не понимал. Он видел эту скульптуру в мастерской у Степана Дмитриевича, потом скульптура переселилась к дяде Вите Калягину, но сюда-то её за что?

Солнце за окном помещения, куда Костю привели на допрос, осветляло бережными мазками бескрестный купол церкви Петра и Павла, парящий над деревянным городом. Лейтенант (две звёздочки на погонах) уже успокоил ноздри и вглядывался в лицо святого, словно ждал, когда тот заговорит. Василий Мангазейский молчал. Молчали купола храма. Молчал Костя. Тикали часы на стене.

Лейтенант посмотрел на Костю, снова ткнулся глазами в первомученика Василия Мангазейского, опять посмотрел на Костю, словно сравнивал дерево и живую плоть, пригладил правый погон, уловил на нём лохматящуюся ворсинку и сжёг её пламенем зажигалки, чтобы не лохматилась впредь.

— Прямо вылитый, — выдавил лейтенант непонятную Косте фразу. — А настроение как? — Вопрос был обращён Константину.

— Сносное, — сказал ему Костя.

Индикоплов кивнул.

— Кино любишь? — спросил Индикоплов.

— Очень, — ответил Костя.

— Я тоже. — Индикоплов снова кивнул. — «Высокую награду» смотрел?

— Конечно, — ответил Костя; глаза его загорелись. — Какой там был самолёт!.. А этот, клоун-шпион, когда он проник на дачу... Я уже думал — всё... Наш лейтенант Михайлов какой всё-таки молодец...

— Садись, Константин Свежатин, в ногах правды нет. — Индикоплов кивнул на стул, стоявший у стола рядом с дверью напротив его места возле окна. Закурил. — А «Ошибка инженера Кочина» тебе нравится?

— Очень нравится. — Костя сел. — Отличный фильм. Двадцать раз его смотрел, даже больше.

— Двадцать? — удивился лейтенант Индикоплов, выпуская из папиросы дым. — Ах, ну да, ты же в кинобудке работал. А «Эскадрилья номер пять» тебе как?

— Мне всё про подвиги нравится. «Истребители», «Семеро смелых», «Комендант Птичьего острова»... И ещё... «Золотой ключик».

— «Ключик»? — Индикоплов хихикнул, быстро стёр улыбку с лица, сунул лицо под мышку, вдохнул чего-то бодрящего и резко переменил тон. Враз он стал другим Индикопловым. — Скажи, Константин Игоревич, что тебя связывало, Константин Игоревич, со Степаном Рзой? А, Константин Игоревич?

Костю на его памяти называли по имени-отчеству, может быть, раза три — и то не всерьёз, а в шутку. Мама называла, отец. Степан Дмитриевич называл в Салехарде. Хотя нет, когда из блокады он выбирался на северных поездах, на станциях, когда их принимали — полумёртвых, бывало и мёртвых, — кажется, называли. Но чтобы вот так, очередью, такого Костя ещё не слышал. Он уткнулся лицом в колени.

— Лицо не прячь, в глаза мне смотри, киномеханик липовый. «Ключик золотой» тебе нравится, говоришь? — Голос лейтенанта стал хрипл, словно он наглотался льда или чего-то поледенее. — Слушай и вспоминай: Рза Степан Дмитриевич, проживавший в Доме ненца с сентября тысяча девятьсот сорок второго года по конец июня нынешнего, тысяча девятьсот сорок третьего, а? Вспоминай, а? Когда он тебя завербовал, а? В немецкие шпионы, а? В блокаде, говоришь, был, а?.. Или ошивался по нашим тылам, вынюхивал для фашистских шакалов, куда им бомбы на нас бросать, а? А? А-а-а?!!

Костя смотрел сначала на человека, его допрашивающего, как на товарища Бывалова, начальника Управления мелкой кустарной промышленности города Мелководска из комедии «Волга, Волга», после фильма «Чапаев», наверное, самого Костиного любимого, только вот смеяться не хотелось ему совсем, плакать хотелось.

Он не заплакал.

Индикоплов бросил недокуренную папиросу через стол Косте под ноги.

Костя вспомнил блокадную улицу Рубинштейна злой зимой начала сорок второго года, слепящие костры на снегу от фашистских зажигательных бомб, бегающие по небу лучи прожекторов ПВО... Им тогда было весело в компании соседских мальчишек под свист, шипение, страшный грохот небесный пинать валенками, топтать подошвами, забрасывать песком из ведёрка эти жаркие подарки от фрицев. Соревновались, кто больше зажигалок погасит, носили у пояса на верёвке алюминиевые хвосты стабилизаторов, гордились малой своей победой...

Костя наступил на окурок, втёр его в грязный пол. В глазах у него потемнело, как в кинозале, когда рвётся плёнка, но ещё не включили свет.

— Это ты фашист, а не я, — сказал лейтенанту Костя. — Это ты, я знаю, маму и папу моих убил... Ты сигналы подавал световые, когда фашисты бомбили мой Ленинград... Ты хлеб жрал, когда люди подыхали от голода...

Индикоплов вытаращил глаза, его брови упали вдруг низко-низко, над скулами проступили пятна, зелёно-сиреневые, как на трупе, и лейтенант пугливо заговорил:

— Какой такой Ленинград, не был я ни в каком Ленинграде, я в Саратове был, в Саратове, у меня свидетели есть...

Чёрные клубы в глазах юноши преобразились в вихрящиеся круги, в какие-то непролазные заросли из фильма про восставшую Индию, всё это крутилось, летело, и Костя выкрикнул не своим голосом:

— Индикоплов, а, Индикоплов?

— Я, — сказал Индикоплов.

— А иди-ка ты, Индикоплов, в Индию, откуда пришёл!

— Идю. — Лейтенант кивнул и исчез, проглоченный нервным вихрем.

Дальше Костя уже ничего не помнил. Только взгляд Василия Мангазейского, первомученика, умный, странный и чуть растерянный.

В СИЗО, а по-простому в кубы́рке — так называли местные здешний следственный изолятор, маленький глухой флигелёк, пристроенный

АЛЕКСАНДР ЕТОЕВ

к главному (по важности) после зданий окрисполкома и райкома ВКП(б) зданию по улице
Республики, дом такой-то, — подозреваемый
Константин Свежатин, блокадная сирота пятнадцати лет от роду, существовал уже четвёртые
сутки. Люди здесь не задерживались — кого-то
прописывали навечно в вечную циркумполяр-
ную мерзлоту (отвозили на полигон за Скважин-
кой), кого-то перемещали севернее, хотя вроде
бы севернее Ямала было перемещаться некуда,
некоторых освобождали, но это редко.

Костя лежал в кубырке на голой железной
койке, прикрученной болтами к стене. Туман, в
котором он пребывал после общения с Индико-
ловым, то густо облеплял голову, и тогда становилось тошно, то рассеивался, жижел. Ныли си-
няки от ударов, особенно кровавый, под глазом,
но на них он не обращал внимания.

— Костька, — раздалось в ухе, будто бы из
глубины головы.

Костя отмахнулся от призрака, но голос по-
вторился опять:

— Костька, вставай! Ата́нда! Дуем скорей
отсюда! Я рыбьего газа им напустил.

Костя разлепил веки, подумал, что ему снится.
Ему не снилось.

Ванька Майзель, его шебутной приятель, тор-
мошил и шептал в ухо:

— Вставай, вставай, уходим скорей, давай
уже. Папаню моего тоже арестовали, гниды.
Вставай, ну, не лежи! Надо уходить, сдохнешь.
Давай, дурак, подымайся! — Ванька бил его ла-
донями по щекам — не сильно, но ощущаемо. —
Проснулся? Подымайся, уходим!

— Куда? — спросил Костя Ваньку.

344

— Куда, куда! На Гору! Куда ещё-то. Рыбу только на стене нарисую, чтобы к твоему Индикоплову она по ночам ходила и ела его сволочное мясо, пока не сдохнет.

Тучи сгущались над Циркумполярьем. Пришла весть, что командир немецкой подводной лодки среднего класса «Бремер-Вулкан» Ганс Кюхельгартен-младший, знаменитый ас кригсмарине, отличившийся в северных водах победой над несколькими конвоями, заявил ультимативно и дерзко, что Русский Север будет повержен в ближайшие две недели. Это он потопил «Нацменку».

Разведка ГРУ сообщила, что с захваченных противником территорий, а именно с аэродромов Сещинского и Ташинского, готовятся к операции бомбардировщики Do-217 и He-111, имеющие зону охвата до двух тысяч километров по дальности за счёт подвески дополнительных баков с топливом. Кроме них, предполагается использовать четырёхмоторные самолёты FW-200 и Ju-200, обладающие радиусом действия свыше двух тысяч километров. Этим люфтваффе хочет преподать нам урок: мол, если мы, Советский Союз, побеждаем на земле, то она, Германия, побеждает в воздухе.

То есть следует вывод: опасности подвергается весь наш советский Север, несмотря на поражение немцев на всех основных фронтах.

Медведев вызвал дежурного. Рожа была знакома, но с фамилией он был не в ладах.

— Захлебу́шкин? Захлебу́шкин? Ударение на «е»? На «у»?

— Так точно, товарищ капитан!

— Что «так точно»? На что ударение?

— Как поставите, так и будет.

— Это правильно, товарищ Захлебушкин. Лейтенанта Индикоплова ко мне срочно.

— Умер, товарищ капитан. В камере нашли мёртвого.

— Как так мёртвого? Почему мёртвого?

— Сердечный приступ, лопнул сердечный нерв.

— Лопнул? А почему в камере? В камере, я спрашиваю, почему?!!

— Никак нет, товарищ капитан. Почему в камере, я не знаю.

— Кто в камеру его запер? Зачем?!!

— Сам он вроде туда зашёл, незапертый. Там и умер, лопнул сердечный нерв. Фельдшер знает, он ему аппутацию делал.

— «Аппутацию», говоришь, делал? — Начальник Ямальского райотдела Министерства госбезопасности вместо того, чтобы дать Захле́бушкину/Захлебу́шкину по хлебалу, хлопнул его дружески по плечу. — А кто в камере проживал, знаешь?

— Рыба там какая-то проживала. Ёрш.

— Ёрш. — Медведев кивнул и показал дежурившему на лампу, освещавшую служебное помещение. — Смотри туда, не моргай. На счёт «три» моргай... — И когда Захле́бушкин/Захлебу́шкин уставился глазами на электричество, саданул его кулаком в невидимое под форменным обмундированием солнечное сплетение.

А потом, когда поверженный мыкнул что-то на языке боли, лёжа между стульями на полу, запел на музыку Дунаевского слова Лебедева-Кумача:

Шагай вперёд, комсомольское племя,
Цвети и пой, чтоб улыбки цвели!
Мы покоряем пространство и время,
Мы — молодые хозяева земли...

Захлебушкин шевельнулся смирно, и капитан МГБ Медведев сказал ему, подняв палец вверх:

— Это тебе не ёрш. Это «комсомольское племя», как сказал Иосиф Виссарионович Сталин в «Приветствии ленинскому комсомолу», газета «Правда» от двадцать восьмого октября тысяча девятьсот двадцать восьмого года. Повтори, лёжа.

— Газета «Правда» от двадцать восьмого октября тысяча девятьсот двадцать восьмого года, — повторил Захлебушкин, лёжа.

— Умница, — сказал капитан Медведев, — понимаешь, когда хочешь понять. А теперь иди и доставь мне сюда лейтенанта Индикоплова. Мёртвого.

Царь и бог всея циркумполярной земли, командир дивизии НКВД особого назначения, Герой Советского Союза и Социалистического Труда, кавалер орденов Ленина и прочая, и прочая, начальник лагеря особого назначения генерал-лейтенант Тимофей Васильевич Дымобыков запил.

Бывало с ним такое и раньше, по причине и без причин, суровая обстановка обязывала, но на этот раз причина была болезненная. Иголка в сердце, которую вонзил в него Завенягин, отравила Тимофея Васильевича своей ядовитой ржавчиной, и было ему теперь наплевать и на футбольный матч, на ноги поднявший весь лагерь, и на областное начальство, долбившее его последние дни из-за этой чёртовой мандалады, и вообще наплевать на всё, что выходило за пределы пространства его личной поселковой жилплощади.

Барачное жильё Дымобыкова располагалось в центре посёлка, как раз напротив здания клуба, в котором шли приготовления к празднику. С другого конца барака жил семейно капитан Шилкин, заведующий лагерной бухгалтерией, собутыльник и товарищ комдива.

Дымобыков жил бобылём. Всех своих прошлых жён — и гражданских, и военных, и прочих — порастерял он за годы службы, а здесь, на Скважинке, за время своего командирства как-то не положил он глаза ни на одну из местных красавиц, не потянулась душа комдива в сторону любовных забав, не до баб было Тимофею Васильевичу.

Он сидел в одиночестве за столом, уставленным яствами — всем, чем хлебосольный хозяин собирался потчевать Авраамия, а потчевать ему было чем — об этом позаботился Хохотуев. Бутылка хлебной довоенного качества стояла перед Дымобыковым на столе, ящик с хлебной дожидался в ногах, готовый на зов начальства выдать ему очередную бутылку.

На персидском ковре за его спиной (память о походе персармии) крест-накрест, как им и полагается, висели две наградные шашки — одна почётная, с зазубринами по лезвию, следами былых сражений, вторая новенькая, парадная. Первой наградил его лично товарищ Фрунзе за героическое освобождение Крыма от отрядов барона Врангеля поздней осенью двадцатого года, вторую в мае сорокового, перед войной, вручил ему начальник Генштаба маршал Борис Михайлович Шапошников за великие заслуги перед страной.

Командир дивизии был в домашнем — на ногах ковровые тапочки в виде танка Т-34, подарок друзей-танкистов из 5-й танковой армии, до щиколоток галифе-дудки (он мог себе такое позволить, тем более у подчинённых не на виду), китель удобный, старенький, и грудь нараспашку.

Он смотрел на большое блюдо, накрытое серебряной крышкой, заправлял себя очередной порцией хлебной и стучал ногтем по серебру. Из-под крышки раздавались глухие стуки, негромкое потрескивание, поскрипывание, вроде бы голоса. Он вслушивался в эти непонятные звуки, улыбался чему-то своему, внутреннему, потом взгляд его потухал.

— Молчать! — приказывал он сурово и убирал палец от блюда.

Под крышкой делалось тихо. Тогда он обращался к бутылке, молчаливому прозрачному существу, то ли ещё полуполному, то ли уже полупустому.

— Ты лавой ходил в Гражданскую? — спрашивал он её, и странно было слышать со стороны такое к ней его обращение: как будто была бутылка предметом грубым, вроде горшка ночного, а не стройным элегантным сосудом рода самого что ни на есть женского. Слава богу, слышать со стороны Тимофея Васильевича некому было. — Нет, ты мне скажи, ты ходил лавой? Ты вообще на лошадь хоть раз садился? Нет, скажи. А, молчишь... — Тимофей Васильевич тряс укоризненно головой. — Так вот, слушай, что я скажу. Преследовать противника, прикрывать свои войска и вести бой с противником, когда он ведёт ружейный, пулемётный и артиллерийский огонь, удобнее всего лавой. Лава может действовать против всякого противника. Одно условие требуется от командующего лавой и всех исполнителей: чтобы все были смелы, дерзки, неутомимы, хитры и настойчивы в своих нападениях и ударах. Надо ставить в невыгодное положение противника, тревожить его каждую минуту, измотать его до последней степени... — В горле у комдива пересыхало, и он ласково подмигивал слушателю, ласково сжимал её горлышко, ласково наполнял стопку и быстро опрокидывал её в рот. — Напомни, на чём я остановился? Ну да, на лаве. Лава строится так. Каждый взвод делится на два отделения... — Он прервался, сунул два пальца в рот и заливисто свистнул. — Я кому сказал? Совсем распустились, мерзавцы! По свистку или команде «курок» немедленно прекращать огонь и поворачивать голову к командиру, — правым, открытым, глазом он буравил свою стеклянную собеседницу. — То-то же, — голос его стал мягче.

Он поднялся, уперев руки в столешницу, подошёл, покачиваясь, к стене, отвернул край ковра и трижды пробарабанил в стенку.

— Капитан, ты спишь или борд...дрствуешь? — споткнувшись на трудном слове, поинтересовался он у невидимого соседа.

По ту сторону было тихо. То ли спали, то ли сделали вид, что вопрос не достиг их слуха.

Дымобыков в дарёных тапочках добрался до личного телефона.

— Хохотуев! — сказал он трубке. — Одна нога там, а другая здесь... Нет, обе ноги здесь. Жду тебя, ты мне нужен. С лауреатом? Товарищем Рзой? Давай и его сюда.

— Бережнее, бережнее, мать вашу, слава радио! — прыгал вокруг ящика Хохотуев, следя за тем, как четверо молодых бойцов проносили деревянную упаковку через маленькие сени барака.

Замыкал шествие Степан Дмитриевич.

Дымобыков стоял в проёме, телом подпирая косяк, шагнул назад, пропуская груз. Лицо его было хмурым.

— Подарочек вам особенный, — сладким голосом сказал Хохотуев, когда тяжёлый продолговатый ящик был установлен в комнате на полу.

— Гроб? — спросил Тимофей Васильевич, попробовал засмеяться — не получилось.

— Нет, не гроб, гражданин начальник, — замахал руками Пинай. — Тьфу на вас, такое придумаете! Вынимай! — сказал он сопровождающим. — Бережнее, бережнее, полегче!

Солдатики, пыхтя и посапывая, извлекли из ящика нечто, запелёнутое в ватное одеяло и опутанное верёвочной паутиной. Поставили его на попа. Степан Дмитриевич осторожно проверил, утвердился ли предмет на полу, убедился, что предмет стоит крепко, и принялся его распелёнывать.

— Молодцы, — похвалил Пинай служивых своих помощников и напутствовал их: — Свободны. Ящик унесите с собой, отдайте Давыденкову в пищеблок.

Только они ушли, как на пороге объявился сосед Дымобыкова капитан Шилкин.

— Стучали? — спросил он уставным тоном, застёгивая у себя на френче верхнюю пуговицу.

— Приводняйся, — сказал ему Дымобыков. — Садись в первый ряд за стол, зрителем будешь.

Шилкин, удивлённый увиденным, таращил глаза на действо, которое вершил Степан Дмитриевич.

— Эйн... цвей... дрей... — медленно считал Хохотуев, как заправский цирковой фокусник. — Вуаля! — поставил он точку, и Степан Дмитриевич быстрым движением содрал с подарка ватное одеяло.

Оно легло мягким кучевым облаком в ногах явившегося перед глазами чуда.

— Эко-те, — сказал Дымобыков, глядя на себя самого, исполненного в каррарском мраморе. Статуя сахарилась, искрилась в жёстком свете подпотолочной лампы, богатая наградами грудь мраморного двойника комдивизии мощно выступала вперёд, губы стянулись в линию, резко опускаясь к углам. — Да уж. — Дымобыков вздохнул. Глаза его были грустные. Что за этим «да уж» скрывалось — похвала ли, равнодушие ли, укор, — было для присутствующих загадкой. Генерал-полковник молчал. Остальные молчали тоже. Молчание продолжалось долго, первым нарушил его хозяин. — Авраамий, жаль, не увидит, — произнёс он с горчинкой в голосе, шагнул к оставленному столу и бухнулся тяжело на стул. — Не увидит и не увидит, бог с ним! Товарищи, друзья, приглашаю... — Он обвёл рукой угощения, предназначенные для заместителя Берии, не почтившего его, Дымобыкова, своим неофициальным визитом, и пока, кто робко, кто смело, гости усаживались за стол, налил всем по стопке хлебной, даже трезвеннику Степану Дмитриевичу.

На месте в торце стола, которое не занял никто, как раз напротив Тимофея Васильевича, стопка оставалась пустой. Дымобыков посмотрел на неё, подумал, потом поднялся и, медленно обойдя стол, налил в неё отсутствующему гостю. Вернулся на место, сел. Вздохнул. Выпил, ни слова не говоря. Налил ещё. Вздохнул. Снова выпил, снова налил.

Все за столом молчали.

— Пинай, песню, мою любимую. А то что-то в груди свербит, будто кто изнутри скребётся, вылезти на свободу хочет. Может, сердце? Душно ему в груди, вот оно наружу и просится. Погоди, не пой, сперва выпьем. — Он поднялся, держа стопку в руке, окинул всех долгим взглядом, перевёл его на скульптуру и игриво подмигнул себе каменному. — За победу, за товарища Сталина, кормчего нашего и рулевого! Здоровья ему, товарищи!

Встали. Выпили. Помолчали. Дымобыков упал на стул:

— Пой, Пинай Назарович, пой, растрави мою болящую душу.

Хохотуев сел. Подпёр щеку грубой ладонью. Начал:

Ай за Уралом, братцы, за рекой
Казаки гуляют,
Е-ей, живо, не робей,
Казаки гуляют.

Они калёною, братцы, стрелой
За Урал пущают,
Е-ей, живо, не робей,
За Урал пущают...

Песню поддержал комдивизии. Теперь они пели вместе, двумя басами. Красиво пели, душевно, заглядывая друг другу в глаза:

Острый меч наш, братцы, лиходей,
Шашка да лиходейка,
Е-ей, живо, не робей,
Шашка да лиходейка.

Ай умрём-то мы, братцы, ни за грош,
Жизнь наша копейка,
Е-ей, живо, не робей,
Жизнь наша копейка.

Допели песню, в глазах комдива блестели слёзы.

Жилкин нервно ёрзал на месте, стыдно было за хозяина капитану — один за столом зэк, не важно, что бесконвойный, другой — лауреат-академик. Но, привычный к переменам погоды на планете под названием «Дымобыков», капитан ни словом, ни жестом не выказал своего упрёка, а ёрзанье — ёрзанье не считается.

— Ай умрём-то мы, братцы, ни за грош... Жизнь наша копейка... — повторил Тимофей Васильевич, глядя куда-то вбок, наружу, сквозь барачную стену. — Так, Пинай Назарович? Верно? Жизнь наша грош, копейка? Или рубль, как ты считаешь, Пинай Назарович? — И, не дожидаясь ответа, он уже благодарил скульптора: — Тебе, Степан Дмитриевич, спасибо особенное! Моё, личное, командирское! Уважил старого вояку, постарался, увековечил, что называется. За такое не грех выпить чего-нибудь благородного.

Пинай, в сени сходи, там у меня «Абрау-Дюрсо» в ведре, то самое, что ты мне из Салехарда вместе с пианино привёз. Тащи его сюда, пусть нам Авраамий завидует. Да, Авочка? Ведь завидуешь? — Тимофей Васильевич обращался к пустому стулу и стопке, налитой Завенягину, но так и не пригубленной им по случаю пребывания в нетях.

Хохотуев принёс ведро с торчащими из воды бутылками с жидким золотом, запечатанным пробкой из коры дуба. Дымобыков выхватил из ведра бутылку, посмотрел на свет через тёмное бутылочное стекло, задумался, видимо что-то припоминая, и рассмеялся:

— В двадцатом, помню, когда выбивали из Ростова-на-Дону белых, наша кавалерия захватила на станции вагон с «Абрау-Дюрсо». А раз такое дело, как тут не отметить победу. Будённый, Ворошилов, Щаденко собрали всех командиров, сели мы все за стол, смотрим, а вина на столе нема. Командарм спрашивает Зотова Степана Андреевича, нашего начальника штаба, где «Абрау-Дюрсо»? А Зотов, не сообразив сдуру, возьми и ляпни: так, мол, и так, товарищ Будённый, я товарища Абрама Дюрсо направил с особым поручением в четвёртую кавдивизию. Мы промежду себя после этого Зотова иначе как Абрамом Дюрзотовым не называли.

Тимофей Васильевич ловко открыл бутылку, пробкой выстрелив в ковёр на стене, чтобы не было рикошета. Пенистая золотая струя выплеснулась в хрусталь фужеров, позаимствованных ради несостоявшегося визита из хохотуевской пещеры Али-Бабы.

— За тебя, за твоё искусство, Степан Дмитриевич, дорогой мой! — Дымобыков поднял бокал.

В грубой его руке хрусталь смотрелся как царская корона на лягушке. Но никому это и в голову не пришло. — Вот умру я, а она, статуя моя то есть, переживёт меня, останется... Хохотуев, скажи, ты все песни и стихи знаешь, как там у Пушкина говорится... ну, в школе дети учат сейчас? Что-то про прах и тленье.

— «Мой прах переживёт и тленья убежит», так, — продекламировал Хохотуев. — Только вы, Тимофей Васильевич, это зря, про помирать-то. Вам, Тимофей Васильевич, ещё жить да жить, слава радио. Но за Степана Дмитриевича охотно поддержу тост. Похожая получилась статуя. Еле-еле бойцы её донесли.

Дымобыков, Шилкин и Хохотуев выпили бокалы до половины, скульптор лишь пригубил слегка.

— Степан Дмитриевич, а вот скажите, — обратился к скульптору капитан, поставив на стол вино и взяв на вилку нельмичью тешку с блюда. — Говорят: вдохновение, вдохновение, — а что такое это самое вдохновение? Поэты, писатели — с ними ясно. Пушкин, Лермонтов, Демьян Бедный, Горький... Ну а вы, у вас, когда вы работаете? С вами оно бывает, вдохновение это?

Степан Дмитриевич пожал плечами. Не любил он всю эту досужую болтовню — о вдохновении, о высоком предназначении художника, вообще об искусстве. Всё, что происходило внутри его, выливалось в то, что он делал руками. Говорить он не умел. Мысленно он мог строить дворцы из слов, но они рассыпались, стоило ему открыть бородатый рот, и слушатели, ежели таковые случались рядом, махали, протестуя, руками — какой, мол, с этого безъязыкого зверя толк, он и слов-то нормально, по-светски связать не может.

Искусство нужно делать, а не болтать о нём. Рза не любил племя искусствоведов, терпеть не мог многоречивых господ и их экзальтированных спутниц, завсегдатаев биеннале и вернисажей, рассуждающих о природе гения и о гибели мировой культуры, всех этих никчёмных бездельников, работающих не руками, а языком.

Другое дело в былые годы в Париже. Художники приходили в кафе — выпить, поговорить о женщинах, услышать сплетню, рассказать анекдот... Дело они делали в мастерской, наедине с душою (или с телом натурщицы чередуя), а потом оставляли в покое душу, вешали её в прихожей на вешалке и шли, свободные, на бульвар, чтобы забыть о деле, если о нём вообще возможно забыть художнику.

— В моей работе, — ответил Степан Дмитриевич капитану Шилкину с уважением, — на одном вдохновении далеко не уедешь. Моё искусство любит меру и число. Это писателю можно сколько угодно вымарывать слова на бумаге и возвращаться к уже написанному, чтобы что-то поправить. Скульптору, художнику — нет. Картину ещё можно переписать наново, краску положить сверху. Скульптуре вымаранное уже не вернёшь. Здесь строго. Взвешено, отмерено, сочтено ещё в голове, в замысле. Потом, в работе, бывает, много чего меняется, но это другое.

Он замолк, вспомнив разговор с Ливенштольцем вскоре после появления скульптора в Салехарде осенью сорок второго года. Еремей Евгеньевич подступался к нему и так и этак, видно не решаясь задать вопрос, а потом набрался храбрости и спросил: «Для чего вам эти ваши занятия со скульптурой? Люди строят дороги, мосты возводят — это понятно. По дорогам пойдут машины, другие люди пойдут, они, конечно, не вспомнят о строителях и даже будут их проклинать за рытвины и ухабы, будто это они, строители, виноваты в этом. А ваше искусство, ваши скульптуры? Слава? Не дали бы вам премию, никто б о вас, кроме десятка знатоков в мире, может, не знал бы даже. Продлить свою жизнь в будущее — вроде как пока живы скульптуры, жив их создатель? Показать будущим людям, что не только о хлебе насущном думал человек прошлого? Чтобы и люди будущего подумали о своём будущем?»

Рза тогда ответил: «Не знаю. Делаю, одним нравится, другим нет, третьи равнодушны. Ни о каком будущем я не думаю. Возможно, с точки зрения будущего это ничтожно. Но я делаю, потому что не делать этого не могу. Всё».

Воспоминание оборвал храп. Дымобыков спал за столом, уперев в грудь подбородок.

— Вогнали в сон Тимофея Васильевича культурными разговорами, — сказал Степан Дмитриевич негромко, чтобы не разбудить генерала.

— Это «Абрау-Дюрсо» вогнало, а мы его сейчас хлебной выгоним. — Хохотуев наполнил стопки — сперва комдива, потом Шилкина, а затем свою; стопка Рзы была непоча́тая, как в самом начале; он только поднимал, чокался и ставил её на место.

Дымобыков, не просыпаясь, протянул руку к стопке, открыл рот, не переставая храпеть, и влил в себя её содержимое. Поднял голову, кадык его дёрнулся, пропуская жидкость. Глаза открылись, храп прекратился.

— Ава, — сказал он призраку Авраамия Завенягина, сидящему против него на почётном стуле, — помнишь, после Юзовки в Старобельске мы с Махно застряли на переправе? Он там спорил с евреями о Спинозе, пикой вычерчивал на земле геометрическое доказательство существования Бога, а евреи доказывали, что Спиноза ошибся, потому что геометрия у него греческая, Евклидова, а правильная — еврейская, Лобачевского. Что он тогда спросил у тебя? «Авраамий, ты не еврей ли?» И что ты ему ответил? «Спроси у них». И что ответили евреи Махно? «Этот человек не еврей, он мудрее еврея». И что спросил тогда у тебя Махно? «Сколько ангелов поместится на острие моей пики?» И что ты ему ответил? Ты ответил: «Нестор, сколько ангелов на пике твоей поместится, я не знаю, но видишь пыль за горой? Это конница Оки Городовикова движется нам навстречу. А Оку и его хлопцев ты знаешь, не любит тебя Ока, и хлопцы его ой как тебя не любят». Нестор, помнишь, тогда поднялся, огладил волосы...

Тимофей Васильевич осёкся на половине фразы, оглядел стол и всех, кто сидел за ним.

— Скучно, — сказал командир дивизии и зевнул протяжно и сладко, как, наверное, зевает медведь, очнувшись от зимней спячки. — Пинай Назарович, ты уже пел про шашку?

— Пел уже, — ответил Пинай, — но спою ещё, если скажете.

— Споёшь, куда ты денешься, споёшь непременно. — Тимофей Васильевич таинственно усмехнулся, оглядел собравшихся и объявил с прищуром: — Сейчас покажет вам фокус знаменитый факир Авенариус, подданный Аэлиты, царицы марсианского царства, о которой написал свою книгу мой друг и товарищ писатель Лёшка Толстой. — Дымобыков посмотрел в потолок, задумался. Глаза опустил, сказал: — У нас, когда мы в Персию ходили походом, был такой Ваня Рыбников. Он нам оладьи пёк на бумаге, когда у нас масла не было. Поставит на огонь сковородку, она нагреется, накалится, он положит в неё листовку какую или, там, газеты кусок, аккуратно, чтобы не пригорало, и прямо на газету ржаной болтанки плеснёт, вот тебе и оладьи на воздухе. Любили мы Ваню очень, помер от холеры потом... — Такой непредсказуемый перелёт с Марса назад, на Землю, видимо, объяснялся выпитым; никто из участвующих в застолье не удивился этому или не подал виду. Генерал от воспоминания прослезился, но быстро утёр слезу. — Авенариус, ты там где? Снова в невидимку играешь? Ну-ка сюда, за стол, подлая марсианская харя! — Дымобыков подмигнул обществу и сокрушённо развёл руками. Спрятался, мол, хитрец.

— Там он, слава радио, там он, — сказал Пинай, умело подыгрывая начальству, и показал на большое блюдо, накрытое серебряной крышкой.

Видимо, решил Степан Дмитриевич, этот номер разыгрывается не впервые и Хохотуев тоже его участник.

— А вот сейчас мы его оттуда... — Дымобыков взялся рукой за крышку, помедлил чуть и резко её поднял.

Зрелище было адское, фантастическое, потустороннее. На блюде, на гладком поле, ограниченном приподнятыми краями, пучили глаза на людей с дюжину красно-бурых раков. И только человеческая рука подняла тяжёлое серебро, как красные варёные раки, которым не положено быть живыми по всем законам физики и природы, зашевелили усиками-антеннами, ловя в чужом, враждебном людском эфире понятные им одним сигналы. Пора, приказал им кто-то — неужели тот невидимый Авенариус, подданный неземной царицы? — и рачье воинство в красных, большевистских доспехах поползло на людей в атаку. Мощно шевелились клешни, с сухим звуком ударяли по блюду и грозили человечеству скорой гибелью. Раки доползали до края, оскальзывались на гладком скате и съезжали обратно в блюдо, некоторые переваливали за край и тыкались в разложенные закуски. Дымобыков подцеплял их за панцирь и легко возвращал на место.

Хохотуев хохотал, как ребёнок, соответствуя своей весёлой фамилии. Капитан сдержанно подхихикивал. Степан Дмитриевич качал головой, понимая, в чём суть обманки.

Дымобыков утёр слезу — на сей раз веселья, а не печали — и наполнил сосуды хлебной.

— Им бы шашки в руки, — сказал он, выпив и не закусив ещё раз, — и в психическую атаку на Врангеля. Красное революционное войско. Крым бы взяли без всякого Перекопа. Этой шутке меня Ока научил, когда дочку выдавал замуж, Помпурцию. Он как раз перед этим съездил в Италию, это в тридцать пятом году, наблюдал там за манёврами итальянской армии. Муссолини тогда Оке охотничье ружьё подарил от имени итальянского короля. А Ока передарил потом это ружьё племяннику. «Если встретишь, — говорит, — где-нибудь Муссолини, пристрели прохвоста из его же ружья». То есть раков, пока живые, мажешь спиртом или крепкою водкой, поджигаешь, чтобы скорлупа обгорела и сделались они как варёные, потом кладёшь их на блюдо и накрываешь крышкой. Пошевеливать только их надо, пальцем постукивать, взбадривать, чтобы не уснули, не угорели бы там, под крышкой, от недостатка в воздухе кислорода. Они ж животные мокротелые, они ж не любят, чтобы под крышкой, опять же с обгорелою скорлупой. Тебе, Хохотуев, скорлупу опали, как ты будешь под крышкой себя вести? — повернулся Тимофей Васильевич к Хохотуеву. — Обделаешься, небось, со страха, пока под крышкой, обгорелый, сидишь?

— Мы, сибирские, не обделаемся, мы, слава радио, просидим. Хоть под крышкой, хоть под покрышкой. Когда прокля́тый князь Сибири Кучум на Чувашёвом мысу хотел накрыть нас крышкой своею, мы крышку эту евонную сковырнули, и нашей стала сибирская земля-матушка... Йэх-ма! — Он запел, хватив кулаком о стол, впрочем мягко:

Острый меч наш, братцы, лиходей,
Шашка да лиходейка,
Е-ей, живо, не робей,
Шашка да лиходейка...

Дымобыков приподнял пальцем веко, окунул глаз в недопитую стопку хлебной, сказал мутно и немножечко зло:

— Казаки — зажравшаяся на хуторах белая кость, салоеды, хохлы, кнутами своих рабов запарывали. Ты думаешь, почему мы победили сперва немчуру, потом поляков, потом казаков и всю хохлятчину? Белую сволочь победили почему, а? Хотя они хоругви с Иисусом Христом носили, а мы звезду с пятью концами еврейскую?

Знаешь почему? Да потому, что терять было нам нечего. Всё у них было. Мы за будущее воевали, потому что настоящего у рабочего и крестьянина трудового не было. А они — за настоящее воевали, которое у них отнимали в пользу голодных и бедствующих. А голодных и бедствующих всегда больше в России было, чем богачей...

Сказав это, Дымобыков с осоловелым взглядом стиснул на столе кулаки и лицом повернулся к Шилкину.

— Капитан, иди, тебя дети ждут, — показал генерал-полковник капитану на дверь. — Жене привет, — добавил он с улыбкою ласковой, схватил пястью с блюда раков, что пострашней, и сунул их в руки Шилкину. — Это деткам твоим от меня гостинец.

Послушный капитан встал и, пошатываясь, пошёл от стола. По пути его качнуло на статую, но мраморный двойник Дымобыкова посмотрел на капитана опасно, и Шилкин поспешил к двери.

Дымобыков долго молчал, накручивая на палец ус и шумно сопя ноздрями.

— Скажу я тебе, Степан, как человеку, здесь не прописанному, считай, случайному, — заговорил Тимофей Васильевич, на Степана Дмитриевича не глядя. — Устал я, знаешь ли, хочу многого, очень хочу, чтобы всем было хорошо хочу — мне и всем, и тебе, Пинай, — и делаю много вроде бы, а всё выходит неправильно... Мне, знаешь, Степан, воздуха не хватает, и тебе, чувствую, не хватает, нам всем воздуха не хватает. Я думаю, и *самому*, — он вознёс палец над головой, — тоже воздуха не хватает. Съедают воздух. Всякая мразь съедает. — Он отщёлкнул от себя рака, выбравшегося из блюда на волю. — Мы об этом и с Авраамием, и с Окой... Ну с Окой что, Ока — он человек-лошадь, его одной соломой корми, он и доволен. Я, помнится, было дело, проводил экзамен ботинку ленинградской фабрики «Скороход»... В каком году это было?.. В двадцать, что ли, каком-то, точно не помню. Шли пешком из Ленинграда в Москву. По пути мотоциклетная обувная лаборатория наблюдала за состоянием испытываемого ботинка, какие его части больше изнашиваются. Специальный измеритель скорости снашивания подошвы даже придумали. Сам Тёркин тогда был с нами, главный академик по обуви. Вот иду я в этом ботинке, и пальцы, чувствую, в нём так натирает, так натирает, что, не матерно говоря, хоть плачь. А показать нельзя, потому что перед лицом науки. Дошли, конечно, я в те годы до Луны дошёл бы пешком, если для дела. А теперь устал. Теперь выдохся. Теперь вон воздуха не хватает... — Он посмотрел на ноги. — В тапках по дому теперь хожу.

Дымобыков закашлялся, чтобы сделать перерыв в речи, и использовал его, перерыв, в оздоровительных целях — они приняли с Пинаем Назаровичем по стопке хлебной. Комдив, чемто принятое заев, продолжил, на этот раз уже на Степана глядя:

— Ты, Степан Дмитриевич, сидишь, молчишь, ни одной стопки со мной не выпил. Знаю, ты человек серьёзный, трезвенный, опять же — лауреат, и возраст уже почтенный, мы вот раньше, по молодости, тоже вёдрами пили, а сейчас, смешно, ящика никак не осилить... — Дымобыков вдруг замолчал, сжал кулаки так, что мёртво посинели костяшки, и сказал протрезвевшим голосом: — Степан, в общем, так... Цидулка на тебя поступила. Из райотдела МГБ. Ты мне скажи, только честно, что у тебя за отношения с этим... как его... туземцем... имя забыл...

— Ненянг? Ванюта? Обычные отношения, человеческие, ничего особенного. Наброски с него делал, думал поработать над скульптурным портретом. А что с ним?

— Стрелял он в нашего постового. Тамгу, стрелявши, пулями на дереве изобразил. Знаешь, что такое тамга? Наш старшина Ведерников по личному моему... да, моему приказу доставил этого туземца сюда. Здесь он сидит, в карцере. За ним должны из Салехарда приехать, ждём вот. Начальство в Салехарде считает, что этот твой Ванюта Ненянг активный деятель мандалады... Мало?

— Много, но глупо как-то. Если он стрелял в постового, то зачем ему было изображать тамгу? И зачем он вообще стрелял? Глупо, право, не верю я во всё это...

— Пинай, скажи... — попросил Тимофей Васильевич.

Хохотуев встал почему-то. Встал, на Степана Дмитриевича глянул, огладил лицо своё, посмотрел на Тимофея Васильевича, начал:

— Не знаю я... Ведерников, старшина, совсем стал никакой. Спрашиваю его я: «Серёжа, ты же вылечился вроде бы от этой твоей болезни, меряченья этого твоего, тебя ж с дерева когда сняли, ты ж сказал „Извините, нет, не могу более“, а тут является он ко мне трезвый, а сам на человека едва ль похож, нервный, чёрный, щека дёргается, левая, правая тоже, меньше, я ему: «Серёжа, ты что, ты как?!» А он мне — в рыло, больно причём, и говорит при этом: «Ты, — говорит, — Пинай Назарович, поди к Телячелову, скажи Телячелову, что ты, Телячелов, — говорит, — сука

ты, — говорит, — Телячелов, сволочь ты Телячелов», — говорит. Правда, этими вот словами, не
вру, хоть печень мою пожри зубами... И рассказал старшина Ведерников, как всё было...

— Боюсь собак, смерти боюсь, с крутой горки
боюсь скатиться, больше ничего не боюсь, — ответил Тимофей Васильевич Хохотуеву. — Мы
с Окой Городовиковым, когда отмечали пятисот-
летие калмыцкого народного эпоса «Джангар»,
перед войной, в тысяча девятьсот сороковом году, поспорили с писателем Хероныкыным, такого знаешь?.. — спросил у Степана Дмитриевича
Тимофей Васильевич.

Такого Степан Дмитриевич не знал.

— Поспорили мы с ним по причине... не помню уже, почему поспорили... Ты, Пинай Наза-
рыч, про зуб ему расскажи... Про зуб — это важно, про зуб-то...

— Про зуб-то, да, — сказал Хохотуев, — важно. Про зуб, да, расскажу.

Пинай рассказал про зуб.

Степан Дмитриевич ничего не понял. Какие-
то тридевятые небеса из ненецких народных сказок. Но кивал, будто бы понимая.

— Бери Ведерникова, — сказал Пинаю комдив, — бери туземца, скажешь... это я сам скажу, это пока я трезв, под мою ответственность, и
двигай к этим, которые зубами интересуются...
С ними строго — без дна чтобы, без пощады...
А Телячелов?.. Не знаю... Ага, Телячелов... А?..
Телячелов? Ну, Телячелов, ну — ага...

Голова Тимофея Васильевича грустно скло-
нилась к блюду. Раки поначалу смутились, а когда усы Дымобыкова заскребли о фарфоровую
поверхность, в рачьем царстве настало счастье.

Глава 20

— В Африке, говорят, такие есть лагеря, где охрана ходит за тобой с опахалами и обдаёт тебя этими опахалами, чтобы тело у тебя не потело. У нас не то... — сказал Хохотуев, щурясь от полдневного солнца. — Опахалами, мать-и-мать! Ведерников, старшина, ты «опахалы», слово такое знаешь?

Ведерников сидел, пригорюнившись, он такого слова не знал. Ванюта придремнул, сгорбившись. Хохотуев правил аэронартами, как заправский, лихой погонщик, заменив пригорюнившегося Ведерникова.

— Смерч! — приказывал Хохотуев главному псу в упряжке. — Мать-и-мать, слава радио, ну-ка куси Тайфуна. А то что-то он ни бежит ни телится. Старшина, — Хохотуев переместил внимание на двуногих с четвероногих, — мне, конечно, как человеку неподконвойному, трудно было слышать про зубы эти. Я за жизнь свою зубов столько вышиб, что, сложи их в единый ряд, выстроятся они в линейку аж до самого порта Владивосток. Был я, помню, в этом порту, мы с японцами кошек на дровах жарили. Девятнадцатый, помню, год. Эх, весёлое было время! — Хохотуев всхохотнул и задумался. — Одного я не понимаю, Ванька, — обратился он к сгорбившемуся

Ванюте, — какого ляда вы, коси глаз, политическую бузу затеяли? Как её там — мандаладу, слава радио, мать-и-мать? Нет, конечно, сообразить я могу, здесь твоя земля, здесь олешки твои пасутся... Я в колючке живу, к зоне прикреплённый-прилепленный, ты к оленям своим прилепленный, а не к нашей проволоке с колючкой. Но скажи же, война ведь же?! Ты к оленям — куда олешек твой, ты туда же, а нам нужно к общей родине прилепиться, которую фашистская сила мнёт. Ванька, ну?

Ванюта очнулся, вздрогнул, глянул сонно на Хохотуева, не ответил. Он вообще человек был неговорливый, особенно после карцера.

— Твоя родина — моя родина, — продолжал Пинай, — «Прилепиться» неправильно я сказал. Надо жить, а не прилепиться. Твоя родина, может, больше моей, нашей всей. Может, ты, слава радио, больше думаешь о родине о своей, когда оленей своих уводишь на северá. Потому что всех оленей сейчас забей да фронту всех оленей сейчас отдай, так завтра фронту отдавать будет нечего, и ослабнет фронт, и враг, коси глаз, одолеет нас, мать-и-мать.

— Нет, — Ванюта сказал, — не будет такого завтра. Завтра будет наша победа, моя, твоя. Светлое дерево яля пя дышит корнями.

Старшина Ведерников показал на тундру — на пятно холма, поросшего кривыми деревьями. Замолчали — услышали запах ветра, но безвкусного, не питающего ни тело, ни сердце, только рвущего на части желания и заставляющего человека страдать и морщиться.

— Мухоморский бог им товарищ? — поинтересовался Хохотуев у старшины. — Ладно, пусть он им их товарищ, но товарищ Сталин, товарищ наш, сильно больше. За родину, за Сталина! — сказал Хохотуев и вынул из задника жёлтого американского своего ботинка автоматический швейцарский пружинный бритвенно отточенный нож.

Облака, сгустившиеся над тундрой, из серых превратились в стальные, под цвет хохотуевского ножа. Похолодало. Мёртвыми сделались облака.

Ровно на триста тридцать три с третью кусочка порезал Хохотуев неправедную плоть Темняка. Меньше на три кусочка порубил Пинай Назарович малохольное тело Собакаря.

— Есть будешь? — спросил Пинай, маша́ перед Ванютой мешком с костями и мясом им порубленных мухоморов. — Брезгуешь? — спросил он, вынимая из кровью сочящегося мешка кусок предплечья собакарёвского. — А я вот проголодался. — Он стал вжёвываться прямыми зубами в плоть Собакаря-мухомора. — Подсолю-ка, соли маловато чего-то. Давай не тушуйся, ешь... Скоро ль ещё до дому?.. Я его спросил: «Ну вот ты, Темняк, сорок человек погубил, неужели никого не было жалко?» — «А тебе, — он говорит, — Пинай Назарович, когда ты мух давишь — их жалко?» — «Нет, ну каково?! И это человек про человека! Я у него спрашиваю: «А есть ли у тебя, говорю, на свете что-нибудь святое, Темняк? Веришь ли ты, — спрашиваю, — во что-нибудь или в кого-нибудь?» — «Да, — говорит, — верю. В ежа, который колется, — говорит, — верю». *В ежа*, оцени, Ведерников!

Пережёвываемый Собакарь думал: «Обманул меня Темняк, обманул. Обещал жизнь, получилась смерть, но смерть — это тоже жизнь, только мёртвая, только больно. Потому что жуют зубами, вот губами сосали бы, не было бы так больно».

Отвечает ему мёртвый Темняк: «Улуу-Тойону дали два зуба мы. За меня зуб однорукого утопленника-русского, за тебя, Собакаря, зуб этого дурака Ванойты, третий зуб сам к нам придёт. Жди. Ровно день остался. Мёртвому день как жизнь. День — жизнь, жизнь — день, ден-жизнь — жиздéнь. В мёртвой жизни всё мёртво. Всё правильно. Понимаешь? Жизнь у нас теперь вечная, потому что мёртвая. Хорошо-то как!.. Видишь?»

Отвечает Темняк мёртвый Собакарю мёртвому: «Вижу».

День выдался не футбольный, ветреный. Тучки покрыли небо.

Телячелов перенервничался весь. Ещё бы, этот алкоголик, этот предатель родины, этот... генерал-полковник всея циркумполярной Руси, перенёс ответственный матч с завтра на сегодня. Едет уже начальство, успел сообщить. И усиленный конвой едет. И архангельцы уже на подлёте. «Успеют, — надеялся замполит. — Только вот обещанного организатора мандалады отпустил говнюк Дымобыков, и ничего-то я не смог с этим сделать. Ладно, отговорюсь». Вспомнил вдруг замполит, как Дымобыков, заполняя анкету, в строке об образовании написал «незаконченное низшее». Хмыкнул громко, почесался, сел, встал...

Ведерникова всё не было. Совсем распустил подчинённый состав командир дивизии. Впрочем, каков комдив, таков и состав. Ничего, придёт старшина, устроит он ему и за туземца, и за лауреата, за всё, за всё. Никаким мерячением не отпишется.

Телячелов метался по кабинету.

С глазом его встретилась гильотина, подмигнула глазу, попросила приблизиться. Телячелов приблизился, интересно стало, с чего бы это она. Замполит заинтересовался вдруг, как это при королях французских головы рубили отступникам. Сюда, что ли, совать её, голову-то? Сунул. На что нажимать? Нажал. Сработало. Крови вышло почему-то немного. Стакан примерно. Он ещё, как Лавуазье на казни, моргнул зачем-то, эксперимента ради, левым глазом портрету Сталина, но Сталин не ответил, смолчал. Не до Телячелова было Сталину. Сталин думал о Сталинграде.

С хвостохранилища задувало хмелем. Отстойный запах разлагающегося болота кому нравился, кому нет — женщины прикрывали рты скомканными платками, стойкие мужчины терпели. Трибун было сколочено две. Одна по эту сторону скошенного кóсами поля, другая — по другую, пониже, для командного состава помельче.

Место главное, на главной трибуне, было пусто — Дымобыков запаздывал. Место рядом, замполита Телячелова, пустовало тоже. Жена Телячелова, Зоя Львовна, теребила возле губы платок, недовольная ядовитым запахом. Шею её грело кашне. Светло-розовое, по краям голубое.

— Начинаем, — сказал капитан Шилкин, нервно глядя недобритый висок.

Нынче он был за тренера и правил футбольный бал. Ярко-жёлтый, цыплячий мяч он держал, как держат гранату, — в сторону отведя

371

лицо, чтобы, если заденет, так только сбоку. Он ткнул Младостина под мышку.

— Товарищи!.. — начал Младостин-старший.

Шилкин зашептал ему в ухо:

— Скажи ещё «друзья», идиот... Ты кто? Пятьдесят восьмая! Враг народа, а в товарищи набиваешься. Тебя за таких «товарищей»...

— Друзья! — исправился Николай Младостин. — КВЧ, наша культурно-воспитательная часть, поручила мне... это... ну, в общем... плохо у меня с речью... с мячиком у меня проще... Бросай, гражданин капитан, сыграем, что ли... не проиграем авось.

Шилкин глянул на него косо, с подвохом, бросил мяч в ноги старшего лейтенанта Мамонтова. Мячик от ноги Мамонтова откатился к ноге Николая Младостина, и там ему понравилось вроде бы. Младостин поласкал его боком бутсы, потом передал пас Младостину Петру, брату. Петька передал Сашке, Сашка — Андрею, и ровно через пару минут мяч от ноги Андрея порвал в сетке лагерной половины маленькую дыру.

Один — ноль.

Лагерь проигрывает.

Заключённые ведут счёт.

Николай, Коля Трусевич, вратарь бывшего киевского «Динамо», сел у стойки новых ворот, откинулся, руки заложил под затылок и закрыл глаза. Можно отдыхать хоть весь матч. Младостины на сцене. *Этим-то* куда против Младостиных. Сплюнул, заглянул в небо. Там, на самом краешке облака, сидел маленький кривобокий ангел, болел за наших, показывал Николаю пальцами знак победы.

«Выиграем», — сказал небу Трусевич и помахал в ответ.

Ермек Утибаев у Младостина был нападающий. Лучшего нападающего в лагерной природе не существовало. Татарин, он не только игом может руководить, татарин умница, татарин русскому, если русский умный, а не дурак, первое подспорье во всём.

Хофман Аркадий Вольфович, румынский еврей, бывший центрфорвард сборной Румынии, выписанный специально из Амурлага и выступающий на лагерной стороне, тоже был не булыга-камень. Игрок серьёзный. Чемпион мира.

Шарамыгин, тот был из вохры, играл в «Динамо», имел медали. Сильный футболист и опасный.

Володя Щукин, игрок серьёзный, такому мяч под ногу не клади.

— Дави их, как Господь бог Саваоф чертей, и по голове балалайкой! — крикнул кто-то с невысокой трибуны.

Игра пошла.

Беки-лагерники, хавбеки-лагерники, из офицерского в основном состава, инсайды правые, левые, форварды и все прочие ловко семенили ногами, лупили горячо по мячу, а тот, как жёлтая цыплячья пушинка, летал, свободный, от ворот до ворот, но попадал почему-то в ворота лагерников.

В ворота заключённых не попадал.

Первый тайм сменился вторым.

Счёт три — ноль. В пользу представителей зоны.

Старший лейтенант Мамонтов удачно обвёл Младостина, Андрея, громко саданул бутсой по лёгкому, поворотливому мячу, но, видимо, слишком громко — мяч, как небесный метеорит, сильно устремился на запах гниющего и плачущего хвостохранилища. И исчез там.

Шилкин в чёрных трусах замахал флажком жёлто-красным.

Пауза. Синие облака проплывают медленно над трибунами. Не дождят, не каплют, не плачут. Потому что равнодушные по природе. Люди неравнодушны, ждут. Взгляд их устремлён на хвостохранилище. Ждать себя не заставил взгляд. Мяч, упавший туда, вылетел оттуда через мгновение. Вылетел и упал на поле, к старшелейтенантской ноге.

Старший лейтенант Мамонтов, видя, что ворота открыты, а противник замешкался, не готов, вдарил с дурацкой силой по бедному мячу-летуну, вдарил и схватился за бутсу — больно стало старшему лейтенанту. Мячик, жёлтый птенец, отяжелевший после хвостохранилища, пролетел над футбольным полем и ударился своим круглым телом о верхнюю воротную перекладину.

Вот тут-то стадион и притух. Сперва притух, потом вскрикнул.

Мяч, ударив по перекладине, лопнул с противным звуком, порвался на кожаные лоскутья, и в руки дылды-голкипера из победной старостинской команды попал не мяч, попала голова человечья, отрубленная ровно по подбородок.

Зоя Львовна крикнула первая:

— Дима! Дмитрий Иванович! Гол! Так им! Забей!.. — и зашлась в истерике.

Зрелище было страшное.

Вратарь держал над живой своей головой мёртвую голову замполита Телячелова и не знал, что с нею делать. Гол он вроде не пропустил, три—ноль как было, так и осталось. «Может, вбросить, — думал он, — голову, как мячик, на поле, пусть доигрывают ребята...»

— Зуба нет! Зуб где? — спросил капитан Медведев, обследуя мёртвую голову полковника Телячелова.

Все зубы были на месте, не хватало одного — мудрости.

— Мандалада, — сказал Медведев. — Надо действовать, враг не дремлет. Правильно, товарищ Телячелов?

«Правильно, товарищ Медведев», — молча ответила мёртвая голова Телячелова.

Гидросамолёт приземлился на болотистую воду протоки. Перелёт от Архангельска до Оби был тяжёлый, но вполне сносный. Два соломбальских сокола — сокол-снайпер Афанасий Коптелов и снайпер-сокол Авдей Хрящов, срочно призванные омским начальством смертно воевать с мандаладой, — первым делом, достигнув берега, мощно помочились в кусты, вторым делом закурили по самокрутке. Потом проверили винтовки и пулемёты, не забыто ли что-нибудь в самолёте, а когда капитан Медведев, суетливый, как все эмгэбэшники, начал на них орать, по-архангельски ему улыбнулись и послали товарища капитана на хрен моржовый.

Глава 21,
заключительная

Молоко человеческой доброты быстро киснет в трудные времена.

Мария ехала в летних нартах и думала о доброте и о человеке. Не думала, вернее, а плакала. Однажды в детстве она хоронила куклу. Все они, дворовая детвора, хоронили её в садике у забора, эту стёршуюся трёпу-растрёпу — глаза не видят, вата внутри воняет, ухо почернело, отвисло... Она её ударила, в это ухо, а потом подумала про себя: кто-то ударит меня вот так же и все обрадуются, смеяться будут... Смеялись... Да. В землю её зарыли. Кукла глаза закрыла, будто бы уже мёртвая, а сама дышит, дышит тихо, как через трубочку, когда прислушиваешься к дыханию. И из-под земли слышно было, она слышала, как та дышит. Крестик над ней поставили из рябины...

— К Горе едем, хэбидя я, священное место — Гора. Там он, все там сегодня, — говорил ей ненец-погонщик, почти не управляя оленем — маленьким светло-рыжим умным кареглазым Юноко, — олень знал дорогу сам.

«Там он», — повторила она. Всякий раз почти половину жизни, когда она приезжала к нему, близко ли — в Москву ли, на Волгу, — за тридевять земель, как сейчас, он уже исчезал куда-то, оставался только призрак его и запахи покинутой мастерской.

Где сокровище ваше, там сердце ваше. Её сердце шло навстречу ему, иногда оно останавливалось, и тогда не хотелось жить. Хотелось, чтобы её, как куклу, зарыли в землю. «Неужели и сейчас пустота?»

Гора стояла над тундрой, приплюснутая, невысокая, плоскогорбая, поросшая разреженным лесом. Время было вечернее, солнце, льнущее к горизонту, трудно продиралось сквозь облака. Облачный цвет менялся от бледно-розового, ближе к Горе, до тёмного багрянца — над горизонтом. А на самых дальних пределах, на севере и особенно на востоке, небо было чёрным, военным, с отблесками гремучих молний, там ещё хозяйничала война.

Пинай стоял на Горе, поигрывая оленьей челюстью, прихваченной из мухоморского леса — так, на всякий случай, вдруг пригодится. Зэки ему рассказывали, что когда-то в стародавние времена один еврейский жиган положил челюстью при облаве сразу тысячу человек легавых. Ослиной, правда, а не оленьей, у евреев оленей нет, — но какая, слава радио, разница, оружие есть оружие.

— Хочу умереть красиво, в начищенных до блеска ботинках, причёсанный, зубы блестели чтоб, — сказал Пинай Бен-Салибу, чёрному эфиопскому дьяволёнку, перекрашенному революцией в красного.

— И зубы блестели чтоб? — удивился его желанию Бен-Салиб.

— А то! — ответил Пинай Назарович бывшему дикарю-эфиопу. — Смерти надо улыбаться в лицо, чтобы она не думала, что ты с ней играешь труса, её боишься. И с песней. — Пинай запел:

> Ай за Уралом, братцы, за рекой
> Казаки гуляют...

— Тише, на Горе нужно говорить шёпотом, — остановил его одноногий Калягин. — Здесь — тайна. В тишине — тайна. Громкие голоса — чужие. Тайна — это молчание. Это как ночь, которая погружает предметы в тайну. Так и Гора... Да, Ванюта?

Ненянг, Ванойта, а по-русски Ванюта, ничего ему не ответил, он прислушивался к корням священного дерева яля пя, как они, пронизывая всю тундру, дрожат, пульсируют, впитывают в себя силу, чтобы дерево победило смерть и зазеленело над уставшим от смерти миром.

Тимофей Васильевич Дымобыков был растерян и не по-командирски не собран. Хмель ещё гулял по нему, и комдив держался за тёплый ствол молодой лиственницы, она была ростом выше его лишь на голову, но стояла крепко, держаться за неё было надёжно.

— У меня мысли никогда в такую хитрую мозаику не сложились бы, а вот ведь скажу. — Дымобыков окинул Гору медленным, плавным взглядом, посмотрел на лица всех, кто был рядом с ним, потом посмотрел на север, сместил взгляд на восток, на грозовые тучи на горизонте. — Что-то я, ребята, устал. Статую заказал — не радует. Извини, — сказал он Степану Дмитриевичу, — хорошая статуя, постарался. Но — режет вот здесь, под сердцем, будто бы украл что или предал. Спроси почему — не знаю. Мы, когда с Окой Городовиковым рубили белых на юге, думали, вот порубим — и настанет на земле счастье. И потом, когда Магнитку ставили с Авраамием, поставим, думали, — вот и счастье. А счастье — как облако над Уралом, идёшь к нему, идёшь, вроде бы приближаешься, а оно далеко-далёко. А сейчас фашист нас кусает. Побьём его, будет счастье. А будет ли? Я не знаю. — По выпуклому лбу комдивизии протянулись шрамы морщин. «Лоб Разина резьбы Конёнкова», — оценил Степан Дмитриевич глазом художника мгновенный его портрет. Тимофей Васильевич вдруг насупился. — Может, я Богу нужен? — спросил он тихо у самого себя голосом не Савла, но Павла, гладя тонкий ствол лиственницы. — Эти же обо мне не вспомнят, — кивнул он под Гору, вниз, туда, где из-за тундровых кочек смотрели на него пулемёты и весело переговаривались о чём-то два соломбальских сокола — сокол Афанасий Коптелов и сокол Авдей Хрящов.

— Ты человека когда убивал первый раз, о чём думал? — спросил Хрящов у Коптелова.

— А-а-а... Так, ни о чём, — ответил ему Коптелов. — Думал, как у нас, в Павилихе, это под Холмогорами, подрались на Троицын день Лапердин и Фараонов. Так Фараонов во время драки откусил Лапердину нос.

— А я думал о яблоках. Яблок, думал, хорошо бы поесть.

— Хватит калякать не по нужде, — нервно щурясь из-под очков, приказал капитан Медведев. — Молча ждите моей команды.

АЛЕКСАНДР ЕТОЕВ

Коптелов показал ему дулю. Хрящов показал ему две. Медведев якобы не заметил. С соломбальскими связываться себе дороже.

Невидимые смертному глазу неслышно похахатывали в сторонке Собакарь и Темняк.

На Горе у ног старшины Ведерникова тёрлись и преданно заглядывали в глаза хозяину Смерч, Буран, Циклон и Тайфун, четвёрка его верных помощников.

Хохотуев подмигнул старшине, повесил на сучок лиственницы оленью челюсть и вынул из-за пазухи зуб. Подкинул пару раз его на ладони, а потом, примерившись глазом, запустил зубом Телячелова в комариную стайку над головой.

Быстрый, как вихрь, Темняк, опередив на полмгновенья Собакаря, перехватил полковничий зуб в полёте.

— Третий, — сказал Темняк. — Жди нас, Улуу-Тойон, готовь нам чум, готовь угощение.

— С вами можно? — робко спросил Телячелов, прибиваясь к невидимым мухоморам. — К этому... вашему... как его... можно с вами? Зуб я отдал.

— Нельзя с нами. — Мухоморы замахали руками. — Ты же без головы. Чем кланяться будешь, если ты безголовый?

— А я? А нам? — засуетились Индикоплов и Хоменков.

— Вот вам, — сказал Темняк и бросил им рыбью голову с красными обводами вокруг глаз. — Жрите.

Ванька, Майзелев сын, и повзрослевший Костя Свежатин стояли на Горе и смотрели, как Люська, сестра Ивана, крутит на поясе ржавый обруч.

Я БУДУ ВСЕГДА С ТОБОЙ

Соломбальский сокол Авдей Хрящов, когда Медведев подал команду, выбрал старика с бородой, стоявшего в стороне от прочих и о чём-то говорившего с женщиной.

Пуля прожужжала шмелём. Художник замер на полуслове. Мария вскрикнула. «Опять опоздала!» Художник посмотрел на неё.

— Я жив, Мария, — сказал он тихо. — Я буду всегда с тобой.

Етоев А.

Е 88   Я буду всегда с тобой : Циркумполярный
роман / Александр Етоев. — СПб. : Азбука, Азбука-Аттикус, 2019. — 384 с. — (Азбука-бест-
селлер).

ISBN 978-5-389-15113-0

Июнь, 1943 год, Зауралье, полярный круг. Отблес-
ки военных зарниц красят горизонт кровью, враг ещё не
сдаётся и с переломленным под Сталинградом хребтом
медленно отползает к западу.

Но и сюда, на пространства тундры возле матери
приполярных вод великой реки Оби, на города, посёл-
ки, лагерные зоны, фактории и оленьи стойбища, падает
тень войны и наполняет воздух тревогой. Эта неспокой-
ная атмосфера одних сводит с ума, превращая людей в
чудовищ или жалкое подобие человека, лишённое во-
ли и милосердия, другие, такие же с виду люди, возвы-
шаются над морем житейским и становятся героями
или ангелами. А в центре этих событий жизнь и судьба
художника, в волшебных руках которого дышит и ожи-
вает глина, камень, дерево и металл.

УДК 821.161.1
ББК 84(2Рос-Рус)6-44

Литературно-художественное издание

АЛЕКСАНДР ЕТОЕВ
Я БУДУ ВСЕГДА С ТОБОЙ

Редактор Павел Крусанов
Художественный редактор Вадим Пожидаев
Технический редактор Татьяна Раткевич
Компьютерная верстка Владимира Сергеева
Корректоры Юлия Теплова, Лариса Ершова

Главный редактор Александр Жикаренцев

Подписано в печать 02.11.18. Формат издания 84 × 100 $^1/_{32}$.
Печать офсетная. Тираж 5000 экз. Усл. печ. л. 18,72.
Заказ № 8793/18.

Знак информационной продукции
(Федеральный закон № 436-ФЗ от 29.12.2010 г.): 16+

ООО «Издательская Группа „Азбука-Аттикус“» —
обладатель товарного знака АЗБУКА®
115093, г. Москва, ул. Павловская, д. 7, эт. 2, пом. III, ком. № 1
Филиал ООО «Издательская Группа „Азбука-Аттикус“»
в Санкт-Петербурге
191123, г. Санкт-Петербург, Воскресенская наб., д. 12, лит. А
ЧП «Издательство „Махаон-Украина“»
04073, г. Киев, Московский пр., д. 6 (2-й этаж)

Отпечатано в соответствии с предоставленными материалами
в ООО «ИПК Парето-Принт».
170546, Тверская область, Промышленная зона Боровлево-1,
комплекс № 3А.
www.pareto-print.ru

H-ABA-23489-01-R

ПО ВОПРОСАМ РАСПРОСТРАНЕНИЯ ОБРАЩАЙТЕСЬ:

В МОСКВЕ

ООО «Издательская Группа „Азбука-Аттикус“»

Тел.: (495) 933-76-01,
факс: (495) 933-76-19

e-mail: sales@atticus-group.ru;
info@azbooka-m.ru

В САНКТ-ПЕТЕРБУРГЕ

Филиал ООО «Издательская Группа „Азбука-Аттикус“»

Тел.: (812) 327-04-55,
факс: (812) 327-01-60

e-mail: trade@azbooka.spb.ru

В КИЕВЕ

ЧП «Издательство „Махаон-Украина“»

Тел./факс: (044) 490-99-01

e-mail: sale@machaon.kiev.ua

Информация о новинках и планах на сайтах:

www.azbooka.ru
www.atticus-group.ru

Информация по вопросам приема рукописей
и творческого сотрудничества
размещена по адресу:
www.azbooka.ru/new_authors/